L'Italien

Collection Sans Peine

par Anne-Marie OLIVIERI

Illustrations de J.-L. GOUSSÉ

D1297273

Le don des langues

B.P. 25
94431 Chennevières-sur-Marne Cedex
FRANCE

© ASSIMIL 2012
ISBN 978-2-7005-0327-2

Nos méthodes

sont accompagnées d'enregistrements sur CD audio ou mp3.

Collections Assimil

Sans Peine

L'Allemand - L'Anglais - L'Anglais d'Amérique - L'Arabe - L'Arménien - Le Bulgare - Le Chinois - L'Écriture chinoise - Le Coréen - Le Croate - Le Danois - L'Égyptien hiéroglyphique - L'Espagnol - L'Espéranto - Le Finnois - Le nouveau Grec - Le Grec ancien - L'Hébreu - Le Hindi - Le Hongrois - L'Indonésien - L'Italien - Le Japonais - Le Japonais : l'écriture kanji - Le Latin - Le Malgache - Le Néerlandais - Le Norvégien - Le Persan - Le Polonais - Le Portugais - Le Portugais du Brésil - Le Roumain - Le Russe - Le Suédois - Le Swahili - Le Tamoul - Le Tchèque - Introduction au Thaï - Le Turc - L'Ukrainien - Le Vietnamien - Le Yiddish

Perfectionnement

Allemand - Anglais - Espagnol - Italien - Arabe

Langues régionales

L'Alsacien
Le Basque unifié (initiation)
Le Breton
Le Catalan
Le Corse
Le Créole
L'Occitan

Affaires

L'Anglais des Affaires

Assimil English

L'Anglais par l'humour
Les expressions anglaises
Conjugaison anglaise

73	Roma, 9 ottobre 2004	293
74	Faccio un salto in farmacia	299
75	Vorremmo trasferirci	303
76	Animali domestici	307
77	Revisione	311
78	Un progetto interessante	315
79	Bisogna che riflettiamo ancora	321
80	È ora di discutere	325
81	Resti in linea!	329
82	Mi faresti un favore?	335
83	I capricci del tempo	341
84	Revisione	345
85	Vieni alla nostra festa?	353
86	Andiamo a ballare?	357
87	Se potessi essere con voi…	361
88	Mio nonno nacque…	367
89	Che cosa farò?	373
90	Capita a tutti!	377
91	Revisione	381
92	Partì in giugno	385
93	Avrei bisogno del tuo aiuto	389
94	Mi sembra difficile	393
95	Posso entrare?	399
96	Vorrei domandarti se…	403
97	Grazie lo stesso	407
98	Revisione	411
99	Non vedo l'ora di essere in Italia!	415
100	E perchè no!	419

Appendice grammatical 423
Lexique des expressions usuelles................................454

Lexique italien – français..458
Lexique français – italien 494

Introduction

Cher lecteur, vous venez d'acheter cette méthode Assimil d'*Italien*, et nous vous en remercions. Nous espérons que vous serez satisfait de votre choix. Quelles que soient vos raisons pour vous mettre à l'italien, cet ouvrage ne vous décevra pas !

En effet, nous nous sommes efforcés de répondre à vos besoins en concevant une méthode d'utilisation très simple, basée sur des dialogues qui reproduisent les situations les plus courantes de la vie quotidienne et professionnelle. Ainsi, débutant ou faux-débutant, que vous souhaitiez découvrir les musées italiens, les villes, la gastronomie ou encore les secrets des plages italiennes, ou que vous ayez la volonté de parler italien pour des motifs professionnels, amicaux ou sentimentaux, vous y trouverez votre bonheur. Le style choisi correspond, le plus souvent, à celui de la langue parlée, mais nous vous donnons également des exemples appartenant à un registre de langue plus soutenu, plus formel et adapté aux exigences du monde du travail.

Par ailleurs, pour qu'à travers ces pages, vous ayez l'impression de vivre un peu à l'italienne, nous vous proposons ici et là, en marge des dialogues, de brèves notes culturelles portant sur les curiosités, les coutumes, les expressions idiomatiques propres aux Italiens.

Enfin, dans la dernière partie de cet ouvrage, vous trouverez un appendice grammatical résumant les notions de grammaire les plus importantes de la langue italienne. Vous aurez l'occasion, plus tard, de les enrichir en vous plongeant dans la grammaire du *Perfectionnement italien*.

Comment utiliser votre ASSIMIL d'Italien ?

Cette méthode se fonde sur l'assimilation naturelle et progressive de la langue et vous permettra d'apprendre l'italien avec une impression de grande facilité.

La première vague

Nous l'appelons également "phase passive". Elle consiste d'abord en une écoute attentive de **l'enregistrement du dialogue** : en effet, dans une situation d'apprentissage naturel, c'est-à-dire dans la réalité du pays, c'est par le biais de l'écoute que l'on s'imprègne des sons, du rythme et de la musique d'une langue. Nos enregistrements sont là pour vous aider à acquérir ces automatismes phonétiques.

Lorsque vous abordez votre leçon quotidienne, commencez par écouter le dialogue – autant de fois que vous le souhaitez –, sans lire le texte. Imprégnez-vous bien de la musicalité des phrases. Puis essayez de répéter chaque phrase sans la lire, même si vous n'en avez pas encore compris le sens. Vous ne disposez pas des enregistrements ? C'est dommage, car vous vous privez d'un outil qui pourrait vous permettre de parvenir à une très bonne prononciation de l'italien. Cependant, si tel est le cas, lisez plusieurs fois les dialogues, à l'aide de la prononciation figurée – que nous avons voulue simplifiée, "à la française" –, en essayant d'en deviner le sens.

Vérifiez ensuite vos hypothèses grâce à **la traduction**. Puis répétez plusieurs fois chaque phrase, jusqu'à être sûr de l'avoir bien mémorisée.

Ne faites pas l'impasse sur **les notes**, qui sont là pour expliquer, en termes clairs, les points essentiels du vocabulaire et de la grammaire que vous venez de voir.

Les exercices, que vous trouverez à la fin de chaque leçon, constituent la dernière étape de l'apprentissage quotidien. Ils sont essentiels pour renforcer votre apprentissage et consolider vos acquis.

Toutes les sept leçons, **une leçon de révision** vous permet de faire le point sur les connaissances que vous avez acquises et de développer les informations glanées dans les notes.

Par ailleurs, en fin d'ouvrage, un **appendice grammatical** reprend toutes ces notions de façon plus systématique et vous propose une **liste des principaux verbes irréguliers**. Un **double lexique** ainsi qu'un **lexique d'expressions italiennes usuelles** sont également à votre disposition.

Pour que ce travail ressemble davantage à un moment de détente et de plaisir qu'à une corvée, nous avons fait en sorte que le temps d'étude nécessaire à chaque leçon ne dépasse pas une demi-heure par jour. Il vous faudra toutefois vous conformer à cette régularité quotidienne – gage de votre succès –, sans laquelle votre travail d'apprentissage risque de perdre de son efficacité. C'est à ce prix que vous progresserez sans le moindre effort, et sans même vous en apercevoir.

La deuxième vague

À la moitié du livre, vous passerez à la seconde phase de votre apprentissage. Cette phase est dite "active", car elle vous demande un petit effort supplémentaire. Vous vous demandez en quoi elle consiste ? C'est très simple ! Après avoir étudié normalement la leçon 50, vous reprendrez la 1re leçon de l'ouvrage : vous étudierez le dialogue de cette leçon, les notes et les exercices puis, en cachant le texte italien, vous traduirez le dialogue à partir du français. À la 51e leçon, vous reprendrez la leçon 2, et ainsi de suite jusqu'à la leçon 100. Grâce à cette révision quotidienne – qui vous paraîtra un jeu d'enfant –, vous consoliderez vos connaissances et constaterez avec joie le chemin parcouru depuis le début de votre étude.

L'orthographe et la prononciation de l'italien

Rassurez-vous, l'orthographe de l'italien n'a rien de compliqué : à chaque son ne correspond qu'une seule écriture ! Rassurant, n'est-ce pas ?
La prononciation, quant à elle, vous demandera sûrement un petit effort. Mais rassurez-vous, rien de bien méchant ! Avant de passer à la première leçon, n'hésitez pas à lire attentivement les lignes qui suivent afin d'éviter les erreurs. Vous le verrez, nos conseils de prononciation se révèleront utiles à chacune des étapes de votre apprentissage… Imprégnez-vous-en et revenez-y à l'envi si cela vous semble nécessaire.

1 Les sons de l'italien

On décrit souvent l'italien comme étant une langue "chantante". Deux phénomènes d'accentuation expliquent cette musicalité particulière : l'accent tonique et l'accent de la phrase. Quelles en sont les principales caractéristiques ?

1.1 L'accent tonique

L'accent tonique indique la voyelle que l'on doit allonger par rapport aux autres, lui donnant ainsi une emphase et une sonorité particulières. Dans la plupart des mots, c'est l'avant-dernière syllabe qui porte la voyelle accentuée, comme dans **parlare**, *parler*, ou **italiano**, *italien*. Dans d'autres mots, en revanche, la voyelle accentuée est celle de l'avant-avant-dernière syllabe, comme dans **facile**, *facile* ou **simpatico**, *sympathique*. Dans un troisième groupe de mots, la voyelle accentuée est la dernière, comme dans **caffè**, *café* ou **città**, *ville* ; ce n'est que dans ce dernier cas que l'on doit matérialiser l'accent tonique à l'écrit par un accent "grave" sur la voyelle accentuée. Enfin, l'accent de certains mots (essentiellement des formes verbales), porte sur la quatrième ou cinquième syllabe avant la dernière : **parlagliene**, *parle-lui-en* ; **comunicaglielo**, *communique-le-lui*.
Pour vous simplifier la vie, la voyelle accentuée figure en caractères gras dans tous les dialogues de cette méthode.

1.2 L'accent de la phrase

C'est un autre élément – et non des moindres – qui donne à la phrase italienne sa spécificité. Si l'intonation d'une phrase varie le plus souvent en fonction du contexte et des finalités du discours, une caractéristique importante de l'italien est son caractère fluide ("légato", dirait-on en musique), car les mots semblent se tenir par la main, jusqu'à créer ou délimiter des segments de phrase qui sont aussi des unités de sens. Pour pouvoir identifier et reproduire correctement ces segments signifiants, il est indispensable d'écouter très attentivement les enregistrements des dialogues ou tout autre document sonore dont vous disposez. Pour vous aider à reproduire le plus fidèlement possible ces accents de phrase, nous avons indiqué les mots à prononcer comme s'ils n'en faisaient qu'un par un trait de liaison (‿) dans les vingt premières leçons. De manière générale, évitez de faire de pauses après les articles, les prépositions et les verbes auxiliaires, et prononcez comme s'il ne s'agissait que d'un seul mot : **Ecco il caffè di Francesco** [ecco‿il‿caffé‿di‿francésco], *Voici le café de Francesco* ; **Paolo è andato a Roma** [paolo‿è‿andato‿a‿roma], *Paolo est allé à Rome*, etc.

2 L'alphabet

L'alphabet italien comporte 21 lettres, 5 voyelles et 16 consonnes :

A	*a*	**B**	*bi*	**C**	*tchi*	**D**	*di*	**E**	*é*
F	*èffè*	**G**	*dji*	**H**	*akka*	**I**	*i*	**L**	*èllè*
M	*èmmè*	**N**	*ènnè*	**O**	*o*	**P**	*pi*	**Q**	*kou*
R	*èrrè*	**S**	*èssè*	**T**	*ti*	**U**	*ou*	**V**	*vi*
Z	*dzèta*								

À ces lettres, il faut en ajouter 5 autres, présentes dans les nombreux mots étrangers qui font aujourd'hui partie du lexique italien :

J *i lou'nga*   **K** *kappa*   **W** *doppia vou*   **X** *iks*   **Y** *ipsilon*

Toutes les consonnes sont de genre féminin.

2.1 Les voyelles

Comme nous le disions, elles sont cinq : **a**, **e**, **i**, **o** et **u**. Le **a** et le **i** se prononcent comme en français. Nous vous donnons à voir ci-dessous la prononciation des voyelles qui se prononcent autrement qu'en français :

Lettre	Mot exemple	Correspondant français	Transcription phonétique
e ouvert	b**e**ne, *bien*	l<u>ai</u>t	*bènê**
e fermé	m**e**la, *pomme*	<u>é</u>tat	*méla*
o ouvert	f**o**rte, *fort*	f<u>o</u>rt	*fortê***
o fermé	d**o**ve, *où*	f<u>au</u>x	*dovê***
u	t**u**, *tu*	t<u>ou</u>t	*tou*

* Nous mettrons toujours un accent circonflexe sur le **e** en fin de mot pour vous rappeler qu'il n'est jamais muet, mais qu'il faut le prononcer "moyen", entre le **e** ouvert et le **e** fermé.

** Dans la prononciation figurée, nous n'indiquons pas les différences d'ouverture du **o** car, de nos jours, les variantes régionales sont très nombreuses et plus personne n'y attache d'importance ! Pour le **e**, l'on y fait un peu plus attention : c'est pourquoi nous avons fait le choix d'en indiquer l'ouverture ou la fermeture. Mais ne vous compliquez pas l'existence et suivez la tendance générale : choisissez une prononciation plutôt fermée pour les deux voyelles. Ce sera parfait !

2.2 Les consonnes

Voici les lettres ou groupes de lettres qui se prononcent, pour la plupart, autrement qu'en français.

• **Lettres**

Lettre	Mot exemple	Correspondant français	Transcription phonétique
c dur (devant **a, o, u**)	**c**apace, *capable* **c**osa, *chose* **c**urioso, *curieux*	<u>c</u>apable <u>c</u>omme <u>c</u>urieux	*kapatchê koza kouriozo*
c doux (devant **e** et **i**)	**c**erto, *certes* **c**inema, *cinéma*	t<u>ch</u>èque li<u>tch</u>i	*tchèrto tchinéma*
g dur (devant **a, o, u**)	**G**aetano, *Gaétan* **g**occia, *goutte* **g**usto, *goût*	<u>g</u>amin <u>g</u>obelet <u>g</u>outtière	*gaétano gottcha gousto*
g doux (devant **e** et **i**)	**g**elato, *glace* **g**iocare, *jouer*	<u>dj</u>ellaba <u>j</u>eans	*djélato djokarê*
qu (+ voyelle)	**qua**le, *quel*	s<u>qua</u>le	*koualê*
s (*s* en début de mot)	**s**ale, *sel*	<u>s</u>ol	*salê*

s (s devant **c, p, t, f, q**)	**sp**ortivo, *sportif*	s<u>p</u>ort	*sportivo*
s (s après consonne)	**raps**odia, *rhapsodie*	rhap<u>s</u>odie	*rapsodia*
s (z entre voyelles)	**ros**a, *rose*	ha<u>s</u>ard	*roza*
s (z devant **b, d, g, l, m, n, r, v**)	**s**badato, *étourdi*	ca<u>s</u>bah	*zbadato*
z (* *ts* dans le groupe **-enza/-anza**)	sen**z**a, *sans*	<u>ts</u>ar	*sè'ntsa*
z (***dz/ts** entre deux voyelles)	o**z**ono, *ozono* le**z**ione, *leçon*	<u>tsé</u>-<u>tsé</u>	*odzono* *letsione*

* Notez que les règles de prononciation ne sont pas figées et continuent d'évoluer selon les usages régionaux. C'est le cas notamment pour les consonnes s et z, pour lesquelles l'on constate de grandes fluctuations de prononciation.

• **Groupes de lettres**

Groupe de lettres	Mot exemple	Correspondant français	Transcription phonétique
cia (doux)	**cia**o, *tchao*	t<u>ch</u>ao	*tchao*
cio (doux)	**cio**ccolato, *chocolat*	ma<u>ch</u>o	*tchokkolato*
ciu (doux)	**ciu**ffo, *touffe*	at<u>ch</u>oum	*tchouffo*
gia (doux)	man**gia**re, *manger*	<u>Dj</u>akarta	*ma'ndjarê*

gio (doux)	**gio**vane, *jeune*	banjo	*dj**o**vanê*
giu (doux)	**giu**dice, *juge*	jumbo	*dj**ou**ditchê*
chi (dur, grâce au **h**)	**chi**lo, *kilo*	<u>qui</u>, <u>ki</u>lo	*k**i**lo*
che (dur, grâce au **h**)	an**che**, *aussi*	<u>quai</u>, <u>qué</u>rir	*a'nkê*
ghi (dur, grâce au **h**)	fun**ghi**, *champignons*	<u>gui</u>tare	*fou'ngui*
ghe (dur, grâce au **h**)	**ghe**pardo, *guépard*	<u>gué</u>pard	*guépardo*
sc dur (devant **a**, **o**, **u**)	**sc**uro, *sombre*	<u>squ</u>elette	*sk**ou**ro*
sc doux (devant **e** et **i**)	**sc**iopero, *grêve*	<u>ch</u>aud	*ch**o**pèro*
gli	a**gli**o, *ail*	pai<u>ll</u>e	*llⁱ*
glio	mi**glio**re, *meilleur*	mi<u>lli</u>onnaire	*millⁱ**o**rê*
glia	pa**glia**, *paille*	pa<u>lli</u>atif	*pallⁱa*
gliu	fi**gliu**olo, *fils*	O<u>lli</u>oules	*fill'ou**o**lo*
glo (comme en français)	**glo**ria, *gloire*	<u>glo</u>be	*gloria*
gla (id.)	**gla**ciale, *glacial*	<u>gla</u>cial	*glatchalê*
glu (id.)	**glu**cide, *glucide*	<u>glou</u>ton	*gl**ou**tchidê*
gn	**gn**occhi, *gnocchi*	<u>gn</u>ôle	*gn**o**kki*

• Doubles consonnes

Il est indispensable de faire entendre la différence entre la prononciation d'une consonne simple et celle d'une consonne double, car cette dernière entraîne souvent un changement du sens du mot. Quelques exemples :

casa, *maison* ≠ **cassa**, *caisse*
sono, *je suis* ≠ **sonno**, *sommeil*
pala, *pelle* ≠ **palla**, *ballon*, etc.

Encore une fois, nous vous invitons à bien écouter les enregistrements pour mieux appréhender ces sons… et nous vous souhaitons une étude très agréable !

Avant d'entamer votre première leçon, veillez à bien lire les pages qui précèdent. Vous y trouverez toutes les explications préliminaires indispensables à un apprentissage efficace.

---

1   Prima lezione *[prima létsionê]*

Benvenuto in Italia!

1 – Salve ①!
2 – Finalmente sei ② qui!
3 – Sono contento di essere a Roma!
4 – Ti presento Carla Rossi.
5 – Molto piacere ③, Signora!
6 – E questo è Mario.
7 – Ciao ④!   □

Prononciation
bè'nvénouto i'n_italia **1** *salvê* **2** *finalmé'ntê sèi_koui*

Notes

① **Salve!**, *Salut !*, est un mot assez informel, utilisé aussi bien par les adultes que par les plus jeunes.

② **sei**, *[tu] es* : les pronoms personnels sujets ne sont pas utilisés systématiquement en italien. En général, ils sont sous-entendus. Il faudra donc vous habituer à reconnaître la personne dont on parle à partir du verbe uniquement… Ce n'est pas difficile, et très bientôt cela vous semblera évident. ▸

***

Esercizio 1 – Traducete
Exercice 1 – Traduisez

❶ Benvenuto a Roma! ❷ Sono molto contento!
❸ Ciao, Carla! ❹ Molto piacere!

Bienvenue en Italie !

1 –   Salut !
2 –   Enfin [tu] es là *(ici)* !
3 –   [Je] suis content d'être à Rome !
4 –   [Je] te présente Carla Rossi.
5 –   Enchanté *(Beaucoup plaisir)*, Madame !
6 –   Et voici *(celui-ci est)* Mario.
7 –   Salut !

3 sono ko'ntè'nto di èsserê a roma 4 ti présè'nto karla rossi 5 molto piatchérê signora 6 é kouésto è mario 7 tchaö

▶ ③ L'expression **molto piacere** doit être employée dans toutes les situations où l'on est amené à vouvoyer son interlocuteur. Dans tous les autres cas, **salve** fera l'affaire.

④ **Ciao!**, *Salut !*, a connu ces dernières années un immense succès et a même été adopté par plusieurs langues étrangères. Toutefois, le bon usage italien préfère laisser son utilisation aux jeunes ou aux adultes qui s'adressent à des enfants. Pour toute autre situation un peu plus formelle, l'italien recourt aux mots passe-partout que sont **buongiorno**, *bonjour*, et **arrivederci**, *au revoir* !

***

Corrigé de l'exercice 1

❶ Bienvenue à Rome ! ❷ Je suis très content ! ❸ Salut, Carla ! ❹ Enchanté !

2 **Esercizio 2 – Completate**
Exercice 2 – Complétez
(Chaque point remplace un caractère.)

❶ Salut, Mario !
. . . . . , Mario!

❷ Enfin tu es en Italie !
Finalmente . . . . . Italia!

❸ Je suis content d'être ici !
. . . . contento di essere . . . !

❹ Voici *(celui-ci est)* Mario Rossi !
. . . . Mario Rossi!

---

2 **Seconda lezione** *[séko'nda létsionê]*

Colazione al bar

1 – B**u**ongi**o**rno ①!
2 – Un cappuccino, per fav**o**re.
3 – S**u**bito, Sign**o**re.

Prononciation
kolatsionê al bar 1 bouo'n djorno

Note
① **buongiorno** s'emploie pour saluer quelqu'un ou pour entamer une conversation. Son utilisation implique que les interlocuteurs ▸

Corrigé de l'exercice 2

❶ Salve – ❷ – sei in – ❸ Sono – qui ❹ Questo è –

Petit-déjeuner au café

1 – Bonjour !
2 – Un crème, s'il vous plaît *(pour faveur)*.
3 – Tout de suite, Monsieur.

2 oun̦kappouttchino pér̦favorê 3 soubito signorê

▶ se vouvoient, alors que **salve** et **ciao** sont utilisés entre personnes qui se tutoient.

4 E Lei ②, che cosa desidera?
5 – Un caffè ristretto e un cornetto, grazie.
6 – Per me una brioche ③, per favore. □

4 é_lèi ké_koza_dézidéra 5 oun_kaffè_ristrétto é_oun_kornétto gratsiê

Notes

② Pour la formule de politesse, l'italien utilise le **Lei**, *Elle*, *Sa Seigneurie*, et le verbe se conjugue à la troisième personne du singulier. À l'écrit, la majuscule vous aidera à repérer le sens de la phrase. Le **Voi**, *vous*, a été beaucoup utilisé au cours des siècles passés, mais ne l'est plus guère que dans des formes très proches de dialectes, notamment dans le sud de l'Italie. ▸

***

Esercizio 1 – Traducete
Exercice 1 – Traduisez

❶ Buongiorno, Signore! ❷ Un caffè ristretto, per favore! ❸ Per me una brioche e un cappuccino, grazie. ❹ E per Lei, Signora?

Esercizio 2 – Completate
Exercice 2 – Complétez
(Chaque point remplace un caractère.)

❶ Que désirez-vous *(quelle chose désire-t-Elle)*, Monsieur ?
 . . . . desidera, ... ?

❷ Pour moi un café serré, s'il vous plaît !
 Per me . . caffè . . . . , per . . . . . . !

❸ Tout de suite, Madame !
 Subito, ... !

❹ Un croissant, merci !
 Un . . . . , ... !

4   Et vous *(Elle)*, que désirez-vous *(quelle chose
désire-t-Elle)* ?

5 –   Un café serré et un croissant, merci.

6 –   Pour moi une brioche, s'il vous plaît.

6 *pér_mé ou*na_brio*che pér_favo*rê

▶ Rassurez-vous, vous vous habituerez vite au **Lei**… et puis, les
Italiens se tutoient assez facilement !

③ Bien sûr, "brioche" n'est pas un mot italien ! Comme toutes les
langues, l'italien s'enrichit constamment de mots étrangers, et
tout spécialement de mots anglais et français. Dans la vie de
tous les jours vous en rencontrerez beaucoup : **bar**, **autobus**,
week-end, **garage**, **parquet**, etc.

***

Corrigé de l'exercice 1

❶ Bonjour, Monsieur ! ❷ Un café serré, s'il vous plaît ! ❸ Pour
moi une brioche et un crème, merci. ❹ Et pour vous, Madame ?

Corrigé de l'exercice 2

❶ Che cosa – Signore ❷ – un – ristretto – favore ❸ – Signora ❹
– cornetto, grazie

*C'est un spectacle et une expérience très agréables que de parta-
ger le petit-déjeuner des Romains. Ils préfèrent souvent ne pas le
prendre chez eux, mais au café. C'est là que des montagnes de déli-
cieuses viennoiseries disparaissent en quelques minutes, englouties
en vitesse, au comptoir, accompagnées d'un cappuccino bien
chaud, avant de commencer une journée de travail. Plus tard dans*

3   Terza lezione *[tèrtsa létsionê]*

In albergo

1 – Avete una camera libera per questa
   notte ① ?
2 – Doppia o singola?
3 – Una matrimoniale con bagno, per
   cortesia ② .
4 – Abbiamo due camere libere.
5 Tutte le camere hanno l'aria condizionata,
6 e non sono ③ per niente rumorose!   □

Prononciation
i'n albèrgo **1** *avétê* **ou***na kaméra libèra pér kouésta nottê*
2 *doppia o si'ngola* **3** *ou***na** *matrimonialê ko'n bagno
pér kortézia*

Notes
① L'interrogation en italien n'est matérialisée que par l'intonation de la voix à l'oral, et... par le point d'interrogation à
   l'écrit. Facile, n'est-ce pas ? Écoutez attentivement les enregistrements, et amusez-vous à reproduire l'intonation des phrases
   interrogatives.   ▶

*la journée, on pourra vous proposer d'aller boire un café, mais il s'agira encore, très probablement, d'une consommation au comptoir, car les bars italiens sont généralement des lieux de convivialité rapide. Pour les longs moments de détente et de bavardage, il y a les **caffè**, les cafés, plus ou moins historiques. Nous y reviendrons très prochainement.*

Troisième leçon   3

À l'hôtel *(Dans hôtel)*

1 – Avez-[vous] une chambre libre pour cette nuit ?
2 – Double ou simple ?
3 – Une double *(matrimoniale)* avec [salle de] bains, s'il vous plaît *(par courtoisie)*.
4 – [Nous] avons deux chambres libres.
5 Toutes les chambres sont climatisées *(ont l'air conditionné)*,
6 et ne sont [pas] du tout *(pour rien)* bruyantes.

4 *abbiamo douê̱kamérê̱libérê* **5** *touttê̱lé̱kamèrê anno̱laria ko'nditzionata* **6** *é̱n'oṉsono̱péṟniè'ntê roumorozê*

▶ ② Vous pouvez utiliser indifféremment l'expression **per cortesia** ou **per favore**. Toutes deux signifient *s'il te/vous plaît*.

③ **non sono**, *elles ne sont pas* : il suffit d'ajouter **non** à une forme verbale pour la rendre négative. Le **non** précède toujours le verbe et on le prononce comme s'il faisait partie du verbe qui le suit : **non abbiamo** [noṉabbiamo], *nous n'avons pas*. Vous verrez, à force de répétition, cela deviendra un jeu d'enfant !

Esercizio 1 – Traducete

❶ Avete una camera libera? ❷ Le camere non sono rumorose. ❸ Per questa notte abbiamo una matrimoniale. ❹ Le camere non hanno l'aria condizionata.

Esercizio 2 – Completate

❶ La chambre simple n'est pas libre.
La . . . . . . singola . . . . libera.

❷ Avez-vous une chambre double, s'il vous plaît ?
. . . . . una camera doppia, ... ?

❸ Les chambres libres ont l'air conditionné.
Le camere libere . . . . . l'aria . . . .

❹ Nous avons une double pour cette nuit.
. . . . una doppia per . . . .

---

4 **Quarta lezione** [kouarta létsionê]

Treno o macchina?

1 – Siete stanchi per il viaggio?
2 – No, non ① siamo stanchi per niente!

Prononciation
trèno o_makkina **1** siétê_sta'nki pér_il_viaddjo **2** no, n'on_siamo_sta'nki pér_nié'ntê

Corrigé de l'exercice 1

❶ Avez-vous une chambre libre ? ❷ Les chambres ne sont pas bruyantes. ❸ Pour cette nuit nous avons une double. ❹ Les chambres ne sont pas climatisées.

Corrigé de l'exercice 2

❶ – camera – non è – ❷ Avete – per cortesia ❸ – hanno – condizionata ❹ Abbiamo – questa notte

---

Quatrième leçon   4

Train ou voiture ?

1 – [Est-ce que vous] êtes fatigués par le voyage ?
2 – Non, [nous] ne sommes pas fatigués du tout
(pour rien) !

Note

① **No**, *Non* : remarquez la différence entre **no**, réponse négative et **non**, qui rend le verbe négatif.

3 – Il treno ② è arrivato in orario,
4 e abbiamo attraversato una regione bellissima ③.
5 Anche l'autostrada attraversa paesaggi molto belli,
6 ma c'è ④ spesso troppo traffico! □

---

3 il_trèno è_arrivato i'n_orario 4 é_abbiamo_attravérsato ouna_rédjonê_béllissima

Notes

② **treno**, *train* : vous avez sans doute remarqué que certains mots ont comme voyelle finale **-o**. Il s'agit, le plus souvent, de substantifs et d'adjectifs masculins, dont le pluriel est donné par la voyelle **-i** : **bello**, **belli** (phrase 5). Beaucoup d'autres mots ont comme voyelle finale **-a**. Très souvent il s'agit de substantifs et d'adjectifs féminins, dont le pluriel est donné par la voyelle **-e** : **autostrada**, *autoroute* ; **autostrade**, *autoroutes*. Mais il y a aussi d'autres cas de figure sur lesquels nous reviendrons.

③ **bellissima**, *très belle*, est le féminin de **bellissimo**, *très beau*. Il est bien connu que les Italiens n'hésitent pas à montrer leur enthousiasme et à rajouter ce **-issimo/a** aux adjectifs pour en faire des superlatifs. Ainsi, ces deux formes sont parfaitement équivalentes aux expressions **molto bella**, *très belle*, et **molto bello**, *très beau*. Notez que pour certains mots, le passage à la forme superlative demande quelques ajustements : **stanco**, *fatigué* → **stanchissimo**, *très fatigué* (le **h** permet de conserver le son *[k]*). ▶

Esercizio 1 – Traducete

❶ Siete stanchi? ❷ Siamo molto stanchi.
❸ L'autostrada attraversa una regione bellissima.
❹ Non c'è troppo traffico. ❺ Il treno non è arrivato.

3 – Le train est arrivé à l'heure *(en horaire)*,
4 et [nous] avons traversé une très belle région.
5 L'autoroute aussi traverse [de] très beaux paysages,
6 mais il y a *(est)* souvent trop [de] circulation.

5 a'nkê_laoutostrada attravèrsa paézaddji_molto_bélli
6 ma_tchè_spésso troppo_traffiko

▶ ④ Remarquez et mémorisez la forme **c'è** (litt. "y est"), qui traduit l'expression *il y a*, seulement quand elle est suivie par un mot singulier.

L'AUTOSTRADA ATTRAVERSA UNA REGIONE BELLISSIMA.

Corrigé de l'exercice 1

❶ Êtes-vous fatigués ? ❷ Nous sommes très fatigués. ❸ L'autoroute traverse une région très belle. ❹ Il n'y a pas trop de trafic. ❺ Le train n'est pas arrivé.

5   **Esercizio 2 – Completate**

❶ Nous ne sommes pas fatigués.

    ... . stanchi.

❷ Il y a trop de circulation.

    ... troppo ....

❸ C'est une très belle région.

    . una regione ....

---

5   Quinta lezione *[koui'nta létsionê]*

Aujourd'hui vous allez découvrir des mots et des expressions qui vous permettront de manifester votre mécontentement (si vous êtes pris dans les embouteillages d'une grande ville, par exemple) ! Écoutez toutes ces expressions, mémorisez-les et essayez de les

A piedi in città

1 – Ne ho abbastanza ① di aspettare questo autobus!

2 – Eccolo che arriva!

3 – È incredibile, ha quindici minuti di ritardo!

Prononciation
a̱ piè̱di i'ṉ tchitta   **1** *né̱o̱ abbasta'ntsa di̱ aspéttarê̱ kouésto̱ a̱outobous*

Notes

① **Ne ho abbastanza**, *J'en ai assez*, peut vous servir d'entraînement pour commencer à vous exclamer en italien ! Cette formule est presque synonyme de l'expression **non ne posso** ▸

④ Nous avons traversé des paysages très beaux.   5

.... attraversato paesaggi ....

⑤ Vous êtes fatigués.

..... stanchi.

Corrigé de l'exercice 2

❶ Non siamo – ❷ C'è – traffico ❸ È – bellissima ❹ Abbiamo – molto belli ❺ Siete –

---

répéter avec le bon accent et la bonne intonation. Une suggestion : laissez-vous transporter par l'émotion (l'exaspération, l'émerveillement, la rage, etc.), l'intonation viendra comme par magie !

À pied en ville

1 – [J']en ai assez d'attendre cet autobus !
2 – Le voilà *(voilà-le)* qui arrive !
3 – [C']est incroyable, [il] a quinze minutes de
     retard !

2 èkkolo‿ké‿arriva **3** è‿i'nkrédibilê a‿koui'nditchi min**ou**ti di‿rit**a**rdo

▶   **più!**, *je n'en peux plus* (phrase 5), que l'on prononce en un mot *[n'on‿né‿po**sso‿piou**]*. Lancez-vous, vous découvrirez que c'est très amusant !

4 Ed ② è pien**i**ssimo!

5 – B**a**sta, non ne p**o**sso pi**ù**!

6 **I**o ③ v**a**do a pi**e**di!

7 – Ma sì, h**a**i rag**i**one, and**i**amo! □

*4 éd_è_pièn**i**ssimo **5** basta n'on_né_p**o**sso_pi**ou** **6** ïo
vado_a_pi**è**di **7** ma_si_aï_radjonê a'ndiamo*

Notes

② **Ed è pienissimo!**, *Et [il] est bondé !* : lorsque, comme ici,
deux **e** se suivent, il n'est pas rare d'intercaler un **d** (nommé **d**
euphonique) entre les deux pour en faciliter la prononciation.
Cet usage reste tout à fait facultatif. ▸

Esercizio 1 – Traducete

❶ Non ne posso più! ❷ Questo autobus ha quindici
minuti di ritardo. ❸ Andiamo a piedi! ❹ Eccolo!
❺ Ma sì, hai ragione!

Esercizio 2 – Completate

❶ J'en ai assez d'attendre.

.. .. di aspettare.

❷ Tu as raison, allons à pied.

... ragione, andiamo . ...

❸ L'autobus est bondé *(très plein)* !

L'autobus . ...!

❹ Ça suffit !

. . . . .!

❺ Carla a quinze minutes de retard.

Carla .. quindici minuti .. ..

4   Et [il] est bondé *(très plein)* !

5 – [Ça] suffit, [je] n'en peux plus !

6   Moi, j'[y] vais à pied !

7 – Mais oui, [tu] as raison, allons[-y] !

▸ ③ **Io vado**, *Moi, je vais* : remarquez la présence du pronom personnel **io**, qu'il faut traduire par *moi, je*, et qui donne plus de poids à l'affirmation.

Corrigé de l'exercice 1

❶ Je n'en peux plus ! ❷ Cet autobus a quinze minutes de retard. ❸ Allons[-y] à pied ! ❹ Le voilà ! ❺ Mais oui, tu as raison !

Corrigé de l'exercice 2

❶ Ne ho abbastanza – ❷ Hai – a piedi ❸ – è pienissimo ❹ Basta ❺ – ha – di ritardo

Che meraviglia!

1 – I palazzi e le strade di Roma sono
   meravigliosi!
2 – È vero, ci sono ① dei monumenti
   eccezionali!
3 Tutta la ② città ha un fascino immenso!
4 – Penso che dobbiamo assolutamente
   ritornare!
5 – Allora dobbiamo buttare una moneta nella
   Fontana di Trevi!   □

Prononciation
*ké méravill'a **1** i_palattsi é lé_stradê_di_roma sono_méravill'ozi
2 è_vèro, tchi_sono déï_monoumè'nti éttchétsionali
3 toutta_la_tchitta a_oun_fachino immè'nso **4** pè'nso
ké_dobbiamo assoloutamè'ntê ritornare **5** allora
dobbiamo_bouttare ouna_monéta nélla_fo'n-tana_di_trèvi*

Notes
① **ci sono** correspond à *il y a* pour le pluriel. L'italien compte en
effet un *il y a* pour les mots singuliers, **c'è una camera libera**,
il y a une chambre libre ; et un *il y a* pour les mots pluriels, **ci
sono due camere libere**, *il y a deux chambres libres*. Ne vous
y trompez pas !   ▶

Esercizio 1 – Traducete
❶ Le strade di Roma sono meravigliose.
❷ Dobbiamo buttare una moneta nella Fontana
di Trevi. ❸ Roma ha un fascino immenso. ❹ Ci
sono dei monumenti eccezionali. ❺ I palazzi sono
bellissimi.

Quelle merveille !

1 – Les palais et les rues de Rome sont
merveilleux !
2 – [C']est vrai, il y a *(y sont)* des monuments
exceptionnels !
3 Toute la ville a un charme immense !
4 – [Je] pense que [nous] devons absolument
revenir !
5 – Alors [nous] devons jeter une pièce dans la
Fontaine de Trevi !

Remarque de prononciation

Souvent, la prononciation des sons correspondant à **gli**, **glie**,
etc. n'est pas très facile pour les étrangers. Prononcez le groupe
glia un peu comme dans *paille*, **paglia**, en faisant adhérer
davantage la langue au palais. Toutefois, n'oubliez pas qu'en
matière de prononciation, la meilleure aide vient de l'oreille :
les enregistrements sont là pour vous aider.

▶ ② **la**, *la* : les articles définis sont relativement nombreux en italien mais vous allez les apprendre progressivement et sans trop
d'effort. Pour l'instant, mémorisez bien ces quatre formes : **la
città**, *la ville* ; **le strade**, *les routes* ; **il viaggio**, *le voyage* ; **i
palazzi**, *les palais*.

Corrigé de l'exercice 1

❶ Les rues de Rome sont merveilleuses. ❷ Nous devons jeter une
pièce dans la Fontaine de Trevi. ❸ Rome a un charme immense.
❹ Il y a des monuments exceptionnels. ❺ Les palais sont très
beaux.

Esercizio 2 – Completate

❶ Quelle merveille, cette ville !

. . . ., questa città!

❷ Les palais sont très beaux.

. palazzi sono . . . .

❸ Les rues sont très belles.

. . strade . . . . bellissime.

❹ À Rome il y a beaucoup de monuments.

A Roma . . . . . . molti monumenti.

❺ Toute la ville est exceptionnelle.

Tutta . . città . eccezionale.

Comme chacun le sait, la Fontaine de Trevi est devenue l'un des hauts lieux du tourisme romain. Ce n'est peut-être pas le plus beau monument de la capitale, mais c'est certainement l'un des plus connus ! Cela, grâce à la célèbre scène de "La Dolce vita"

---

7   **Settima lezione** *[sèttima létsionê]*

Revisione – Révision

Vous voilà arrivé à la fin de la première semaine de travail ! Nous espérons que ces premiers contacts avec l'italien ont été agréables et qu'ils ont redoublé votre motivation pour voyager à travers la langue et la culture italiennes.

Cette leçon et toutes les leçons multiples de sept, sont différentes des autres. Elles ne vous présentent aucun élément nouveau, mais

Corrigé de l'exercice 2

❶ Che meraviglia – ❷ I – bellissimi ❸ Le – sono – ❹ – ci sono –
❺ – la – è –

LE STRADE DI ROMA SONO UN INCANTO.

*de Fellini, où Anita Ekberg et Marcello Mastroianni y prennent
un bain historique... et aussi parce qu'on dit qu'il faut y jeter une
pièce de monnaie pour être sûr de revoir la ville !*

Septième leçon   7

*sont l'occasion de formaliser les apprentissages grammaticaux et
lexicaux des six leçons précédentes : elles vous donnent le confort
d'une révision des points grammaticaux essentiels et des éléments
de langage les plus utiles ainsi que l'assurance d'avoir consolidé
vos acquis, avant de passer à la suite.*

*Dans cette optique, vous trouverez, à la fin de chaque leçon de
révision, un dialogue qui reprend les mots et les tournures les plus
importants des six leçons précédentes.*

1 La conjugaison des verbes

1.1 Introduction

Comme leurs homologues français, les verbes réguliers italiens se répartisssent en trois groupes.

Tous les verbes dont l'infinitif se termine en **-are**, comme **aspettare**, *attendre*, appartiennent au premier groupe ; ceux dont l'infinitif se termine en **-ere**, comme **vivere**, *vivre*, appartiennent au deuxième groupe ; et ceux dont l'infinitif se termine en **-ire**, comme **partire**, *partir*, appartiennent au troisième groupe... Rien d'extraordinaire pour le francophone que vous êtes !

Rien d'exceptionnel non plus à la présence d'un certain nombre de verbes irréguliers (dont vous trouverez l'essentiel des conjugaisons au sein de l'appendice grammatical)... la fameuse exception qui confirme la règle !

Notez enfin que l'italien compte deux auxiliaires : **avere**, *avoir* et **essere**, *être*, dont nous vous proposons ci-dessous la conjugaison du présent de l'indicatif !

La seule originalité des verbes italiens par rapport à ceux de la langue de Molière réside dans leur relation aux pronoms personnels. En effet, les verbes italiens se passent généralement d'eux ; ils n'y font appel que pour insister sur le sujet à l'origine d'une action. On dit donc : **siamo stanchi**, *nous sommes fatigués*, mais **noi siamo stanchi**, *nous, nous sommes fatigués*, pour souligner que, contrairement à quelqu'un d'autre, nous, nous sommes fatigués.

Nous vous conseillons malgré tout d'apprendre les conjugaisons avec les pronoms.

1.2 Le présent de l'indicatif des auxiliaires italiens

Voici les conjugaisons des deux auxiliaires italiens au présent de l'indicatif :

– **avere**, *avoir*

io ho	*j'ai*
tu hai	*tu as*
lui/lei ha	*il/elle a*
noi abbiamo	*nous avons*
voi avete	*vous avez*
loro hanno	*ils/elles ont*

– **essere**, *être*

io sono	*je suis*
tu sei	*tu es*
lui/lei è	*il/elle est*
noi siamo	*nous sommes*
voi siete	*vous êtes*
loro sono	*ils/elles sont*

2 La forme négative

La négation ne pose pas de problème particulier en italien, il suffit de faire précéder le verbe de **non** : **La camera non è libera**, *La chambre n'est pas libre.*

3 La forme interrogative

Vous avez pu le constater au cours des six leçons précédentes, à l'écrit, la forme interrogative ne se matérialise par aucun change-ment. Seul le point d'interrogation vous permet d'indiquer qu'une phrase est interrogative et à l'oral, c'est bien sûr l'intonation !
On a ainsi :
Siete stanchi per il viaggio? ≠ **Siete stanchi per il viaggio.**
Êtes-vous fatigués par le voyage ? ≠ Vous êtes fatigués par le voyage.

4 La formule de politesse

Le tutoiement est aujourd'hui assez fréquent en Italie mais il vous faut tout de même apprendre la formule de politesse, parfois très utile.
Pour s'adresser à quelqu'un de manière courtoise, on n'utilise pas, comme en français, la 2e personne du pluriel (le *vous*), mais **Lei**, le pronom personnel féminin de la 3e personne du singulier… Bien entendu, on conjugue le verbe en conséquence : **Lei è stanca, Signora?**, *Êtes-vous fatiguée, Madame ?*

5 *C'è, ci sono*

Vous l'avez vu au cours des précédents dialogues, à notre formule *il y a* correspondent deux formes en italien. L'une pour les mots au singulier **c'è**, l'autre pour les mots au pluriel, **ci sono** : **C'è una camera libera**, *Il y a une chambre libre* ; **Ci sono due camere libere**, *Il y a deux chambres libres.*

6 Les premiers contacts

Voici quelques expressions relevées au cours des six leçons précédentes et qui vous aideront au quotidien…

Pour saluer : **Salve, Ciao!**

Pour présenter quelqu'un : **Ti presento…**

Pour demander quelque chose : **Per favore, Per cortesia.**

Pour s'énerver : **Basta! Ne ho abbastanza! Non ne posso più!**

Pour exprimer son enthousiasme : **Che meraviglia!**

1 – Benvenuto a Roma!
2 – Salve!
3 – Ti presento Carla Rossi.
4 – Molto piacere!
5 – Che cosa desideri?
6 – Un caffè ristretto, per favore.
7 – Il treno è arrivato in orario?
8 – Sì, e abbiamo una camera con aria condizionata!
9 – L'autobus è pienissimo, andiamo a piedi!
10 – A Roma ci sono dei monumenti eccezionali!

Traduction

1 Bienvenue à Rome ! **2** Salut ! **3** Je te présente Carla Rossi. **4** Enchanté ! **5** Que désires-tu ? **6** Un café serré, s'il te plaît ! **7** Est-ce que le train est arrivé à l'heure ? **8** Oui, et nous avons une chambre climatisée ! **9** L'autobus est bondé, allons[-y] à pied ! **10** À Rome il y a des monuments exceptionnels !

Félicitations ! Vous êtes seulement à la fin de votre première semaine d'italien et vous avez déjà mémorisé un bon nombre de mots et d'expressions ! Continuez à travailler régulièrement, une leçon par jour, et vous progresserez rapidement. Bon courage !

À partir de cette leçon, nous allons aborder les conjugaisons des verbes. Les formes verbales sont assez nombreuses et les apprendre demande un certain effort. Mais rassurez-vous, elles vous sont

---

8 Ottava lezione [*ottava létsionê*]

Dove possiamo mangiare ①?

1 – È quasi mezzogiorno,
2 io comincio ad avere fame!
3 – Anche io ②!
4 – Cerchiamo un ristorante sulla guida!
5 Qui vicino c'è un buon ristorante di pesce,
6 ma possiamo anche mangiare una pizza.
7 C'è una pizzeria qui all'angolo, in via
Rossini, 5 ③.   □

Prononciation
dovê possiamo ma'ndjarê **1** *è kouazi mèddzodjorno*
2 *io komi'ntcho ad averê famê* **3** *a'nkê io* **4** *tchérkiamo oun ristora'ntê soulla gouida*

Notes
① Le verbe **mangiare**, *manger*, appartient, comme tous les verbes dont l'infinitif se termine en **-are**, au premier des trois groupes de conjugaisons régulières.
② Remarquez que **anche**, *aussi*, précède toujours le mot auquel il se réfère : **anche noi**, *nous aussi* ; **anche Carla**, *Carla aussi*. ▶

***

Esercizio 1 – Traducete
❶ C'è un ristorante qui vicino. ❷ C'è anche una pizzeria. ❸ È mezzogiorno, ho fame. ❹ Cerchiamo un ristorante di pesce. ❺ Dove possiamo mangiare una pizza?

Huitième leçon   8

Où pouvons-nous manger ?

1 –   Il est presque midi,
2   je commence à avoir faim !
3 –   Moi aussi *(Aussi moi)* !
4 –   Cherchons un restaurant sur le *(la)* guide !
5 –   Près d'ici *(ici près)* il y a un bon restaurant de poisson,
6   mais nous pouvons aussi manger une pizza.
7   Il y a une pizzeria ici au coin *(à l'angle)*, au *(en)* 5, rue Rossini.

---

5 koui vitchino tchè oun bouon ristora'ntê di péchê **6** *ma possiamo a'nkê ma'ndjarê* **ou**na pittsa *7 tchê* **ou**na pittséria koui all'a'ngolo i'n via Rossini tchi'nkouê*

▸ ③ **in via Rossini, 5,** *au 5, rue Rossini* : lorsque l'on donne une adresse en italien, le nom de la rue (du boulevard, etc.) est toujours précédé de la préposition **in**, *dans*, *en*, et suivi du numéro (ici, 5) de l'édifice (maison, immeuble, etc.).

***

Corrigé de l'exercice 1

❶ Il y a un restaurant près d'ici. ❷ Il y a aussi une pizzeria. ❸ Il est midi, j'ai faim. ❹ Nous cherchons un restaurant de poisson. ❺ Où pouvons-nous manger une pizza ?

Esercizio 2 – Completate

❶ Nous avons faim, il est presque midi !
. . . ., è quasi . . . . !

❷ Je commence à être fatigué !
. . . . ad essere . . . . . . !

❸ Nous cherchons un bon restaurant.
. . . . un buon . . . .

❹ Il y a une pizzeria rue Rossini.
C'è . . . pizzeria . . . . . Rossini.

❺ Moi aussi j'ai faim !
. . . . ho fame!

---

9   **Nona lezione** [nona létsionê]

Al ristorante

1 – Buonasera!
2 – Ho prenotato un tavolo per quattro.
3 – A che ora ①?
4 – Per le nove.
5 – E a che nome?
6 – Casiraghi!

Prononciation
al ristora'ntê 1 bouona séra 2 o prénotato oun tavolo
pér kouattro

Note
① **A che ora?**, *À quelle heure ?* ; **per le nove**, *pour neuf heures* : voici deux formules pour demander et donner l'heure. Essayez ▶

Corrigé de l'exercice 2

❶ Abbiamo fame – mezzogiorno ❷ Comincio – stanco
❸ Cerchiamo – ristorante ❹ – una – in via – ❺ Anche io –

Au restaurant

1 – Bonsoir !
2 – J'ai réservé une table pour quatre.
3 – À quelle heure ?
4 – Pour *(les)* neuf [heures].
5 – Et à quel nom ?
6 – Casiraghi !

3 a_ké_ora 4 pér_lé_novê 5 é_a_ké_nomê 6 kaziragui

▸ de retenir, dès maintenant, que le chiffre indiquant l'heure est
   toujours précédé de l'article et qu'il n'est jamais suivi du mot **ore**.

7 – Prego Dottor ② Casiraghi! Prego, Signora!
8   Accomodatevi ③ in giardino!
9   I vostri amici vi aspettano al tavolo in
    fondo!

☐

7 prègo dottor kaziragui! prègo signora 8 akkomodatévi i'n djardino 9 i vostri amitchi vi aspèttano al tavolo i'n fo'ndo

Notes

② **Dottor Rossi**, *Monsieur Rossi* : cela peut faire sourire, mais il est très impoli en italien de s'adresser à une personne possédant un titre sans l'exprimer. Si on ne sait pas s'il s'agit d'un ▶

***

Esercizio 1 – Traducete

❶ Prego, Dottore! ❷ Accomodatevi in giardino!
❸ Ho prenotato per le nove. ❹ Buonasera, Signora!
❺ I vostri amici vi aspettano!

Esercizio 2 – Completate

❶ J'ai réservé une table dans le jardin.
  Ho prenotato .. tavolo .. ..

❷ À quelle heure as-tu réservé ?
  . ... hai prenotato?

❸ Ils vous attendent à la table du fond.
  Vi .... al tavolo .. ..

❹ Je vous en prie, entrez !
  ....., accomodatevi!

❺ Bonsoir, Monsieur *(Docteur)* Casiraghi !
  .... Casiraghi!

7 – [Je vous en] prie, Monsieur *(Docteur)*
Casiraghi ! [Je vous en] prie, Madame !
8 Installez-vous dans [le] jardin !
9 *(Les)* Vos amis vous attendent à la table du
(dans le) fond !

▸ professeur ou d'un architecte par exemple, on dira, pour ne pas
se tromper, **Dottore**. Observez que lorsque le titre **dottore** est
suivi du nom de famille, le **e** tombe : **Dottor Rossi**.

③ **Accomodatevi** est un mot assez difficile à traduire, car il peut
avoir plusieurs sens : *Installez-vous*, *Entrez*, *Avancez*, etc. C'est
en tout cas la formule passe-partout pour inviter quelqu'un à se
mettre à l'aise.

***

Corrigé de l'exercice 1

❶ Je vous en prie, Docteur ! ❷ Installez-vous dans le jardin !
❸ J'ai réservé pour neuf heures. ❹ Bonsoir, Madame ! ❺ Vos amis
vous attendent !

AL RISTORANTE

Corrigé de l'exercice 2

❶ – un – in giardino ❷ A che ora – ❸ – aspettano – in fondo
❹ Prego – ❺ Buonasera Dottor –

10 Decima lezione [dètchima létsionê]

Vivere ① in campagna?

1 – Allora voi abitate a Napoli?
2 – Sì, ma viaggiamo spesso per il lavoro di mio marito ②.
3 – E tu, Paolo, vivi a Firenze ③?
4 – No, vivo in campagna.
5 C'è più tranquillità,
6 c'è un'aria ④ migliore,
7 e mia moglie trova che i bambini sono più liberi. □

Prononciation
vivèrê i'n ka'mpagna **1** *allora voi abitatê a napoli*
2 *si ma viaddjamo spésso pér il lavoro di mio marito*

Notes

① La terminaison **-ere** de l'infinitif nous indique que **vivere**, *vivre*, est un verbe appartenant au deuxième groupe.

② **mio marito**, *mon mari* : vous êtes très probablement en train de vous demander pourquoi nous disons ici **mio marito**, *mon mari*, alors que dans la leçon 9, nous disions **i vostri amici**, *vos amis* ? C'est simplement parce que les adjectifs possessifs ne prennent pas d'article avec les mots qui désignent les personnes de la famille au singulier : **mio padre**, *mon père* ; **mia moglie**, *ma femme* (phrase 7) ≠ **i miei fratelli**, *mes frères.* ▶

***

Esercizio 1 – Traducete

❶ Viaggiamo spesso. ❷ Dove abitate? ❸ No, non vivo in città, vivo in campagna. ❹ E tu, dove vivi? ❺ In campagna i bambini sono più liberi!

Vivre à la *(en)* campagne ?

1 –   Alors vous habitez à Naples ?
2 –   Oui, mais nous voyageons souvent pour le travail de mon mari.
3 –   Et toi, Paolo, tu vis à Florence ?
4 –   Non, je vis à la *(en)* campagne.
5   Il y a *(est)* plus [de] tranquillité,
6   il y a *(est)* un air meilleur,
7   et ma femme trouve que les enfants sont plus libres.

---

*3 é_tou_paolo vivi_a_firè'ntsê 4 no, vivo_i'n_ka'mpagna
5 tchè_piou_tra'nkouillita 6 tchè_oun_aria mill'orê
7 é_mia_moll'ê trova_ké_i_ba'mbini sono_piou_libéri*

▶ ③ Pourquoi dit-on **a** **Firenze**, *à Florence*, mais **in** **campagna**, *à la campagne* (phrase 4) ? Vous avez là la preuve que les langues sont faites par leurs locuteurs et... à leurs goûts ! En l'absence de règles précises, il faut tout simplement retenir les différents usages.

④ **un'aria**, *un air* : on remplace le **-a** par une apostrophe lorsque l'article **una** précède un mot commençant par une voyelle.

***

Corrigé de l'exercice 1

❶ Nous voyageons souvent. ❷ Où habitez-vous ? ❸ Non, je ne vis pas en ville, je vis à la campagne. ❹ Et toi, où vis-tu ? ❺ À la campagne, les enfants sont plus libres !

11 **Esercizio 2 – Completate**

❶ Est-ce que vous habitez à Florence ?
.... Firenze?

❷ Nous ne voyageons pas souvent.
Non ....•

❸ À la campagne il y a un air meilleur.
.. campagna c'è .... migliore.

❹ Je vis à Naples.
.... . Napoli.

❺ Est-ce que tu vis à la campagne ?
.... in ....?

---

11 **Undicesima lezione**
[ou'nditchèzima létsionê]

Come ti chiami?

1 – Come vi chiamate ①?
2 – Io mi chiamo Filippo e mia sorella si chiama Luisa.
3 – E quanti ② anni hai?

Prononciation
komê‿ti‿kiami **1** *komê‿vi‿kiamatê*

Notes
① **Come ti chiami?**, *Comment tu t'appelles ?* ; **Come vi chiamate?**, *Comment vous appelez-vous ?* : il va de soi que ces ▶

❶ Abitate a – ❷ – viaggiamo spesso ❸ In – un'aria – ❹ Vivo a – ❺ Vivi – campagna

Onzième leçon   11

Comment t'appelles[-tu] ?

1 –   Comment vous appelez-vous ?
2 –   Moi, je m'appelle Filippo et ma sœur s'appelle Luisa.
3 –   Et quel âge *(combien d'années)* as-tu ?

2 io_mi_kiamo_filippo é_mia_sorèlla si_kiama_louisa
3 é_koua'nti_anni_ai

▸ formules, très directes, sont plus caractéristiques des conversations entre enfants qu'entre adultes.

② Observez que **quanto** (**i**, **a**, **e**), *combien*, doit être accordé en genre et en nombre.

4 – Ho dieci anni e sono fortissimo al calcio.
5 È lo sport ③ che preferisco!
6 – Fino a ④ quando restate a Firenze?
7 – Restiamo fino a domenica prossima. ☐

*4 o diètchi anni é sono fortissimo al kaltcho **5** è lo sport ké prèférisko*

Notes

③ **lo**, *le*, est l'un des deux articles définis pour le masculin singu-lier. Il faut l'utiliser devant tous les mots qui commencent par **s** ▸

***

Esercizio 1 – Traducete

❶ Quanti anni ha Luisa? ❷ E tu, come ti chiami?
❸ Filippo ha nove anni. ❹ Restiamo fino a domenica prossima. ❺ Il calcio è lo sport che preferisco!

Esercizio 2 – Completate

❶ Ma sœur s'appelle Luisa.
Mia . . . . si . . . . . . Luisa.

❷ Quel âge as-tu ?
. . . . hai?

❸ Filippo est très fort au football !
Filippo è . . . . al . . . . . . !

❹ Est-ce que vous vous appelez Luisa et Filippo ?
Vi . . . . Luisa e Filippo?

❺ Jusqu'à quand restez-vous ici ?
. . . . . quando . . . . qui?

4 – J'ai dix ans et je suis très fort au football.
5 [C']est le sport que je préfère !
6 – Jusqu'à quand restez-vous à Florence ?
7 – Nous restons jusqu'à dimanche prochain.

6 *fino ̮a ̮koua'ndo réstatê ̮a ̮firè'ntsê* **7** *réstiamo
fino ̮a ̮doménika ̮prossima*

▸ suivi d'une consonne, par **x**, **z**, **ps**, **gn**, ou par une voyelle. Nous
   y reviendrons.
④ Mémorisez bien **fino a**, qui traduit *jusqu'à*.

***

Corrigé de l'exercice 1

❶ Quel âge a Luisa ? ❷ Et toi, comment tu t'appelles ? ❸ Filippo
a neuf ans. ❹ Nous restons jusqu'à dimanche prochain. ❺ Le
football est le sport que je préfère !

IL CALCIO È LO SPORT CHE PREFERISCO !

Corrigé de l'exercice 2

❶ – sorella – chiama – ❷ Quanti anni – ❸ – fortissimo – calcio
❹ – chiamate – ❺ Fino a – restate –

Dodicesima lezione [doditchèzima létsionê]

Un menù italiano

1 – **E**cco i men**ù** ①!
2 **C**ome piatti del giorno abbiamo
3 gli ② gnocchi alla romana e l'**o**ssobuco ③.
4 E naturalmente i classici:
5 il risotto, gli spaghetti alle vongole…
6 Ma se volete assaggiare un po' di tutto,
7 possiamo fare dei piatti misti.
8 – Benissimo, per me un misto di primi ④ e
niente secondo. □

Prononciation
oun_ménou italiano **1** *èkko_i_ménou* **2** *komê_piatti_dél_*
djorno abbiamo **3** *lli_gnokki alla_romana é_lossobouko*
4 *é_natouralmè'ntè i_klassitchi* **5** *il_rizotto, lli_spaguétti_*
allè_vo'ngolè

Notes
① **il/i menù**, *le/les menu(s)* : tous les mots qui ont l'accent
tonique sur la dernière voyelle sont invariables, **la/le città**, *la/*
les ville(s), etc.

② **gli**, *les*, est le pluriel de **lo**, *le*, et il s'utilise devant tous les mots
qui commencent par **s** suivi d'une consonne, par **x**, **z**, **ps**, **gn**,
ou par une voyelle. Nous y reviendrons. ▸

***

Esercizio 1 – Traducete
❶ Ecco il menù, Signora! ❷ Che cosa desidera,
Dottor Casiraghi? ❸ Volete assaggiare un po' di
tutto? ❹ Per Luisa un misto di secondi! ❺ Per me
niente primo!

Un menu italien

1 –   Voilà les menus !
2   Comme plats du jour nous avons
3   les gnocchis à la romaine et l'ossobuco.
4   Et naturellement les classiques :
5   le risotto, les spaghettis aux palourdes…
6   Mais si vous voulez goûter un peu de tout,
7   nous pouvons faire des plats variés.
8 –   Très bien, pour moi un assortiment d'entrées
      (premiers) et pas de plat de résistance *(second)*.

---

6 *ma sé voléte assaddjarê oun po di **tou**tto* **7** *possiamo farê déi piatti misti*   **8** *bénissimo pér mé oun misto di primi é niènte séko'ndo*

▸ ③ **l'ossobuco,** *l'ossobuco* : **lo** prend une apostrophe à la place du **-o** devant tous les mots qui commencent par une voyelle.

④ On appelle **primi** (litt. "premiers") tous les plats de pâtes ou les soupes, car on les mange avant les **secondi** (litt. "seconds"), à savoir les plats de viande ou de poisson. Bien évidemment les *hors-d'œuvres*, les célèbres **antipasti**, existent aussi.

***

Corrigé de l'exercice 1

❶ Voilà le menu, Madame ! ❷ Que désirez-vous, Monsieur Casiraghi ? ❸ Voulez-vous goûter un peu de tout ? ❹ Pour Luisa, un assortiment de plats de résistance ! ❺ Pour moi, pas d'entrée !

13   **Esercizio 2 – Completate**

① Nous avons les gnocchis et le risotto !
Abbiamo ... gnocchi e .. risotto!

② Voilà les menus !
Ecco . ..... !

③ Pour Filippo les spaghettis aux palourdes !
Per Filippo ... . alle vongole!

④ Très bien, pour vous Madame, un assortiment d'entrées !
........., per ... Signora, ... di
primi!

⑤ Pour moi, le plat du jour, s'il vous plaît !
Per me .. .., per favore!

---

13   Tredicesima lezione

[tréditchèzima létsionê]

Serata in terrazza

1 – Per finire ① la serata, che ne pensate di
uno ② spettacolo?
2 – Perché no? Ma qualcosa di divertente!

Prononciation
*sérata i'n térrattsa **1** pér finirê la sérata, ké né pé'nsatê
di ouno spéttakolo*

Notes
① **finire**, *finir* : la terminaison **-ire** de l'infinitif nous indique
que **finire** appartient au 3e groupe de conjugaisons des verbes
réguliers.

❶ – gli – il – ❷ – i menù ❸ – gli spaghetti – ❹ Benissimo – Lei –
un misto – ❺ – il piatto del giorno –

Treizième leçon   13

Soirée en terrasse

1 – Pour finir la soirée, que *(qu'en)* pensez-vous
d'un spectacle ?
2 – Pourquoi pas ? Mais quelque chose d'amusant !

2 pérké_no? ma_koualkosa_di_divèrtè'ntê

▶ ② **uno**, *un*, est l'article indéfini, homologue de l'article défini **lo**.
On l'emploie dans les mêmes circonstances, à savoir devant
les mots commençant par **s** suivi d'une consonne, par **x**, **z**, **ps**,
ou par **gn**. Devant toutes les autres consonnes et devant les
voyelles, on utilise **un**.

3 – La notte è così bella,
4 perché non restiamo all'aperto?
5 – Allora venite tutti a casa mia ③,
6 a prendere un digestivo ④ in terrazza,
7 e a guardare le stelle! □

---

*3 la_nottê è_kozi_bèlla **4** pérké no'n_réstiamo all'apèrto **5** allo ra_vénitê_toutti_a_kaza_mia*

Notes

③ **a casa mia**, *chez moi* ; **a casa di Mario**, *chez Mario*, sont des expressions très courantes où le mot **casa**, *maison*, a plutôt le sens de *lieu privé*. ▶

***

Esercizio 1 – Traducete

❶ Che ne pensate di un digestivo? ❷ Restiamo all'aperto! ❸ Perché no? ❹ È uno spettacolo molto divertente! ❺ Venite tutti a casa mia!

Esercizio 2 – Completate

❶ Un digestif, pour finir la soirée ?
Un .... per ...... la serata?

❷ Voulez-vous aller sur la terrasse ?
...... andare .. terrazza?

❸ La nuit est si belle, restons à l'extérieur !
La ..... è .... bella, ... all'aperto!

❹ Venez prendre un digestif et regarder les étoiles !
Venite a .... un digestivo e a .... le stelle!

❺ Pourquoi pas, mais chez moi !
...., ma . ...!

3 – La nuit est si belle,
4 pourquoi ne restons-nous pas à l'extérieur
(l'ouvert) ?
5 – Alors venez tous chez moi *(à maison ma)*,
6 *(à)* prendre un digestif sur la *(en)* terrasse,
7 et *(à)* regarder les étoiles !

6 a_pré'ndérê oun_didjéstivo i'n_térra**tt**sa **7** é_a_gouarda**r**ê_
lé_st**é**llê

▶ ④ Pour finir un bon repas italien, on vous proposera très probablement **un digestivo**, *un digestif*, ou **un amaro**, une *liqueur
au goût un peu amer*, fabriquée à partir d'herbes, et autrefois
spécialité des moines.

***

Corrigé de l'exercice 1

❶ Que pensez-vous d'un digestif ? ❷ Restons à l'extérieur !
❸ Pourquoi pas ? ❹ C'est un spectacle très amusant ! ❺ Venez
tous chez moi !

Corrigé de l'exercice 2

❶ – digestivo – finire – ❷ Volete – in – ❸ – notte – così – restiamo –
❹ – prendere – guardare – ❺ Perché no – a casa mia

Les immeubles, surtout dans le sud de l'Italie, ont souvent des terrasses à la place des toits. Aménagées avec des plantes, des tonnelles fleuries et des chaises longues, elles constituent de superbes

---

14 Quattordicesima lezione

[kuattorditchézima létsionê]

Revisione – Révision

Vous voici arrivé à la fin de votre deuxième semaine de travail ; nous espérons qu'elle a été aussi agréable que la première. Pour vous aider à retenir les différents points que nous y avons abordés, nous vous en proposons une petite synthèse.

1 Le présent de l'indicatif des verbes réguliers

Nous l'avons évoqué en leçon 7, l'italien compte trois groupes de verbes réguliers. Voyez ci-après la conjugaison du présent de l'indicatif. Remarquez que, quel que soit le groupe de verbes concerné, on obtient le présent de l'indicatif en supprimant la terminaison de l'infinitif et en ajoutant au radical ainsi obtenu, les terminaisons suivantes :

1er groupe	2e groupe	3e groupe
-o	**-o**	**-o**
-i	**-i**	**-i**
-a	**-e**	**-e**
-iamo	**-iamo**	**-iamo**
-ate	**-ete**	**-ite**
-ano	**-ono**	**-ono**

refuges contre la chaleur. On appelle **attico**, *un* appartement situé au dernier étage *et bénéficiant de ces grandes terrasses. Inutile de dire que c'est un bien très recherché !*

Quatorzième leçon   14

1.1 Présent de l'indicatif des verbes réguliers du 1er groupe, tels que *aspettare*, attendre

io aspett-o	*j'attends*
tu aspett-i	*tu attends*
lui/lei aspett-a	*il/elle attend*
noi aspett-iamo	*nous attendons*
voi aspett-ate	*vous attendez*
loro aspett-ano	*ils/elles attendent*

1.2 Présent de l'indicatif des verbes réguliers du deuxième groupe, tels que *scendere*, descendre

io scend-o	*je descends*
tu scend-i	*tu descends*
lui/lei scend-e	*il/elle descend*
noi scend-iamo	*nous descendons*
voi scend-ete	*vous descendez*
loro scend-ono	*ils/elles descendent*

1.3 Présent de l'indicatif des verbes réguliers du troisième groupe, tels que *offrire*, offrir

io offr-o	*j'offre*
tu offr-i	*tu offres*
lui/lei offr-e	*il/elle offre*

noi offr-iamo	*nous offrons*
voi offr-ite	*vous offrez*
loro offr-ono	*ils/elles offrent*

2 Les articles

Vous avez pu constater au cours des six leçons précédentes que les articles italiens sont assez nombreux et que leur forme change en fonction du nom qu'ils introduisent. En voici un tableau récapitulatif :

		Les articles définis DEVANT ↓			Les articles indéfinis DEVANT ↓		
		cons.	**s +** cons., **z, gn, x, ps**	voyelle	cons.	**s +** cons., **z, gn, x, ps**	voyelle
SINGULIER	m.	il	lo	l'	un	uno	un
		il treno	**lo zio**	**l'errore**	**un treno**	**uno zio**	**un errore**
	f.	la		l'	una		un'
		la terrazza		**l'ora**	**una pizza**		**un'ora**
PLURIEL	m.	i	gli	gli		/	
		i treni	**gli zii**	**gli errori**			
	f.	le				/	
		le terrazze					
		le ore					

Retrouvez les expressions suivantes dans les 6 leçons qui précèdent et entraînez-vous à les utiliser en contexte… C'est ainsi que vous les mémoriserez le mieux.

Donner son adresse : **Abito in via Rossini, 5.**

Demander un horaire : **A che ora hai prenotato?**

Demander le nom de quelqu'un : **Come si chiamano i vostri amici?**

Demander l'âge : **Quanti anni hai?**

Interroger sur une durée : **Fino a quando restate a Firenze?**

Faire une proposition : **Che ne pensate di uno spettacolo?**

Dialogo di revisione

1 – È mezzogiorno, mangiamo una pizza?
2   C'è una pizzeria in via Rossini!
3 – Avete un tavolo per quattro?
4 – Prego, accomodatevi in giardino!
5 – Allora vivete in campagna?
6 – Sì, ma viaggiamo spesso.
7   Restiamo a Firenze fino a domenica prossima.
8 – Per me gli spaghetti alle vongole, per favore!
9 – Per me un misto di primi!
10 – E per finire, venite a casa mia per un digestivo?

Traduction

1 Il est midi, mangeons-nous une pizza ? 2 Il y a une pizzeria rue Rossini. 3 Avez-vous une table pour quatre ? 4 Je vous en prie, installez-vous dans le jardin. 5 Alors, vous vivez à la campagne ? 6 Oui, mais nous voyageons souvent. 7 Nous restons à Florence jusqu'à dimanche prochain. 8 Pour moi les spaghettis aux palourdes, s'il vous plaît ! 9 Pour moi un assortiment d'entrées ! 10 Et pour finir, venez-vous chez moi pour un digestif ?

Vous voici arrivé à un point un peu fastidieux de la grammaire italienne : les verbes irréguliers. Ils sont relativement nombreux et l'on trouve parmi eux des verbes d'usage très courant, comme **dovere**, *devoir ;* **fare**, *faire ;* **sapere**, *savoir, etc. Patience, donc, et surtout, faites confiance à notre méthode. Retenez les formes au fur et à mesure qu'elles apparaissent dans les dialogues ; votre*

15 Quindicesima lezione

[koui'nditchèzima létsionê]

In metropolitana

1 – Scusa Paolo,
2   sai ① a quale fermata devo ② scendere per l'agenzia di viaggi?
3 – A Piazza di Spagna. Ma scendo anche io con te.
4 – E poi è vicino?
5 – Sì, poi prendi la prima a destra; al semaforo, invece, prendi a sinistra,
6   e la trovi dopo duecento metri.

Prononciation
i'n métropolitana **1** *skouza paolo* **2** *saï a kouoalê férmata dévo ché'ndèrê pér l'adjè'ntsia di viaddji* **3** *a piattsa di spagna. ma ché'ndo a'nkê io kon tê* **4** *é poï è vitchino*

Notes

① **sai**, est issu du verbe **sapere**, *savoir*. Vous rencontrez ici un des verbes irréguliers les plus fréquents en italien. Pour en connaître la conjugaison complète, n'hésitez pas à consulter l'appendice grammatical situé à la fin de cet ouvrage. ▶

apprentissage se fera progressivement. Pour votre confort, nous vous proposons un appendice grammatical (en fin d'ouvrage) dans lequel vous trouverez les conjugaisons des principaux verbes irréguliers italiens. C'est pour cette raison que nous indiquons l'infinitif de chaque nouveau verbe présenté.

Quinzième leçon 15

Dans [le] métro

1 – Excuse-[moi], Paolo,
2 [est-ce que tu] sais à quel arrêt je dois descendre pour l'agence de voyages ?
3 – *(À)* Place d'Espagne. Mais je descends moi aussi, avec toi.
4 – Et ensuite [c']est [tout] près [d'ici] ?
5 – Oui, ensuite tu prends la première à droite ; au feu rouge, en revanche, tu prends à gauche,
6 et tu la trouves à *(après)* deux cents mètres.

5 *si poï prè'ndi_la_prima_a_dèstra; al_sémaforo i'nvétchê prè'ndi_a_sinistra* **6** *é_la_trovi dopo_douétchè'nto_mètri*

▸ ② **devo**, *je dois*, vient du verbe irrégulier **dovere**, *devoir* : **Dobbiamo scendere qui**, *Nous devons descendre ici.*

7 – Mi sembra difficile!

8 – Ma no! Se ti fa ③ piacere però ④, ti
accompagno! □

7 mi_sé'mbra_diffitchilê **8** ma_no! sé_ti_fa_piatchérê péro
ti_akko'mpagno

Notes

③ **fa**, *il/elle/ça fait* est issu du verbe irrégulier **fare**, *faire* : **Che
cosa fai?**, *Qu'est-ce que tu fais ?* ▶

***

Esercizio 1 – Traducete

❶ Se vi fa piacere, vi accompagno. ❷ A quale
fermata devo scendere per Piazza di Spagna? ❸ Al
semaforo, devo prendere la prima a destra. ❹ Sì,
però mi sembra difficile! ❺ Ma no, l'agenzia di
viaggi è qui vicino!

Esercizio 2 – Completate

❶ Sais-tu où je dois descendre pour Piazza di Spagna ?
... dove .... scendere ... Piazza di
Spagna?

❷ Si vous voulez, je vous accompagne.
.. volete, ...

❸ L'agence de voyages est à deux cents mètres.
.... è a duecento metri.

❹ Tu prends la première à droite, ensuite la première à gauche.
...... la prima . ... la prima .
....

❺ Je descends moi aussi.
...... anche io.

7 –   [Cela] me paraît difficile !

8 –   Mais non ! Mais si [cela] te fait plaisir *(si te fait plaisir mais)*, je t'accompagne !

▸ ④   **ma** et **però**, signifient tous deux *mais* ; toutefois, alors que **ma** ne se trouve qu'en début de phrase, **però** peut s'utiliser aussi bien en début qu'en fin de phrase. Nous aurions pu écrire, par exemple : **Però se ti fa piacere, ti accompagno**, et encore : **Se ti fa piacere, ti accompagno, però**, *Mais si ça te fait plaisir, je t'accompagne.*

***

Corrigé de l'exercice 1

❶ Si ça vous fait plaisir, je vous accompagne. ❷ À quel arrêt dois-je descendre pour la Place d'Espagne ? ❸ Au feu rouge, je dois prendre la première à droite. ❹ Oui, mais cela me paraît difficile ! ❺ Mais non, l'agence de voyages est tout près d'ici !

Corrigé de l'exercice 2

❶ Sai – devo – per – ❷ Se – vi accompagno ❸ L'agenzia di viaggi – ❹ Prendi – a destra poi – a sinistra ❺ Scendo –

IN METROPOLITANA

Sedicesima lezione [séditchèzima létsionê]

Cartoline o mail ①?

1 – Massimo, scriviamo una cartolina a Lucia e
Ludovico?
2 Loro ci scrivono sempre!
3 – Se vuoi ②, ma una mail mi sembra molto
più rapida!
4 – Una mail! E le mie bellissime foto ③ di
Siena!
5 Voi patiti di informatica non scrivete più un
rigo a mano!
6 – Dimentichi ④, cara, che non abbiamo
francobolli,
7 che i tabaccai sono chiusi perché è
domenica,
8 e che non abbiamo visto una sola buca per
le lettere. ☐

Prononciation
kartolinê o méïl **1** *massimo skriviamo ou'na kartolina
a loutchia é loudoviko* **2** *loro tchi skrivono sè'mprê*
3 *sé vouoï, ma ou'na méïl mi sé'mbra molto piou rapida*
4 *ou'na méïl! é lé mïê béllissimê foto di siéna*

Notes
① **mail**, *mails* : comme vous pouvez le constater, les mots étrangers qui font partie du vocabulaire italien sont invariables.
② **vuoi**, *tu veux*, est la deuxième personne du singulier du verbe
irrégulier **volere**, *vouloir* : **Voglio scrivere una cartolina**, *Je
veux écrire une carte.* ▶

Cartes ou mails ?

1 – Massimo, écrivons-nous une carte à Lucia et
      Ludovico ?
2   Ils nous écrivent toujours !
3 – Si tu veux, mais un mail me semble beaucoup
      plus rapide.
4 – Un mail ! Et mes magnifiques *(très belles)*
      photos de Sienne !
5   Vous [les] mordus d'informatique, vous
      n'écrivez plus une ligne à la main !
6 – Tu oublies, chérie, que nous n'avons pas [de]
      timbres,
7   que les bureaux de tabac *(buralistes)* sont
      fermés parce que [c']est dimanche,
8   et que nous n'avons pas vu une seule boîte aux
      (trou pour les) lettres.

---

5 *voï̠patiti di̠j'nformatika n'on̠skrivétê piou̠oun̠rigo
a̠mano* **6** *dimé'ntiki, kara, ké̠no'n̠abbiamo̠fra'nkobolli,*
7 *ké̠i̠tabakkaï sono̠kiouzi pérké̠è̠doménika* **8** *é̠ké̠n'on̠a
bbiamo̠vistoou'na̠sola̠bouka̠pér̠lé̠lèttèrê*

▸ ③ **foto** est la forme abrégée de **fotografia**, dont le pluriel,
      fotografie, est tout à fait régulier. Les formes abrégées, en
      revanche, sont invariables : **le foto**, *les photos.*

④ **dimentichi**, *tu oublies* : les verbes dont l'infinitif se termine
      en **-care**, comme **dimenticare**, *oublier*, et en **-gare**, comme
      pagare, *payer*, présentent une particularité. Ils prennent un **h**
      après le **c** et le **g** quand leurs terminaisons commencent par **i**
      ou **e**, cela afin de conserver les sons *[k]* et *[g]* de l'infinitif.

cinquantadue *[tchi'nkoua'ntadouê]* • 52

Esercizio 1 – Traducete

❶ Lucia ci scrive sempre! ❷ Scriviamo anche noi una cartolina? ❸ Non abbiamo più francobolli! ❹ Non ho ancora visto una buca per le lettere. ❺ La mail ci sembra molto più rapida.

Esercizio 2 – Completate

❶ Lucia et Ludovico nous écrivent de Sienne.

Lucia e Ludovico . . . . da . . . . . .

❷ Vous n'écrivez plus rien à la main !

Non . . . . più niente . . . . . . !

❸ Tu oublies, chérie, que les bureaux de tabac *(buralistes)* sont fermés.

. . . . , cara, che . . . . sono chiusi.

❹ Voilà les magnifiques *(très belles)* photos de Sienne.

Ecco . . . . di Siena.

❺ Écrivons un mail à Ludovico, si tu veux.

. . . . una mail a Ludovico, ...

---

17 Diciassettesima lezione

[ditchassèttèzima létsionê]

Dove sono finiti i passaporti?

1 – Mamma, è un'ora ① che cerco i passaporti!

Prononciation
dovè_sono_finiti i_passaporti **1** *mamma è_ou'n_ora ké_tchérko_i_passaporti*

Corrigé de l'exercice 1

❶ Lucia nous écrit toujours ! ❷ Écrivons-nous, nous aussi, une carte ? ❸ Nous n'avons plus de timbres ! ❹ Je n'ai pas encore vu de boîte aux lettres. ❺ Le mail nous semble beaucoup plus rapide.

Corrigé de l'exercice 2

❶ – ci scrivono – Siena ❷ – scrivete – a mano ❸ Dimentichi – i tabaccai – ❹ – le bellissime foto – ❺ Scriviamo – se vuoi

LUCIA CI SCRIVE SEMPRE !

Dix-septième leçon 17

Où sont passés *(finis)* les passeports ?

1 – Maman, ça fait *(est)* une heure que je cherche les passeports !

Note

① **è un'ora**, *cela fait une heure* ; attention, pour toutes les autres heures, il faut mettre le verbe au pluriel : **sono due**, **tre ore**, *cela fait deux*, *trois heures*, etc.

2 I gemelli perdono sempre tutto!

3 – Hai guardato bene nei ② cassetti, negli zaini,

4 e soprattutto nelle tasche dei tuoi fratelli?

5 – Ma sì, lo fanno apposta!

6 – Non è vero, mamma,

7 è Angela che crede che se perdiamo l'aereo ③,

8 restiamo a Roma una settimana di più! ☐

---

2 i_djémèlli pèrdono_sè'mprê_toutto 3 aï gouardato_bène néï_ kassétti néll'_dsaïni 4 é_soprattoutto néllê_taskê déï_touoï_ fratèlli 5 ma_si lo_fanno_apposta 6 n'on_è_véro_mamma 7 è_a'ndjèla ké_krédê ké_sé_pèrdiamo_laèrèo 8 réstiamo_a_roma ouna_séttimana_di_piou

---

Notes

② **nei**, **negli** (phrase 3), **nelle** (phrase 4)… que de formes ! Vous savez déjà que les articles définis sont relativement nombreux en italien. Quand ils suivent les prépositions **in**, **a**, **di**, **da**, **su**, ils donnent lieu à des formes contractées : **nei**, **dalle**, **sulla**, etc. Nous vous en donnerons les listes complètes en leçon de révision. ▶

***

Esercizio 1 – Traducete

❶ I gemelli lo fanno apposta! ❷ Loro perdono sempre l'aereo. ❸ Angela, è un'ora che ti cerco! ❹ Dov'è finito il mio passaporto? ❺ Hai guardato bene in tutti i cassetti?

2 Les jumeaux perdent toujours tout !

3 – As-tu bien regardé dans les tiroirs, dans les sacs à dos,

4 et surtout dans les poches de tes frères ?

5 – Mais oui, ils le font exprès !

6 – Ce n'est pas vrai, maman,

7 c'est Angela qui croit que si nous ratons *(perdons)* l'avion,

8 nous restons à Rome une semaine de plus !

> ③ **perdere l'aero**, *rater l'avion* : littéralement, l'italien ne *rate* pas, il "perd" ses avions, trains, ou même, bus… Vous voilà prévenu !

***

Corrigé de l'exercice 1

❶ Les jumeaux le font exprès ! ❷ Ils ratent toujours l'avion. ❸ Angela, ça fait une heure que je te cherche ! ❹ Où est passé mon passeport ? ❺ As-tu bien regardé dans tous les tiroirs ?

Esercizio 2 – Completate

❶ Paolo croit que si nous ratons l'avion, nous restons une semaine de plus.

Paolo . . . . . che se . . . . l'aereo
. . . . una settimana di più.

❷ As-tu bien regardé dans les tiroirs et dans les poches ?

Hai guardato bene . . . cassetti e . . . . .
. . . . . . ?

❸ Les passeports sont dans les sacs à dos.

. passaporti sono . . . . . zaini.

---

18 Diciottesima lezione

[ditchottèzima létsionê]

Una denuncia

1 – Vorrei fare una denuncia ①, per favore,
2 ho perso i miei ② documenti.
3 – Il passaporto o la carta d'identità?

Prononciation
*ou*na_dén*ou*'ntcha   **1** vorrèï_farê **ou**na_dén**ou**'ntcha
pér_favorê **2** o_pèrso_i_mièï_dokoumé'nti **3** il_passaporto
o_la_karta_di_idé'ntita

Notes

① **una denuncia** peut être, selon le contexte, **una denuncia di smarrimento** (litt. "une plainte d'égarement"), *une déclaration de perte* ou **una denuncia di furto**, *une déclaration de vol*. Dans les deux cas il faut utiliser le verbe **fare**, *faire*. ▸

④ Ce n'est pas vrai, maman !

. . . . , mamma!

⑤ Mais oui, restons une semaine de plus !

.. .. , restiamo una settimana .. . . . . !

Corrigé de l'exercice 2

❶ – crede – perdiamo – restiamo – ❷ – nei – nelle tasche ❸ I – negli – ❹ Non è vero – ❺ Ma sì – di più

Une déclaration de perte *(plainte)*

1 – Je voudrais déposer *(faire)* une déclaration de perte *(plainte)*, s'il vous plaît,
2   j'ai perdu mes papiers.
3 – Le passeport ou la carte d'identité ?

▶ ② **i mei documenti**, *mes papiers* ; **il suo nome** (phrase 5), *son prénom* ; comme les articles, les adjectifs possessifs sont nombreux en italien. Retenez ceux-ci pour le moment et pour plus de détails, rendez-vous en leçon de révision.

4 – Tutti ③ e due ④, mi resta solo la patente.
5 – Mi può dire il Suo ⑤ nome lettera per
       lettera?
6 – Renato: erre, e, enne, a, ti, o.
7 – Renato è il Suo nome o il Suo cognome?
8 – Il mio cognome, il mio nome è Arturo.
9 – Bene, adesso deve riempire questa scheda,
10   e indicare la Sua data di nascita, la Sua
       nazionalità,
11   e il Suo indirizzo completo.   □

---

*4 toutti_é_douê mi_rèsta_solo_la_patè'ntê 5 mi_pouo_dirê_
il_souo_nomê lèttèra_pér_lèttèra 6 rénato: èrrê, é, ènnê, a, ti, o
7 rénato_è_il_souo_nomê o_il_souo_kognomê 8 il_mïo_kognomê,
il_mïo_nomê è_artouro 9 bènê, adèsso_dévê_rié'mpirê kouésta_
skèda 10 é_i'ndikarê la_soua_data_di_nachita la_soua_
natsionalita 11 é_il_souo_i'ndirittso_ko'mplèto*

Notes

③ **tutti**, *tous* : après une liste de mots combinant féminin(s) et
   masculin(s), le pluriel se fait, comme en français, au masculin.

④ **tutti e due**, *(tous) les deux* : prenez garde à ne pas oublier le **e**,
   et, intermédiaire.

⑤ **Suo** (litt. "Son"), *votre* : nous avons déjà vu que la formule
   de politesse requiert, en italien, la 3e personne du singulier ;
   en voici encore quelques exemples (phrases 7, 10 et 11). Si ▸

Esercizio 1 – Traducete

❶ Devo fare una denuncia di smarrimento. ❷ Ecco
la scheda che deve riempire. ❸ Deve indicare qui
la sua nazionalità. ❹ Devo dire il mio cognome
lettera per lettera? ❺ Ho perso la patente!

4 – *(Tous)* Les *(et)* deux, il me reste seulement mon *(le)* permis de conduire.

5 – Pouvez-vous m'épeler votre nom *(peut me dire son nom lettre par lettre)* ?

6 – Renato : r, e, n, a, t, o.

7 – Renato [c']est votre *(Son)* prénom ou votre *(Son)* nom ?

8 – [C'est] mon nom, mon prénom est Arturo.

9 – Bien, maintenant vous devez *(doit)* remplir cette fiche,

10 et indiquer votre *(Sa)* date de naissance, votre *(Sa)* nationalité,

11 et votre *(Sa)* adresse complète.

▸ cela ne vous semble pas encore tout à fait logique, patience ! Progressivement, vous vous surprendrez à vouvoyer avec aisance…

Corrigé de l'exercice 1

❶ Je dois déposer une déclaration de perte. ❷ Voici la fiche que vous devez remplir. ❸ Vous devez indiquer ici votre nationalité. ❹ Dois-je épeler mon nom ? ❺ J'ai perdu mon permis de conduire !

Esercizio 2 – Completate

❶ J'ai perdu mes papiers.
Ho perso . . . .

❷ Tu as perdu le passeport ou la carte d'identité ? – Les deux !
Hai perso . . passaporto o . . carta d'identità?
– . . . . !

❸ Mon nom est Rescigno : r, e s, c i, g, n, o.
. . . . Rescigno: r, e, s, c, i, g,
n, o.

---

19   Diciannovesima lezione

[ditchannovèzima létsionê]

Presto, siamo in ritardo!

1 –   Che ore sono ①, Carlo?
2 –   Sono le sette e dieci ②!
3   Alle otto dobbiamo essere all'aeroporto,
4   e ancora non sei pronta!

Prononciation
prèsto, siamo_i'n_ritardo   1 ké_orê_sono, karlo

Notes
① **Che ore sono?**, ou **Che ora è?**, ces deux formules, équivalentes, signifient, vous l'avez deviné, *Quelle heure est-il ?* ▶

④ Vous devez écrire ici votre date de naissance et votre nationalité. 19

.... scrivere qui .. ..
e la sua ....

⑤ Pouvez-vous me donner votre adresse complète ?

Mi ... dare il ... . completo?

Corrigé de l'exercice 2

❶ – i miei documenti ❷ – il – la – tutti e due ❸ Il mio cognome è – ❹ Deve – la sua data di nascita – nazionalità – ❺ – può – suo indirizzo –

Dix-neuvième leçon   19

Vite, nous sommes en retard !

1 – Quelle heure est-il *(quelles heures sont)*, Carlo ?
2 – Il est *(sont les)* sept [heures] [et] dix !
3   Nous devons être à l'aéroport à huit heures,
4   et tu n'es pas encore prête !

2 sono_lésèttê_é_diètchi 3 allê_otto_dobbiamo_èssèrê all_aêroporto 4 é_a'nkora_no'n_sëi_pro'nta

▸ ② **Sono le sette e dieci**, *Il est sept heures dix*, nous nous per-
mettons de vous rappeler que pour exprimer l'heure, l'italien
utilise toujours l'article, mais jamais le mot **ore** (leçon 9).

5 – Non sono le sette e dieci, sono le sette meno dieci.

6 Sono pronta tra un minuto ③!

7 Che ne pensi del mio nuovo ④ cappotto?

8 E delle mie nuove scarpe verdi?

9 – Mio Dio…!!! □

---

5 n'on‿sono‿lé‿sèttê‿é‿diètchi sono lé‿sèttê‿méno‿ diètchi **6** sono‿pro'nta‿tra‿ou'n‿minouto

---

Notes

③ **tra un minuto** (litt. "entre une minute"), *dans une minute* : observez et mémorisez cette utilisation de la préposition **tra** (ou **fra**) dans les expressions de temps.

④ Il existe, en italien, deux groupes d'adjectifs : les adjectifs à quatre formes d'accord et les adjectifs à deux formes d'accord. Au 1er groupe appartiennent des adjectifs tels que **nuovo**, *nouveau*, *neuf*, pour lequel nous avons **nuovo**, *neuf* ; **nuovi**, *neufs* ; **nuova**, *neuve* ; **nuove**, *neuves*. Au 2nd groupe appartiennent des adjectifs tels que **verde**, *vert* (phrase 8), pour lequel nous avons **verde**, *vert*, *verte* et **verdi**, *verts*, *vertes*.

***

Esercizio 1 – Traducete

❶ Sono le otto meno dieci. ❷ Sono pronta tra dieci minuti. ❸ È mezzogiorno e venti. ❹ Carla, ancora non sei pronta! ❺ Mio Dio, dobbiamo essere all'aeroporto tra cinque minuti!

5 – Il n'est pas sept [heures] *(et)* dix, il est sept
[heures] moins dix.
6 Je suis prête dans *(entre)* une minute !
7 Que *(en)* penses-tu de mon nouveau manteau ?
8 Et de mes nouvelles chaussures vertes ?
9 – Mon Dieu… !!!

*7 ké né pè'nsi dél mio nouovo kappotto 8 é déllê miê
nouovê skarpê vérdi 9 mïo dïo*

PRESTO, SIAMO
IN RITARDO!

***

Corrigé de l'exercice 1

❶ Il est huit heures moins dix. ❷ Je suis prête dans dix minutes.
❸ Il est midi vingt. ❹ Carla, tu n'es pas encore prête ! ❺ Mon
Dieu, nous devons être à l'aéroport dans cinq minutes !

Esercizio 2 – Completate

❶ Le train arrive dans six minutes.

. . treno arriva . . . . . . minuti.

❷ Que pensez-vous de mes nouvelles chaussures italiennes ?

Che ne pensate delle mie . . . .

. . . . ?

❸ Mon manteau est vert.

Il mio . . . . è . . . . . .

❹ Les autobus partent à huit heures, à huit heures dix et à neuf heures moins vingt.

. . . autobus partono . . . . , ...

. . . . . . e . . . .

---

20 Ventesima lezione *[vé'ntèzima létsionê]*

Verso l'aeroporto

1 – Dai ① Luisa, il taxi ci aspetta da un quarto d'ora ② !

2 – Come sei noioso, Carlo,

Prononciation
vèrso l'aêréoporto **1** *daï louiza il taxi tchi aspètta da oun kouarto dora* **2** *komê sèï noïozo karlo*

Notes

① **dai**, *allez*, *vite*, *s'il te plaît*… Ce petit mot, très courant dans la langue parlée peut se traduire de diverses manières. En voici quelques-unes. Son infinitif est **dare**, *donner*.

▶

⑤ Nous devons être à l'aéroport dans une heure.

Dobbiamo essere . . . . tra

. . . .

Corrigé de l'exercice 2

❶ Il – tra sei – ❷ – nuove scarpe italiane ❸ – cappotto – verde
❹ Gli – alle otto, alle otto e dieci – alle nove meno venti ❺ –
all'aeroporto – un'ora

<hr>

Vingtième leçon   20

Vers l'aéroport

1 –   Allez *(donne)* Luisa, le taxi nous attend depuis
un quart d'heure !
2 –   Que tu es ennuyeux, Carlo,

▶ ② **da un quarto d'ora** signifie ici *depuis un quart d'heure…* La
préposition **da**, très utilisée, peut avoir de nombreux sens différents. Vous les découvrirez petit à petit.

3   manca ancora un sacco di tempo ③!

4 –   A proposito, da quale terminal imbarchiamo?

5   E qual è il numero del nostro volo?

6   Puoi guardare sui biglietti, per favore?

7 –   Certo, caro,… ma dove si sono nascosti ④ questi biglietti?

8 –   Luisa, se hai ancora dimenticato i biglietti,

9   è la volta che chiedo il divorzio!   □

---

*3 ma'nka_a'nkora oun_sakko_di_tè'mpo **4** a_propozito, da_koualê_tèrminal i'mbarkiamo **5** é_koual_è_il_noumèro dél_nostro_volo **6** pouoï_gouardarê souï_bill'iétti, pér_favorê*

Notes

③ **un sacco di tempo** (litt. "un sac de temps"), *beaucoup de temps* : dans la langue parlée, **un sacco di** est devenu synonyme de **molto**, *beaucoup*, ou **moltissimo**, *vraiment beaucoup*.

④ **si sono nacosti**, *ils se sont cachés*, est issu du verbe pronominal **nascondersi** dont vous trouverez la conjugaison complète en leçon de révision.

***

Esercizio 1 – Traducete

❶ Ti aspetto da un sacco di tempo! ❷ Come siete noiosi! ❸ Puoi guardare il numero del volo? ❹ Dove si sono nascosti i tuoi amici? ❺ Qual è il tuo biglietto?

3 [il] reste *(manque)* encore beaucoup *(un sac)* de
      temps !

4 – À propos, de *(depuis)* quel terminal
      embarquons-nous ?

5 Et quel est le numéro de notre vol ?

6 Peux-tu regarder sur les billets, s'il te plaît ?

7 – Certainement, chéri… mais où se sont cachés
      ces billets ?

8 – Luisa, si tu as encore oublié les billets,

9 cette *(c'est la)* fois *(que)* je demande le
      divorce !

---

7 tchèrto_karo… ma_dovê_si_sono_naskosti kouésti_bill'étti
8 louiza, sé_aï_a'nkora_dimè'ntikato i_bill'étti   **9** è_la_volta
ké_kièdo_i_ldivortsio

***

Corrigé de l'exercice 1

❶ Je t'attends depuis longtemps ! ❷ Que vous êtes ennuyeux !
❸ Peux-tu regarder le numéro du vol ? ❹ Où se sont cachés tes
amis ? ❺ Quel est ton billet ?

Esercizio 2 – Completate

❶ Allez, Lucia, Carlo nous attend !

. . . Lucia, Carlo . . aspetta!

❷ Nous avons encore beaucoup de temps !

. . . . ancora . . . . tempo!

❸ Luisa, tu oublies tes cartes.

Luisa, ... tue cartoline.

---

21 Ventunesima lezione

[vé'ntounèzima létsionê]

Revisione – Révision

1 La forme pronominale des verbes

Comme en français, certains verbes italiens possèdent une forme pronominale. C'est le cas par exemple pour le verbe **nascondere**, *cacher*, qui donne le verbe pronominal **nascondersi**, *se cacher*. En voici la conjugaison avec les pronoms personnels réfléchis appropriés :

io mi nascondo	*je me cache*
tu ti nascondi	*tu te caches*
lui/lei si nasconde	*il/elle se cache*
noi ci nascondiamo	*nous nous cachons*
voi vi nascondete	*vous vous cachez*
loro si nascondono	*ils/elles se cachent*

2 Les verbes du premier groupe en -*care* et -*gare*

Les verbes qui se terminent en -**care** et -**gare** conservent la prononciation de leur infinitif (respectivement *[k]* et *[g]*) lorsqu'ils sont conjugués : il faut donc ajouter un **h** après le **c** ou le **g** lorsque la terminaison commence par **e** ou **i** (c'est-à-dire à la 2ᵉ personne

❹ À propos, d'où partons-nous ?

. . . . partiamo?

❺ Certainement, chéri ! Que tu es ennuyeux, chéri !

. . . . . caro! . . . ., caro!

Corrigé de l'exercice 2

❶ Dai – ci – ❷ Abbiamo – un sacco di – ❸ – dimentichi le – ❹ A proposito da dove – ❺ Certo – Come sei noioso –

Vingt et unième leçon   21

du singulier et à la 1re personne du pluriel pour les verbes conjugués au présent de l'indicatif). Voyez ces exemples :

– **dimenticare**, *oublier*

io dimentico	*j'oublie*
tu dimentich i	*tu oublies*
egli dimentica	*il/elle oublie*
noi dimentich iamo	*nous oublions*
voi dimenticate	*vous oubliez*
essi dimenticano	*ils/elles oublient*

– **spiegare**, *expliquer*

io spiego	*j'explique*
tu spiegh i	*tu expliques*
egli spiega	*il/elle explique*
noi spiegh iamo	*nous expliquons*
voi spiegate	*vous expliquez*
essi spiegano	*ils/elles expliquent*

Hormis quelques exceptions, deux types de pluriel restent invariables en italien :
– Le pluriel des <u>abréviations</u> : **Ho fatto una bella foto**, *J'ai fait une belle photo.* → **Ho fatto un sacco di belle foto**, *J'ai fait plein de belles photos.*

– Le pluriel des <u>mots d'origine étrangère</u> : **Ho mandato una mail**, *J'ai envoyé un mail.* → **Ho mandato delle mail**, *J'ai envoyé des mails.*

4 Les adjectifs qualificatifs

Comme vous l'avez constaté en leçon 19, il existe en italien deux grands groupes d'adjectifs :
– les adjectifs à quatre formes d'accord
Ce sont les adjectifs qui, comme la plupart des adjectifs français, ont une forme pour le masculin singulier, une forme pour le féminin singulier, une forme pour le masculin pluriel et une pour le féminin pluriel. C'est le cas de l'adjectif **nuovo**, *neuf*, qui compte trois autres formes : **nuova**, *neuve* ; **nuovi**, *neufs* ; **nuove**, *neuves*.

– les adjectifs à deux formes d'accord
Ce sont les adjectifs qui fonctionnent avec seulement deux formes, la forme du singulier et la forme du pluriel : **verde**, *vert*, *verte*, donne au pluriel **verdi**, *verts*, *vertes*. Comparez avec le français *mince*.

5 Les adjectifs possessifs

Nous avons abordé rapidement les adjectifs possessifs au cours de la leçon 18. Ce tableau récapitulatif vous permettra de faire une petite révision des formes que vous connaissez déjà et de découvrir les autres !

		OBJET POSSÉDÉ			
		SINGULIER		PLURIEL	
		Féminin	Masculin	Féminin	Masculin
POSSESSEUR	JE	**mia**	**mio**	**mie**	**miei**
		ma	*mon*	*mes*	*mes*
	TU	**tua**	**tuo**	**tue**	**tuoi**
		ta	*ton*	*tes*	*tes*
	IL/ELLE/ VOUS (politesse)	**sua**	**suo**	**sue**	**suoi**
		sa	*son*	*ses*	*ses*
	NOUS	**nostra**	**nostro**	**nostre**	**nostri**
		notre	*notre*	*nos*	*nos*
	VOUS	**vostra**	**vostro**	**vostre**	**vostri**
		votre	*votre*	*vos*	*vos*
	ILS/ ELLES	**loro**	**loro**	**loro**	**loro**
		leur	*leur*	*leurs*	*leurs*

Notez que **loro**, *leur* / *leurs* est invariable.

6 Les articles contractés

Lorsque les prépositions **di**, *de* ; **a**, *à* ; **da**, *de, par, depuis*, etc. ; **su**, *sur* ; **in**, *dans, en*, etc., sont employées devant un article défini, l'italien utilise des formes contractées dont voici le résumé :

+	il	lo	la	l'	i	gli	le
di	del	dello	della	dell'	dei	degli	delle
a	al	allo	alla	all'	ai	agli	alle
da	dal	dallo	dalla	dall'	dai	dagli	dalle
su	sul	sullo	sulla	sull'	sui	sugli	sulle
in	nel	nello	nella	nell'	nei	negli	nelle

Au cours des six leçons précédentes, nous avons utilisé de nombreuses expressions très courantes et donc très utiles. Nous vous en proposons ici un résumé. Vous souvenez-vous de leur sens et du contexte dans lequel elles apparaissent ?

Demander l'heure : **Che ora è?** ; **Che ore sono?**

Donner l'heure : **È mezzogiorno.** ; **Sono le otto.** ; **Sono le sette meno dieci.** ; **Sono le sette e dieci.**

Se renseigner : **A quale fermata devo scendere?** ; **Da quale terminal imbarchiamo?**

Dialogo di revisione

 1 – Scusa, Paolo, a quale fermata devo scendere per Piazza di Spagna?
 2 – Scendo con te, ti accompagno!
 3 – Scriviamo una cartolina a Lucia?
 4 – Ma no, una mail è molto più rapida!
 5 – Sai che Angela crede che se perdiamo l'aereo restiamo a Roma?
 6   E che i gemelli hanno perso i passaporti e le carte d'identità?
 7 – Dai, Luisa, alle otto dobbiamo essere all'aeroporto,
 8   e sono le sette meno dieci!
 9   A proposito, sai da quale terminal imbarchiamo?
10 – Certo, caro, guardo sui biglietti!

Donner une indication : **Prendi la prima a destra, e al semaforo, 21 la prima a sinistra.**

Épeler un nom : **ASSIMIL: a, esse, esse, i, emme, i, elle.**

Traduction

1 Excuse-moi, Paolo, à quel arrêt dois-je descendre pour la Place d'Espagne ? **2** Je descends avec toi, je t'accompagne ! **3** Écrivons-nous une carte à Lucia ? **4** Mais non, un mail est beaucoup plus rapide ! **5** Sais-tu qu'Angela croit que si nous ratons l'avion, nous restons à Rome ? **6** Et que les jumeaux ont perdu les passeports et les cartes d'identité ? **7** Allez, Luisa, à huit heures nous devons être à l'aéroport **8** et il est sept heures moins dix ! **9** À propos, sais-tu de quel terminal nous embarquons ? **10** Certainement, chéri, je regarde sur les billets !

22 Ventiduesima lezione

Notez qu'à partir de cette leçon, seule vous est proposée la prononciation des mots nouveaux ou des mots qui présentent une difficulté particulière.

Oggi offro io ①!

1 – Ragazzi ②, stasera vi **o**ffro lo
champagne ③!

2 Da ieri ho un nu**o**vo lav**o**ro:

3 sono ass**u**nto come architetto in un gr**u**ppo
internazion**a**le!

4 – Congratulazi**o**ni, Piero, s**o**no pr**o**prio ④
contenta per te!

5 – Grazie, sono contentissimo **a**nche **i**o, perché
è pr**o**prio il p**o**sto che cerc**a**vo:

6 mi chi**e**dono di viaggi**a**re molto,

7 di parl**a**re molte lingue stran**i**ere,

8 e mi **o**ffrono un eccell**e**nte stip**e**ndio!

9 – Stup**e**ndo! ◻

Prononciation
1 *ragattsi … **2** … iéri … nouovo … **3** … asso**u**'nto … arkitétto … i'ntèrnatsion**a**lê*

Notes
① **offro io**, *c'est moi qui invite* (litt. "offre moi"). En plus de la conjugaison au présent de l'indicatif des verbes du 3ᵉ groupe (leçon 14, § 1), observez ici l'enthousiasme de Piero traduit par la présence de **io**, *moi*.

② La traduction exacte de **ragazzi** est *garçons*. Mais, dans ce type de contexte, ce mot acquiert le sens de *les amis !*, *les copains !* On peut également l'utiliser au féminin : **ragazze**, *les amies !* ▸

Aujourd'hui, c'est moi qui invite *(offre moi)* !

1 –   Les copains *(garçons)*, ce soir, je vous offre le
champagne !
2   Depuis hier, j'ai un nouvel emploi :
3   je suis embauché comme architecte dans un
groupe international !
4 –   Félicitations, Piero, je suis vraiment contente
pour toi !
5 –   Merci, je suis très content moi aussi *(aussi
moi)*, parce que c'est exactement le poste que je
cherchais :
6   ils me demandent de beaucoup voyager,
7   de parler beaucoup de langues étrangères,
8   et ils m'offrent un excellent salaire !
9 –   [C'est] magnifique !

---

4 ko'ngratoulatsi**o**ni … ko'ntè'nta …   **5** … tchérk**a**vo
6 … ki**é**dono … **8** … éttchéll'**è**ntê_stip**è**'ndio

▶ ③ **lo champagne**, *le champagne* : pour les mots étrangers, le
choix de l'article se fait toujours en fonction de la prononciation du mot. Le son *[cha]* français s'écrit **scia** en italien ; et
nous savons que devant un mot commençant par un **s** suivi
d'une consonne, il faut employer l'article **lo** (défini) ou **uno**
(indéfini) (leçon 14, § 2).

④ Le mot **proprio** peut avoir plusieurs sens. Aux phrases 4 et 5,
il signifie respectivement *vraiment* et *exactement*. Nous vous
dévoilerons toute sa polysémie petit à petit… Patience !

Esercizio 1 – Traducete

❶ Da ieri sono assunto come architetto. ❷ Sono contentissimo: è proprio il posto che cercavo. ❸ Mi chiedono di viaggiare molto, ma mi offrono un eccellente stipendio! ❹ Devo parlare molte lingue straniere. ❺ Oggi vi offro lo champagne!

Esercizio 2 – Completate

❶ J'ai un nouvel emploi dans un groupe international.
Ho un nuovo . . . . . . in un . . . . . .
. . . .

❷ Félicitations, Piero, nous sommes vraiment contents pour toi !
. . . ., Piero, siamo . . . .
. . . . per . .!

❸ Merci, je suis très content moi aussi.
. . . . . ., sono . . . . anche . . .

❹ Paolo parle beaucoup de langues étrangères.
Paolo parla . . . . . lingue . . . .

❺ C'est magnifique ! Ils m'offrent un excellent salaire !
. . . .! Mi . . . . un eccellente
. . . .!

Corrigé de l'exercice 1

❶ Depuis hier, je suis embauché comme architecte. ❷ Je suis très content : c'est exactement le poste que je cherchais. ❸ Ils me demandent de beaucoup voyager, mais ils m'offrent un excellent salaire ! ❹ Je dois parler beaucoup de langues étrangères. ❺ Aujourd'hui, je vous offre le champagne !

Corrigé de l'exercice 2

❶ – lavoro – gruppo internazionale ❷ Congratulazioni – proprio contenti – te ❸ Grazie – contentissimo – io ❹ – molte – straniere ❺ Stupendo – offrono – stipendio

In ufficio

1 – Ecco, Dottor Nitti, questo ① è il suo ufficio,
2   e quella lì ② è la stanza ③ del suo
     collaboratore, il Dottor Reddi.
3   Quell'ufficio che vede in fondo al corridoio,
     molto grande,
4   è quello del nostro capo, il Dottor Longhi.
5   Questa stanza qui, invece, è la segreteria.
6   Le sale di riunione sono al terzo piano,
7   e la mensa è all'ultimo piano.
8   Gli ascensori, naturalmente, sono lì davanti
     alle scale,
9   E se ha bisogno di altro, io sono
     raggiungibile al 3579 (tre, cinque, sette,
     nove) ④.   □

Prononciation
… *ouffitcho* **2** … *sta'ntsa* … **3** … *korridoio* … **5** … *i'nvétchê* …

Notes

① **questo**, *ceci*… En italien, les adjectifs démonstratifs donnent
à voir nettement la distance de l'objet considéré. Il est impératif d'utiliser **questo, questa, questi, queste** pour désigner les
objets proches et **quello, quella, quelli, quelle** pour désigner
les objets plus éloignés, un peu comme nos *ce-…-ci* et *ce-…-là*.

② **lì** et **là** *(-là)*, et **qui** et **qua** *(-ci)*, parfaitement synonymes entre
eux, renforcent l'idée de proximité ou d'éloignement véhiculée
par **questo** et **quello**.   ▸

Au *(dans)* bureau

1 – Voilà, Monsieur *(Docteur)* Nitti, ceci est votre bureau,

2 et celui-là *(celle-là)* est le bureau *(la pièce)* de votre collaborateur, Monsieur *(le Docteur)* Reddi.

3 Ce bureau que vous voyez au fond du couloir *(en fond au couloir)*, très grand,

4 est celui de notre chef, Monsieur *(le Docteur)* Longhi.

5 Ce bureau-ci *(pièce ci)*, en revanche, est le secrétariat.

6 Les salles de réunion sont au troisième étage,

7 et la cantine est au dernier étage.

8 Les ascenseurs, évidemment, sont là, devant les *(aux)* escaliers,

9 et si vous avez besoin d'autre [chose], je suis joignable au [poste] 3579.

---

6 ... *riounionê* ... **7** ... *mè'nsa* ... **8** ... *achè'nsori* ...
9 ... *raddjou'ndjibilê* ... *tré tchi'nkouê sèttê novê*

▸ ③ En italien courant, la signification de **stanza** est *pièce* ou *chambre*. Dans le jargon administratif, ce mot désigne également le *bureau* (mais la pièce uniquement).

④ Comme le français, l'italien se contente souvent de demander le numéro d'un poste de travail en omettant le mot *poste*, **interno** : **Sono raggiungibile al 3579**, *Je suis joignable au 3579.* = **Sono raggiungibile all' interno 3579**, *Je suis joignable au poste 3579.*

Esercizio 1 – Traducete

❶ Questo è l'ufficio del suo collaboratore. ❷ L'ufficio in fondo al corridoio è quello del nostro capo. ❸ Il Dottor Reddi è raggiungibile al 3579. ❹ La mensa è al terzo piano. ❺ L'ascensore è davanti alle scale e la sala di riunione è all'ultimo piano.

Esercizio 2 – Completate

❶ Ceci est le secrétariat.

. . . . . . è la segreteria.

❷ Monsieur Nitti, votre bureau est au dernier étage.

. . . . . . Nitti, il suo . . . . è all' . . . . . .

. . . . . .

❸ Avez-vous besoin d'autre chose, Monsieur Longhi ?

Ha . . . . di . . . . . , Dottor Longhi?

❹ La cantine est au troisième étage, devant l'escalier.

La . . . . . è . . . . piano, ... alle

. . . . . .

❺ Celui-là est le bureau de votre collaborateur.

. . . . è la . . . . . . del suo collaboratore.

Corrigé de l'exercice 1

❶ Ceci est le bureau de votre collaborateur. ❷ Le bureau au fond du couloir est celui de notre chef. ❸ Monsieur Reddi est joignable au poste 3579. ❹ La cantine est au troisième étage. ❺ L'ascenseur est devant l'escalier et la salle de réunion est au dernier étage.

Corrigé de l'exercice 2

❶ Questa – ❷ Dottor – ufficio – ultimo piano ❸ – bisogno – altro –
❹ – mensa – al terzo – davanti – scale ❺ Quella lì – stanza –

24   Ventiquattresima lezione

Società internazionale

1 – Salve, Lei è Piero Nitti, il nostro nuovo
     collega ① italiano?
2 – Proprio ② io, molto lieto ③!
3 – Io sono Monica Lewis, e sono americana;
4   ci possiamo dare del tu, vero ④?
5 – Certamente, preferisco ⑤ sempre il tu al
     Lei!
6 – Sai che questo pomeriggio alle cinque c'è
     un cocktail di benvenuto per te?
7   Ti presenterò tutti i nostri colleghi:
8 – Ann che è inglese, Thomas che è tedesco,
9   Maxime che è francese, Dimitri che è greco
     e Wladimir che è russo.   □

Prononciation
*sotchétà … 4 tchi possiamo darê dél tou … 6 saï … pomériddjio
… tchi'nkouê … 8 … i'nglézê … 9 … fra'ntchésê …*

Notes
① **collega**, *collègue*, tout comme **dentista**, *dentiste* ; **giornalista**,
   journaliste, etc., est irrégulier au masculin singulier. Au masculin pluriel, en revanche, ces noms sont réguliers : **colleghi**,
   dentisti, **giornalisti**.
② **proprio io** signifie ici *en personne*. Pour retenir tous les sens
   de **proprio**, nous vous conseillons de retenir quelques expressions où il apparaît car sa polysémie n'a pas fini de vous
   impressionner !   ▸

Société internationale

1 – Salut, êtes-vous Piero Nitti, notre nouveau collègue italien ?

2 – En personne *(vraiment moi)*, enchanté *(très heureux)* !

3 – Je suis Monica Lewis, et je suis américaine ;

4 nous pouvons nous tutoyer *(donner du tu)*, [n'est-ce pas] *(vrai)* ?

5 – Bien sûr, je préfère toujours le "tu" au "vous" !

6 – Sais-tu que cet après-midi, à cinq [heures], il y a un cocktail de bienvenue pour toi ?

7 Je te présenterai tous nos collègues :

8 – Ann, qui est anglaise, Thomas, qui est allemand,

9 Maxime, qui est français, Dimitri, qui est grec, et Wladimir, qui est russe.

▸ ③ **molto lieto/a**, littéralement "très heureux/euse", est un synonyme de l'expression **molto piacere**, *enchanté* (leçon 1), et est tout aussi employé.

④ **vero?**, *n'est-il pas vrai ?*, *n'est-ce pas ?*, est une expression très utilisée dans la langue courante. Vous l'entendrez souvent au cours des conversations !

⑤ **preferisco**, *je préfère*, est la 1re personne du verbe du 3e groupe, **preferire**. Comme beaucoup d'autres verbes de ce groupe, il comporte une irrégularité (le groupe **-isc-** que l'on place entre le radical et la terminaison) au singulier et à la 3e personne du pluriel du présent de l'indicatif. Reportez-vous à la leçon de révision pour en savoir plus à ce sujet.

24 **Esercizio 1 – Traducete**

❶ Sai che questo pomeriggio c'è un cocktail di benvenuto per te? ❷ Sono Monica e sono americana. ❸ Ti presenterò i nostri colleghi stranieri. ❹ Dimitri, il nostro collega greco! ❺ Ci diamo sempre del tu!

Esercizio 2 – Completate

❶ Pietro Nitti, notre nouveau collègue italien !

Piero Nitti, ... nuovo ....
italiano!

❷ Je suis Ann, et je suis anglaise. – Enchantée !

Io .... Ann, e sono ....! – Molto
.....!

❸ Nous pouvons nous tutoyer, n'est-ce pas, Mario ?

Ci possiamo .... del .., ... Mario?

❹ Bien sûr, je préfère le "tu" au "vous" !

Certamente, ... il tu al ...!

❺ Est-ce que tu préfères ce bureau ou celui du *(au)* dernier étage ?

.... ufficio o ......
all'ultimo piano?

*Le tutoiement est aujourd'hui largement répandu en Italie. Entre collègues de bureau, entre enseignants d'une même école, entre amis et amis d'amis, il est tout à fait normal de **darsi del tu**, se tutoyer. Dans ces situations, le vouvoiement serait même ressenti*

Corrigé de l'exercice 1

❶ Tu sais que cet après-midi, il y a un cocktail de bienvenue pour toi ? ❷ Je suis Monica et je suis américaine. ❸ Je te présenterai nos collègues étrangers. ❹ Dimitri, notre collègue grec ! ❺ Nous nous tutoyons toujours !

Corrigé de l'exercice 2

❶ – il nostro – collega – ❷ – sono – inglese – lieta ❸ – dare – tu, vero – ❹ – preferisco – Lei ❺ Preferisci questo – quello –

comme une forme de snobisme ou, du moins, serait considéré comme un peu déplacé. Notez cependant que jusqu'aux années 1960-1970, le **Lei** *était encore de rigueur et que les enfants vouvoyaient généralement leurs parents.*

25 Venticinquesima lezione

À partir de cette leçon, nous allons aborder les pronoms person-nels. Leur utilisation n'est pas toujours très simple. Mais ne vous inquiétez pas, nous vous les présentons de manière progressive, afin

Il mio numero di cellulare

1 – Che cosa vi ① offriamo da bere ②?
2 – Per me del vino bianco, grazie.
3 Ann però preferisce un analcolico.
4 Tu preferisci un succo di frutta, vero Ann?
5 – Sì grazie, ma anche un bicchiere di vino va
bene, se non lo riempi troppo.
6 – Sentite, allora ceniamo insieme stasera?
7 – Come no ③, e a che ora ci vediamo?
8 – Ci chiamiamo con i cellulari verso la fine
del pomeriggio.
9 – Il mio numero è il 339 457952 (tre-tre-
nove-quattro-cinque-sette-nove-cinque-
due).
10 Ma forse possono venire anche Thomas e
Ida?
11 – Ottima idea! Li chiamo io!   □

Prononciation
... tchélloularê **2** *... bia'nko ...* **3** *... préférichê ...*
5 *... bikkièrê ... rié'mpi ...* **6** *sé'ntitê ... tchéniamo_i'nsiémê ...*

Notes
① **vi**, *vous*, est ici un pronom personnel complément d'objet indirect (COI) ; sa traduction littérale est "à vous". Nous y reviendrons.

② **offriamo da bere**, *nous offrons à boire* : nous vous prévenions déjà en leçon 10, les règles d'utilisation des prépositions sont ▶

que vous les appreniez au fur et à mesure… ainsi, ils n'auront plus aucun secret pour vous lorsque vous arriverez au seuil des leçons de révision !

Mon numéro de portable

1 – Qu'est-ce que *(quelle chose)* nous vous offrons à boire ?

2 – Pour moi, du vin blanc, merci,

3 mais Ann préfère une [boisson] non alcoolisée.

4 – Tu préfères un jus de fruit, n'est-ce pas, Ann ?

5 – Oui, merci, mais un verre de vin [ça] ira *(va bien)* aussi, si tu ne le remplis pas trop.

6 – *(Écoutez,)* Alors, [est-ce que] nous dînons ensemble ce soir ?

7 – Bien sûr *(Comment non)*, et à quelle heure nous voyons-nous ?

8 – Nous nous appelons sur nos *(avec les)* portables vers la fin de l'après-midi.

9 – Mon numéro est le 339 457952.

10 Mais peut-être [que] Thomas et Ida peuvent venir aussi ?

11 – Excellente idée ! Je les appelle !

8 tchi̱ kiamiamo … 9 … trê trê novê kouattro tchi'nkouê sèttê novê tchi'nkouê douê

▸ très capricieuses ! Ainsi, retenez bien l'expression **da** + verbe à l'infinitif : **Che cosa c'è da mangiare?**, *Qu'y a-t-il à manger ?*

③ **Come no!**, *Bien sûr !* : il est toujours un peu étonnant pour un étranger d'accepter que **come no** (litt. "comment non"), signifie *bien sûr que oui*… c'est pourtant le cas !

Esercizio 1 – Traducete

❶ Ci chiamiamo verso la fine del pomeriggio. ❷ Il mio numero di cellulare è il 339 457952. ❸ Ceniamo insieme stasera? ❹ A che ora ci vediamo? ❺ Ann preferisce sempre un analcolico!

Esercizio 2 – Completate

❶ Tu préfères un jus de fruit, n'est-ce pas ?

. . . . un . . . . , vero?

❷ Je préfère du vin blanc, merci.

. . . . del . . . . , grazie.

❸ Sais-tu si Thomas et Ida peuvent venir avec nous ? Je les appelle !

Sai se Thomas e Ida . . . . venire con noi?
. . chiamo . . !

❹ Alors, dînons-nous avec Ann, ce soir ?

. . . . . . , ... con Ann, stasera?

❺ Bien sûr et à quelle heure nous voyons-nous ?

. . . . . . e a che ora . . . . ?

Corrigé de l'exercice 1

❶ Nous nous appelons vers la fin de l'après-midi. ❷ Mon numéro de portable est le 339 457952. ❸ Est-ce que nous dînons ensemble ce soir ? ❹ À quelle heure nous voyons-nous ? ❺ Ann préfère toujours une boisson non alcoolisée !

Corrigé de l'exercice 2

❶ Preferisci – succo di frutta – ❷ Preferisco – vino bianco – ❸ – possono – Li – io ❹ Allora, ceniamo – ❺ Come no – ci vediamo

En plus de l'expression idiomatique **come no**, *quelque chose d'autre peut suprendre les étrangers : la facilité, ou du moins le peu de formalité avec laquelle, bien souvent, les Italiens organisent un dîner ! En effet, en Italie, il n'est pas du tout impoli de proposer un dîner pour le soir, même en début, voire en fin d'après-midi !*

Piero racconta

1 – Piero, vogliamo sapere tutto della tua
   assunzione, del concorso...
2 – È stato ① un colpo di testa:
3   vedo un annuncio sul giornale per un
   impiego all'estero,
4   mi rendo conto che ho i diplomi e
   l'esperienza richiesti...
5   e mando la domanda.
6 – E c'erano ② molti candidati ③?
7 – Sì parecchi! Le prove scritte erano molto ④
   numerose,
8   ma il colloquio non è stato molto difficile,
9   perché gli esaminatori erano molto
   simpatici.
10   Ed ora... eccomi ⑤ qua!   ☐

Prononciation
*1 ... voll'amo ... assou'ntsionê ... 3 ... annou'ntcho ...
djornalê ... i'mpiègo ... 4 ... rè'ndo ... 5 ... ma'ndo ...
doma'nda 6 ... tchèrano ... 8 ... kollokouio ... diffitchilê
9 ... si'mpatitchi*

Notes
① **è stato**, *ça a été* : en italien, le **passato prossimo**, *passé composé*, a la même utilisation et se forme de la même manière
   qu'en français. Il se contruit avec les auxiliaires **essere**, *être*,
   ou **avere**, *avoir*, au présent, suivis du participe passé du verbe
   principal. En général, le choix de l'auxiliaire se fait aussi
   comme en français, sauf pour une petite dizaine de verbes, ▸

Piero raconte

1 – Piero, nous voulons tout savoir de ton recrutement, du concours…

2 – Ça a été un coup de tête :

3 je vois une annonce dans *(sur)* le journal pour un emploi à l'étranger,

4 je me rends compte que j'ai les diplômes et l'expérience requis…

5 et j'envoie la demande.

6 – Et y avait-il *(étaient)* beaucoup [de] candidats ?

7 – Oui, beaucoup *(plusieurs)* ! Les épreuves écrites étaient très nombreuses,

8 mais l'entretien n'a pas été très difficile,

9 parce que les examinateurs étaient très sympathiques.

10 Et maintenant… me voilà *(ici)* !

▸ dont le plus fréquent est **essere**, qui prend **essere** comme auxiliaire.

② **c'erano**, *il y avait* : remarquez encore une fois qu'à la forme française *il y avait* correspondent deux formes italiennes **c'era** (singulier) et **c'erano** (pluriel).

③ **molti candidati**, *beaucoup de candidats* : **molto** peut avoir une fonction d'adjectif, auquel cas il s'accorde avec le nom et se traduit par *beaucoup de* (comme ici et phrase 7).

④ **molto numerose**, *très nombreuses* : **molto** peut également avoir une fonction d'adverbe, se traduisant alors par *très* ; **molto difficile**, *très difficile* (phrase 8). Remarquez que dans ce cas, il reste invariable.

⑤ **eccomi!**, *me voilà !* : notez bien que le pronom personnel est toujours postposé à **ecco** en italien.

Esercizio 1 – Traducete

❶ Il concorso è stato un colpo di testa! ❷ Vogliamo sapere tutto della tua assunzione! ❸ Le prove scritte erano molto numerose. ❹ Eccoti qua! ❺ Ho l'esperienza richiesta per questo lavoro.

Esercizio 2 – Completate

❶ Je veux tout savoir sur son concours.
. . . . del . . . concorso.

❷ Je vois une annonce dans le journal et j'envoie la demande.
. . . . un annuncio . . . giornale e . . . . . la domanda.

❸ Et y avait-il beaucoup de candidats ?
E c'erano . . . . ?

❹ L'entretien a été très difficile.
Il . . . . è stato . . . .

❺ Dans le journal, il y a une annonce pour un emploi à l'étranger !
Nel . . . . c'è un . . . . per un impiego . . . . !

Corrigé de l'exercice 1

❶ Le concours a été un coup de tête ! ❷ Nous voulons tout savoir sur ton recrutement ! ❸ Les épreuves écrites étaient très nombreuses. ❹ Te voilà ! ❺ J'ai l'expérience requise pour cet emploi.

Corrigé de l'exercice 2

❶ Voglio sapere tutto – suo – ❷ Vedo – sul – mando – ❸ – molti candidati ❹ – colloquio – molto difficile ❺ – giornale – annuncio – all'estero

LE PROVE SCRITTE ERANO MOLTO NUMEROSE

27 Ventisettesima lezione

Un Curriculum Vitae

1 Cognome: Nitti
2 Nome: Piero
3 Data e luogo di nascita: 9/7/1985 ①, Roma
4 Nazionalità: italiana
5 Stato di famiglia: celibe ②
6 Diplomi: Master in Economia conseguito all'Università di Roma
7 Esperienze di lavoro: stage ③ di 6 mesi al Ministero delle Finanze,
8 poi assunzione presso la Banca d'Italia
9 Lingue conosciute: inglese corrente; spagnolo: nozioni
10 Hobby: musica classica, calcio ☐

Prononciation
… kourrikouloum vitè **1** *kognomê … 3 … millê novètchè' nto ottan'ta tchi'nkouê … 4 natsionalità … 5 … famill'a …*

Notes
① 9/7/1985 : vous remarquez que la date est ici écrite en chiffres. Rien d'étonnant pour un CV ; il en serait de même en français. Ce qui est surprenant, en revanche, c'est que, quelle que soit la situation, les Italiens n'écrivent jamais en lettres le mois d'une date.

② **celibe**, *célibataire* est l'adjectif que l'on utilise pour qualifier un homme non marié… Rassurez-vous, la femme célibataire ▶

Un Curriculum Vitae

1 Nom de famille : Nitti
2 Prénom : Piero
3 Date et lieu de naissance : 09/07/1985, Rome
4 Nationalité : italienne
5 État civil *(état de famille)* : célibataire
6 Diplômes : Master en Économie obtenu à
   l'Université de Rome
7 Expériences professionnelles *(de travail)* : stage
   de 6 mois au Ministère des Finances,
8 ensuite embauche à *(auprès de)* la Banque
   d'Italie.
9 Langues *(connues)* : anglais courant ; espagnol :
   [quelques] notions
10 Loisirs : musique classique, football

6 … ko'nségou**i**to … *7* éspériè'ntsê … stage … *9* **li**'ngouê …
i'ngl**é**zê_korr**è**'ntê … *10* **o**bbi …

▸ n'est pas en reste, elle aussi possède son petit adjectif : **nubile**,
  célibataire.

③ **stage**, *stage* : au cours des dernières décennies, la langue du
  monde du travail s'est enrichie de nombreux mots étrangers.
  Ces derniers désignent généralement de nouveaux outils, mais
  il n'est pas rare qu'ils renvoient aux mêmes réalités que des
  mots italiens déjà existants. C'est ainsi que le mot **stage** est
  devenu une variante très commune du mot italien plus ancien,
  tirocinio.

Esercizio 1 – Traducete

❶ Nazionalità: spagnola. ❷ Esperienze di lavoro: assunzione presso la Banca d'Italia nel 2000. ❸ Lingue conosciute: francese corrente, italiano: nozioni. ❹ Diplomi: Master in Economia conseguito il 5/10/1999. ❺ Data e luogo di nascita: 9/7/1985, Roma.

Esercizio 2 – Completate

❶ Mes loisirs sont la musique et le football.

I miei . . . . . sono . . . ., e . . . .

❷ J'ai une bonne expérience professionnelle : un stage au Ministère.

Ho una buona . . . . : uno stage al Ministero.

❸ Monsieur Nitti, votre date et votre lieu de naissance, s'il vous plaît !

Dottor Nitti, la sua . . . . e il suo . . . . . di . . . ., per favore!

❹ Depuis hier, je suis embauché au Ministère.

Da ieri . . . . al Ministero.

❺ Nitti est mon nom de famille, et Piero est mon prénom.

Nitti è il mio . . . ., e Piero è il mio . . . . .

Corrigé de l'exercice 1

❶ Nationalité : espagnole. ❷ Expériences professionnelles : recrutement à la Banque d'Italie en 2000. ❸ Langues connues : français courant, italien : notions. ❹ Diplômes : Master en Économie, obtenu le 05/10/1999. ❺ Date et lieu de naissance : 09/07/1985, Rome.

Corrigé de l'exercice 2

❶ – hobby – la musica – il calcio ❷ – esperienza di lavoro – ❸ – data – luogo – nascita – ❹ – sono assunto – ❺ – cognome – nome

28 Ventottesima lezione

Revisione – Révision

1 Le présent des verbes irréguliers

• Après avoir étudié les conjugaisons des verbes réguliers, nous vous proposons ici un petit échantillon de verbes irréguliers. Comme vous pouvez le constater, les irrégularités concernent souvent des verbes dont l'usage est fréquent… N'ayez crainte cependant, à force de les entendre et de les lire, vous les retiendrez sans le moindre effort.

– **dare**, *donner*

io do	*je donne*
tu dai	*tu donnes*
egli da	*il/elle donne*
noi diamo	*nous donnons*
voi date	*vous donnez*
essi danno	*ils/elles donnent*

– **fare**, *faire*

io faccio	*je fais*
tu fai	*tu fais*
egli fa	*il/elle fait*
noi facciamo	*nous faisons*
voi fate	*vous faites*
essi fanno	*ils/elles font*

– **dovere**, *devoir*

io devo/debbo	*je dois*
tu devi	*tu dois*
lui/lei deve	*il/elle doit*
noi dobbiamo	*nous devons*
voi dovete	*vous devez*
loro devono/debbono	*ils/elles doivent*

– **potere**, *pouvoir*

io posso	*je peux*
tu puoi	*tu peux*
egli può	*il/elle peut*
noi possiamo	*nous pouvons*
voi potete	*vous pouvez*
essi possono	*ils/elles peuvent*

– **sapere**, *savoir*

io so	*je sais*
tu sai	*tu sais*
lui/lei sa	*il/elle sait*
noi sappiamo	*nous savons*
voi sapete	*vous savez*
loro sanno	*ils/elles savent*

– **volere**, *vouloir*

io voglio	*je veux*
tu vuoi	*tu veux*
lui/lei vuole	*il/elle veut*
noi vogliamo	*nous voulons*
voi volete	*vous voulez*
loro vogliono	*ils/elles veulent*

– **venire**, *venir*

io vengo	*je viens*
tu vieni	*tu viens*
egli viene	*il/elle vient*
noi veniamo	*nous venons*
voi venite	*vous venez*
essi vengono	*ils/elles viennent*

28   Au présent de l'indicatif, le verbe **tenere**, *tenir*, et quelques autres, se conjuguent sur le même modèle que le verbe **venire**, *venir*. N'hésitez pas à consulter l'appendice grammatical pour en savoir plus !

• Pour finir, de nombreux verbes du 3ᵉ groupe, tels que **preferire**, *préférer* ; **finire**, *finir* ; **capire**, *comprendre*, etc., présentent la même irrégularité au présent de l'indicatif, du subjonctif et de l'impératif : ils ajoutent le groupe **-isc** à la racine du verbe au singulier et à la 3ᵉ personne du pluriel. Voici une illustration de ce phénomène avec le présent de l'indicatif du verbe **preferire**, *préférer* :

io prefer-isco	*je préfère*
tu prefer-isci	*tu préfères*
lui/lei prefer-isce	*il/elle préfère*
noi prefer-iamo	*nous préférons*
voi prefer-ite	*vous préférez*
loro prefer-iscono	*ils/elles préfèrent*

2 Irrégularités autour du nom

2.1 Les masculins irréguliers

Certains noms masculins sont irréguliers au singulier : leur terminaison est celle du féminin **-a** (au lieu du **-o** habituel) : **collega**, *collègue* ; **dentista**, *dentiste* ; **giornalista**, *journaliste*… Leur pluriel est en revanche parfaitement régulier.

2.2 Le pluriel des mots se terminant en *-co, -go, -ca, -ga*

La plupart des noms ou adjectifs – masculins et féminins – qui se terminent en **-co**, **-go**, **-ca**, **-ga** au singulier, gardent la prononciation dure du **c** et du **g** au pluriel. Pour cela, il faut donc ajouter un **-h** à l'écrit :

un colle-ga, *un collègue*	→	**colle-ghi**, *des collègues*
stan-co, *fatigué*	→	**stan-chi**, *fatigués*

Attention, devant les noms étrangers, le choix de l'article est déterminé par la prononciation du mot et non par son orthographe. Ainsi, nous avons : **lo champagne**, **gli champagne** (leçon 22) ; **lo sherry**, **gli sherry**.

3 Les adjectifs et pronoms démonstratifs

La grande différence entre les démonstratifs français et italiens vient du fait, nous l'avons vu, qu'en italien, on tient toujours compte de la proximité ou de l'éloignement (réel ou perçu comme tel) de la personne ou de l'objet dont on parle.

Si vous avez du mal à choisir entre **questo** et **quello**, pensez à *celui-ci* (près) et *celui-là* (loin)… Notez que vous pouvez même renforcer votre choix en ajoutant **qui/qua** ou **lì/là** : **questo qui**, (litt. "celui-ci ici") ; **quello là** (litt. "celui-ci là-bas").

		Idée de proximité	Idée d'éloignement	
	SING.	PLUR.	SING.	PLUR.
MASCULIN	**questo**	**questi**	**quello**	**quelli**
	ce,	*ces,*	*ce...-là,*	*ces...-là,*
	ce...-ci	*ces...-ci*	*celui(-là), cela, ça*	*ceux(-là)*
FÉMININ	**questa**	**queste**	**quella**	**quelle**
	cette,	*ces,*	*cette...-là,*	*ces...(-là), celles...(-là)*
	cette, cette...-ci	*ces, ces...-ci*	*cette...-là, celle...(-là)*	*ces...(-là), celles...(-là)*

Toutes ces formes peuvent avoir la fonction d'adjectifs ou de pronoms.

Voici quelques expressions qui vous seront utiles pour savoir quoi dire lors de vos premiers échanges en italien. Vous en souvenez-vous ?

Répondre à des présentations : **Molto lieto! / Molto lieta!**

Proposer de se tutoyer : **Ci diamo del tu!**

Féliciter quelqu'un : **Congratulazioni! Sono proprio contento per te!**

Dialogo di revisione

1 – Sono proprio contenta per te, Piero!
2   Ci possiamo dare del tu, vero?
3 – Come no, preferisco sempre il tu al Lei.
4 – Sai che il cocktail di benvenuto è alle cinque,

---

29   Ventinovesima lezione

Che giornata!

1 –   **P**overa me! **O**ggi ho av**u**to ① **u**na gi**o**rnata veram**e**nte terr**i**bile!

Prononciation
*1 … **o**ddji … dji**o**rn**a**ta …*

Note
① **ho avuto**, *j'ai eu* : voici le passé composé du verbe **avere**, *avoir*. Son participe passé, **avuto**, *eu*, se forme en ▸

5 nella sala di riunione davanti alla segreteria?
6 – Sì, sì, grazie! E stasera ceniamo insieme?
7 – Ottima idea!
8 Ma vogliamo sapere tutto della tua assunzione,
9 e del tuo curriculum:
10 i tuoi diplomi, i tuoi hobby, il tuo stato di famiglia…!

Traduction

1 Je suis vraiment contente pour toi, Piero ! **2** Nous pouvons nous tutoyer, n'est-ce pas ? **3** Bien sûr, je préfère toujours le tutoiement au vouvoiement ! **4** Sais-tu que le cocktail de bienvenue est à cinq heures, **5** dans la salle de réunion devant le secrétariat ? **6** Oui, oui, merci ! Et ce soir, nous dînons ensemble ? **7** Excellente idée ! **8** Mais nous voulons tout savoir sur ton recrutement, **9** et sur ton curriculum : **10** tes diplômes, tes loisirs, ton état civil… !

Quelle journée !

1 – Pauvre [de] moi ! Aujourd'hui, j'ai eu une journée vraiment terrible !

▶ remplaçant la terminaison **-ere** de l'infinitif par la terminaison **-uto**, comme pour tous les verbes du deuxième groupe : **av-ere → av-uto**.

2	Avevo mille cose da fare, ma ho pensato ②:
3	se mi organizzo bene, posso fare tutto.
4	Allora, prima di tutto vado ad accompagnare i bambini a scuola;
5	poi faccio un salto dal ③ parrucchiere;
6	poi faccio un colpo di telefono ④ a Maria,
7	e vedo se vuole venire a fare delle spese con me ⑤.
8	Però devo assolutamente trovare il tempo di fare anche la spesa.
9	Alle cinque c'ho ⑥ la ginnastica, alle sette il corso di inglese,
10	e alle nove un invito dai Rossi! □

---

*2 ... millê ... pé'nsato 3 ... organiddzo ... posso ...
4 ... akko'mpagnarê ... skouola 5 ... fattcho ... parroukkièrê
7 ... vouolê ... spézê ... 8 ... a'nkê ... 9 ... tcho ... djinnastika
... i'nglézê 10 ... i'nvito ...*

Notes

② **ho pensato**, *j'ai pensé* ; pour les verbes réguliers du premier groupe, le participe passé s'obtient en remplaçant la terminaison **-are** par **-ato**. Rappelez-vous que dans la quasi-totalité des cas, le choix de l'auxiliaire se fait comme en français.

③ **dal parrucchiere**, *chez le coiffeur* : **dal** est, vous vous en souvenez, la contraction de **da + il**. Vous voilà donc face à un nouvel emploi de **da** à bien mémoriser : **da Maria**, *chez Marie*.

④ **fare un colpo di telefono**, *passer un coup de fil*. Cette expression, tout comme **fare una telefonata**, synonyme, est représentative de l'emploi très répandu du verbe **fare** dans les expressions italiennes. Selon le contexte, il peut prendre des sens très différents. Ainsi vous trouverez également **fare colazione**, *prendre le petit-déjeuner*. ▶

2 J'avais mille choses à faire, mais j'ai pensé :

3 si je m'organise bien, je peux tout faire.

4 Alors, tout d'abord *(avant de tout)* je vais *(à)* accompagner les enfants à [l']école ;

5 puis je fais un saut chez le coiffeur ;

6 ensuite je passe *(fais)* un coup de fil *(téléphone)* à Maria,

7 et je vois si elle veut venir avec moi *(à)* faire des achats.

8 Mais je dois absolument trouver le temps de faire aussi les courses.

9 À *(les)* cinq [heures], j'ai la gymnastique, à *(les)* sept [heures], le cours d'anglais,

10 et à *(les)* neuf [heures], [j'ai] une invitation chez les Rossi !

▶ ⑤ L'expression **fare le/delle spese** équivaut à notre *faire des achats*, ce qui peut être agréable. Attention donc à ne pas confondre cette expression avec **fare la spesa** (au singulier, voir phrase 8) qui, elle, désigne la corvée des courses alimentaires !

⑥ **c'ho**, *j'ai*, se trouve en lieu et place de **ho**. Cette orthographe rend compte de la langue parlée où l'on fait souvent précéder le verbe **avere** du son *[tch]* : **C'hai un euro?**, *As-tu un euro ?* ; **C'hai fame?**, *Tu as faim ?*

Esercizio 1 – Traducete

❶ Devo fare delle spese con Maria. ❷ Ho avuto mille cose da fare. ❸ Prima di tutto faccio un salto dal parrucchiere. ❹ Voglio trovare il tempo di fare della ginnastica. ❺ Devo assolutamente fare la spesa e accompagnare i bambini a scuola.

Esercizio 2 – Completate

❶ Si je m'organise bien, je peux faire beaucoup de choses.
Se .. .. bene, ... fare molte cose.

❷ Je n'ai pas pensé qu'à cinq heures, j'avais le cours d'anglais.
Non .. .. che alle cinque ..... il ..... di inglese.

❸ À sept heures, j'ai la gymnastique, et il est déjà sept heures moins dix !
.... sette .... la ...., e sono già .. ..!

---

30 Trentesima lezione

A scuola

1 – Ciao tesoro!
2 Che cosa avete fatto di bello oggi a scuola?

Prononciation
... skouola

Corrigé de l'exercice 1

❶ Je dois faire des achats avec Maria. ❷ J'ai eu mille choses à faire. ❸ Tout d'abord je fais un saut chez le coiffeur. ❹ Je veux trouver le temps de faire de la gymnastique. ❺ Je dois absolument faire les courses et accompagner les enfants à l'école.

❹ Et tu as aussi les courses à faire !
   E . . . . . . anche . . . . fare!

❺ Ce soir nous avons une invitation chez les Rossi.
   Stasera . . . . un . . . . Rossi.

Corrigé de l'exercice 2

❶ – mi organizzo – posso – ❷ – ho pensato – avevo – corso – ❸ Alle – c'ho – ginnastica – le sette meno dieci ❹ – E c'hai – la spesa da – ❺ – abbiamo – invito dai –

Trentième leçon   30

À l'école

1 –   Salut, [mon] trésor !
2   Qu'avez-vous fait de beau aujourd'hui à [l']
      école ?

3 Avete imparato sicuramente un sacco di ①
cose nuove!

4 – È stata ② una giornata molto difficile!

5 La maestra ci ③ ha spiegato una nuova
lezione di matematica,

6 e io non ci capivo niente!

7 Allora le ho domandato di spiegarmi ④ di
nuovo,

8 e lei è stata molto brava, mi ha ridetto tutto
da capo!

9 Quando mi ha interrogato ho saputo ⑤
rispondere,

10 e ho avuto "ottimo". □

---

3 ... *i'mparato* ... **5** ... *maèstra* ... *létsionê* ...
6 ... *tchi* ... *niè'ntê* **7** ... *spiégarmi* ... **9** ... *rispo'ndérê*

Notes

① **un sacco di cose**, *un tas de choses, beaucoup de choses* : nous
avons déjà rencontré l'expression **un sacco di**, très fréquente
dans la langue parlée. Ses synonymes, **molto**, *beaucoup*,
nombreux, et **moltissimo**, *très nombreux*, moins informels,
s'accordent en genre et en nombre avec le mot qu'ils accom-
pagnent : **ha molta pazienza**, *il a beaucoup de patience* ; **ha
moltissimi amici**, *il a de très nombreux amis*.

② **è stata**, *ça* (= la journée) *a été* : **essere**, *être*, fonctionne avec
l'auxiliaire **essere** ; de ce fait, son participe passé s'accorde
avec le sujet. En effet, avec l'auxiliaire **essere**, le participe
passé s'accorde avec le sujet : **La giornata è stata faticosa**, *La
journée a été fatigante* ; **Le giornate sono state faticose**, *Les
journées ont été fatigantes*.

③ **ci** signifie ici *nous*, mais se trouve en phrase 6 avec un sens
tout à fait différent, celui de *y*. Seul le contexte peut vous aider
à faire la différence entre **ci**, *nous* (pronom) et **ci**, *y*, (adverbe) !

▶

3 Vous avez certainement appris beaucoup *(un sac)* de choses nouvelles !

4 – Ça a *(est)* été une journée très difficile !

5 La maîtresse nous a expliqué une nouvelle leçon de mathématiques,

6 et moi je n'y comprenais rien !

7 Alors je lui ai demandé de me ré-expliquer,

8 et elle a *(est)* été très gentille, elle m'a tout redit depuis le début !

9 Quand elle m'a interrogé, j'ai su répondre,

10 et j'ai eu "excellent".

A SCUOLA

▸ ④ (…) **spiegarmi**, (…) *me réexpliquer* : les pronoms person- nels sont rattachés au verbe lorsque ce dernier est à l'infinitif. Remarquez que le **e** final de l'infinitif est supprimé afin de rendre la prononciation du mot plus aisée : **dirmi**, *me dire*.

⑤ **saputo**, *su*, vient du verbe **sapere**, du 2ᵉ groupe.

Esercizio 1 – Traducete

❶ Che cosa hai fatto di bello a scuola? ❷ È stata una lezione molto difficile! ❸ La maestra ci ha spiegato un sacco di cose. ❹ Ho domandato a Carla di spiegarmi di nuovo. ❺ Non ho saputo rispondere alla maestra.

Esercizio 2 – Completate

❶ Qu'a-t-il fait de beau, aujourd'hui ?
Che cosa .. .. di bello, ... ?

❷ Ça a été une journée difficile pour moi.
. ..... una .... difficile per ...

❸ Je n'y ai pas pensé !
Non .. .. !

❹ Maria nous a ré-expliqué la leçon.
Maria .. .. la lezione .. ..

---

31 Trentunesima lezione

Il compleanno di Luigi

1 – Bambini, vi ricordate che oggi è il
   compleanno di vostro cugino Luigi?
2 – Ma no, mamma, è il suo onomastico!
3   Gli ① telefono subito per fargli gli auguri,

Prononciation
ko'mpléanno ... 1 ba'mbini ... koudjino ... 3 lli ...

Note

① **gli**, *lui*, est utilisé pour remplacer un nom masculin ; **le**, *lui*, un nom féminin. Notez que dans la langue courante, **gli** peut se ▸

Corrigé de l'exercice 1

❶ Qu'as-tu fait de beau à l'école ? ❷ Ç'a été une leçon très difficile ! ❸ La maîtresse nous a expliqué beaucoup de choses. ❹ J'ai demandé à Carla de m'expliquer de nouveau. ❺ Je n'ai pas su répondre à la maîtresse.

❺ La maîtresse m'a interrogé et j'ai su répondre.
   La maestra .. .. e .. ..
   rispondere.

Corrigé de l'exercice 2

❶ – ha fatto – oggi ❷ È stata – giornata – me ❸ – ci ho pensato
❹ – ci ha spiegato – di nuovo ❺ – mi ha interrogato – ho saputo –

Trente et unième leçon   31

L'anniversaire de Luigi

1 – [Les] enfants, vous vous souvenez
      qu'aujourd'hui, [c']est l'anniversaire de votre
      cousin Luigi ?
2 – Mais non, maman, c'est sa fête !
3 Je l'appelle tout de suite pour lui souhaiter une
      bonne fête *(lui donner les vœux)*,

▸ référer également à des femmes mais nous vous déconseillons
  cet usage.

4 ma de**v**o ② di**r**gli **a**nche che la **R**oma ha
battu**t**o la Lazio ③ tre a ze**r**o,

5 e che **d**e**v**e smettere di fa**r**e il **t**ifo per que**s**ta
squa**d**ra da quattro **s**oldi.

6 De**bb**o parlare **a**nche a **L**idia,

7 de**v**o di**r**le che abbia**m**o trov**a**to un
gatti**n**o ④ bianco…

8 – Sì, va be**n**e, tu però **d**evi sbrig**a**rti con
questa colazi**o**ne!

9 E **p**oi v**a**i **s**ubito a lav**a**rti i de**n**ti…

10 … e a proposito, pri**m**a di me**t**terti a **t**avola,
ti **s**ei lav**a**to le m**a**ni ⑤?

▢

---

4 … latsio … dzèro **5** *… skouadra …* **7** *… bia'nko*

Notes

② **devo** = **debbo** (phrase 6), *je dois*. Comme nous l'avons vu en
leçon 28, ces deux formes sont parfaitement équivalentes. Le
même cas de figure se reproduit pour la 3ᵉ personne du pluriel
devono ou **debbono**, *ils doivent*. À vous de choisir !

③ **la Lazio**, mais aussi **il Genova**, **il Milan**, **la Roma**, etc. constituent des équipes de football très connues.Vous le remarquez,
en général, elles portent le nom de la ville pour laquelle elles
jouent précédé d'un article. Les 2ᵉ ou 3ᵉ équipes d'une même
ville portent un nom différent, **l'Inter** (de Milan), **la Juve** (de
Turin), etc.

▶

Esercizio 1 – Traducete

❶ Oggi è l'onomastico di Piero! Ma no, è il suo
compleanno! ❷ Luigi deve smettere di fare il tifo
per la Roma! ❸ Devo telefonare a Luigi, per fargli
gli auguri. ❹ Devo telefonarle, per spiegarle la
lezione di ieri. ❺ Debbo lavarmi le mani e i denti.

4 mais je dois lui dire aussi que "la Roma" a battu "la Lazio" trois à zéro,

5 et qu'il doit arrêter de supporter cette équipe de quatre sous !

6 Je dois également parler *(aussi)* à Lidia,

7 je dois lui dire que nous avons trouvé un petit chat blanc…

8 – Oui, d'accord *(va bien)*, mais tu dois te dépêcher de finir ton *(avec ce)* petit-déjeuner !

9 Et puis tu vas tout de suite te laver les dents…

10 et, au fait, *(à propos)*, avant de te mettre à table, t'es-tu lavé les mains ?

---

8 … kolatsionê 9 … dè'nti

▶ ④ **gattino**, *petit chat*. Vous connaissez déjà les superlatifs en **-issimo** (**a**, **i**, **e**), voici maintenant la forme du diminutif, fréquemment employé. On l'obtient en remplaçant la dernière voyelle du mot par le suffixe **-ino** (**-ina**, **-ini**, **-ine**) : **gatt-o**, *chat* → **gatt-ino**, *petit chat* ; **uccell-i**, *oiseaux* → **uccell-ini**, *petits oiseaux*.

⑤ Le mot **mano**, *main*, est féminin, bien qu'il prenne les terminaisons du masculin : **la mano**, *la main* ; **le mani**, *les mains*. Soyez donc attentif aux accords, qui doivent tous être au féminin : **la mano bianca**, *la main blanche* ; **le mani bianche**, *les mains blanches*.

Corrigé de l'exercice 1

❶ Aujourd'hui, c'est la fête de Piero ! Mais non, c'est son anniversaire ! ❷ Luigi doit arrêter de supporter "la Roma" ! ❸ Je dois appeler Luigi, pour lui présenter mes vœux. ❹ Je dois lui téléphoner pour lui expliquer la leçon d'hier. ❺ Je dois me laver les mains et les dents.

Esercizio 2 – Completate

❶ Je dois lui dire *(à Piero)* que nous avons trouvé un petit chat.
. . . . che abbiamo trovato un
. . . .•

❷ Je dois lui dire *(à Lidia)* que "la Roma" a battu "la Lazio".
. . . . che la Roma . . . . la
Lazio.

❸ Maman, je me suis lavé les mains !
Mamma, ... lavato . . . . . . !

❹ Les enfants, vous devez vous dépêcher avec ce téléphone !
Bambini, ... con questo
telefono!

❺ Je dois me laver les dents !
Mi devo . . . . !

---

32   Trentaduesima lezione

Nicola fa la spesa

1 – Nicola, hai fatto la spesa! Ma è
       meraviglioso!
2 – È per provarti che sei una cattiva lingua,
3   quando dici che i mariti non fanno mai
       niente in casa!

Prononciation
1 … méravill'oso 2 … sèï … li'ngua 3 … ditchi … niè'ntê …

Corrigé de l'exercice 2

❶ Devo dirgli – gattino ❷ Devo dirle – ha battuto – ❸ – mi sono – le mani ❹ – dovete sbrigarvi – ❺ – lavare i denti

*En Italie, pays majoritairement catholique, on s'est pendant long-temps contenté de célébrer **l'onomastico**, la fête, car le plus souvent les prénoms étaient des noms de saints. Mais aujourd'hui on a ten-dance à penser que toutes les occasions sont bonnes pour faire la fête..., et on fête tout, **onomastico** et **compleanno**, anniversaire !*

Trente-deuxième leçon   32

Nicola fait les courses

1 – Nicola, tu as fait les courses ! Mais [c']est merveilleux !

2 – [C']est pour te prouver que tu es *(une)* mauvaise langue,

3 quand tu dis que les maris ne font jamais rien à la *(dans)* maison !

4 Mi sono persino ricordato che il burro era
finito ① e l'ho comprato ②!

5 – Chiedo scusa per le mie maldicenze!

6 Suppongo ③ che hai comprato anche le
ciliege...

7 – Ah, le ciliege le ho dimenticate...

8 – E i grissini?

9 – Credo che li ho dimenticati...

10 – E la carne?

11 – La vado a comprare subito, se non l'ha già
comprata Fausto! ☐

5 ... malditchè'ntsê **6** souppo'ngo ... tchilièdjê ...

Notes

① **era finito**, *était fini*, est une forme du **trapassato prossimo**,
le *plus-que-parfait* ; ce dernier se construit (auxiliaire à l'imparfait + participe passé) et s'emploie exactement comme en
français. Dans cet exemple, **finito** est le participe passé du
verbe du 3e groupe **finire**. Pour former les participes passés
des verbes de ce groupe, on ajoute la terminaison **-ito** à la
racine du verbe.

② **l'ho comprato**, *je l'ai acheté*, comme en français, les pronoms
personnels **lo**, **la**, **li**, **le**, exigent l'accord du participe passé du
verbe qui les suit : **le ho viste**, *je les ai vues*. ▸

***

Esercizio 1 – Traducete

❶ È meraviglioso, Nicola ha fatto la spesa!
❷ Suppongo che hai comprato la carne! ❸ Mio
marito non fa mai niente in casa. ❹ Maria è proprio
una cattiva lingua! ❺ Vado subito a comprare le
ciliege.

4 Je me suis même rappelé qu'on avait fini le beurre *(le beurre était fini)* et j'en *(je l')* ai acheté !

5 – Je te prie de m'excuser *(demande excuse)* pour mes médisances !

6 Je suppose que tu as acheté les cerises aussi…

7 – Ah, les cerises, je les ai oubliées…

8 – Et les gressins ?

9 – Je crois que je les ai oubliés…

10 – Et la viande ?

11 – Je vais *(à)* l'acheter tout de suite, si Fausto ne l'a pas déjà achetée !

MIO MARITO NON FA NIENTE IN CASA.

▸ ③ **suppongo** a pour infinitif **supporre**, *supposer*, verbe du 3e groupe, irrégulier au présent de l'indicatif. Vous en trouverez la conjugaison complète en leçon de révision.

***

Corrigé de l'exercice 1

❶ C'est merveilleux, Nicola a fait les courses ! ❷ Je suppose que tu as acheté la viande ! ❸ Mon mari ne fait jamais rien à la maison. ❹ Maria est vraiment mauvaise langue ! ❺ Je vais tout de suite acheter les cerises.

Esercizio 2 – Completate

❶ Je ne me rappelle pas si on a terminé le beurre (*le beurre est fini*) !
Non .. .. se .. .. è ......!

❷ Les cerises, je les ai achetées !
Le ciliege, ...!

❸ As-tu acheté les grissini ? – Non, je les ai oubliés !
Hai comprato i grissini ? – .., li ..
..........!

Trentatreesima lezione

I bambini propongono un menù

1 – Bambini, sapete che è tornata la zia
Emma ① da New York,

2 e che domenica lei e i nonni vengono ② a
pranzo da noi?

3 – Evviva! Che cosa gli ③ prepari di buono?

4 – Non lo so ancora. Tu che cosa proponi?

5 – Io propongo ④ lasagne, patatine fritte e
gelato al cioccolato…

Prononciation
*ba'mbini propo'ngono … mén**ou** 2 … vè'ngono … 3 … ll'i …*

Notes

① **la zia Emma** ou **zia Emma**, *tante Emma*. Les deux formes, avec ou sans article, sont correctes. De la même manière, vous pouvez dire **mamma** ou **la mamma** pour *maman*.

② **vengono**, *ils viennent* : revoici un verbe irrégulier qui vous est désormais familier… L'infinitif de **vengono** est **venire**, *venir*, et il appartient au 3e groupe. ▸

④ Je suppose que Fausto a fait les courses.

. . . . che Fausto ha fatto . . . .

⑤ Je suis sûre que ce sont des médisances !

Sono sicura che . . . . delle . . . . !

Corrigé de l'exercice 2

❶ – mi ricordo – il burro – finito **❷** – le ho comprate **❸** – No – ho dimenticati **❹** Suppongo – la spesa **❺** – sono – maldicenze

---

Les enfants proposent un menu

1 – [Les] enfants, vous savez que *(la)* tante Emma est rentrée de New York,

2   et que dimanche elle et vos *(les)* grands-parents viennent *(à)* déjeuner à la maison *(chez nous)* ?

3 – Chic ! Qu'est-ce que tu leur prépares de bon ?

4 – Je ne *(le)* sais pas encore. Qu'est-ce que tu proposes, toi ?

5 – Moi, je propose [des] lasagnes, [des] *(petites pommes de terre)* frites et [de la] glace au chocolat…

5 … lazagnê … djélato …

▶ ③ Le pronom **gli**, *lui*, s'emploie aujourd'hui très couramment à la place de la forme plurielle **loro**, *leur*, que vous trouverez dans les écrits formels uniquement.

④ L'infinitif de **propongo**, *je propose*, est **proporre**, *proposer* dont la conjugaison au présent est la même que celle de **supporre**, *supposer*. Vous trouverez sa conjugaison complète en leçon de révision.

6 – Mamma, Andrea dice sempre sciocchezze,
7 io propongo spaghetti al pomodoro, torta di
    fragole e gelato alla vaniglia…
8 – Va bene, ora li chiamiamo e vediamo se gli
    va bene questo menù… ☐

6 … a'ndrèa … chokkéttsê 7 … spaguétti … vanill'a …

***

Esercizio 1 – Traducete

❶ Marco è arrivato da New York. ❷ Domenica vado a pranzo da zia Emma. ❸ Che cosa prepari per i nonni? – Gli preparo le lasagne. ❹ Io propongo una torta di fragole. ❺ Vediamo se questo menù gli va bene.

Esercizio 2 – Completate

❶ Carla et Luigi viennent déjeuner chez nous aujourd'hui.
Carla e Luigi . . . . a . . . .
oggi.

❷ Paolo est rentré de Rome dimanche.
Paolo . . . . Roma domenica.

❸ Je lui prépare des frites.
. . . preparo delle . . . .

❹ Maman dit que ce sont des bêtises.
. . mamma . . . . che sono delle
. . . .

❺ Je leur ai préparé une glace à la vanille.
. . . ho preparato un . . . .

6 – Maman, Andrea dit toujours [des] bêtises,
7 moi, je propose [des] spaghettis à la [sauce] tomate, [une] tarte aux *(de)* fraises et [de la] glace à la vanille…

8 – Très bien *(va bien)*, *(maintenant)* nous allons les appeler *(appelons)* et nous allons voir *(voyons)* si ce menu leur convient *(va bien)*…

*** *

Corrigé de l'exercice 1

❶ Marco est arrivé de New York. ❷ Dimanche, je vais déjeuner chez tante Emma. ❸ Qu'est-ce que tu prépares pour les grands-parents ? – Je leur prépare des lasagnes. ❹ Je propose une tarte aux fraises. ❺ Voyons si ce menu leur convient.

Corrigé de l'exercice 2

❶ – vengono – pranzo da noi – ❷ – è tornato da – ❸ Gli – patatine fritte ❹ La – dice – sciocchezze ❺ Gli – gelato alla vaniglia

MARCO È ARRIVATO DA NEW YORK.

34 Trentaquattresima lezione

Le dialogue qui suit est un peu particulier. Il vous propose de faire la connaissance en contexte des compléments d'objet indirect (COI).

Facciamo il punto

1 – **A**nnam**a**ria, non ci cap**i**sco ni**e**nte in qu**e**sti pron**o**mi person**a**li!
2 C**a**mbiano f**o**rma tre v**o**lte al gi**o**rno!
3 – Ma no, non s**o**no così diff**i**cili! Ti ric**o**rdi, abbi**a**mo v**i**sto che possi**a**mo d**i**re:
4 "Mi ① chi**e**do dov'**è** **A**ldo", ma **a**nche: "P**a**ola chi**e**de a me dov'**è** **A**ldo".
5 "Ti prop**o**ngo di usc**i**re", o "Prop**o**ngo a te di usc**i**re ②".
6 "Gli pr**e**paro un caff**è**", o "Pr**e**paro un caff**è** a l**u**i".
7 "Le pr**e**paro un caff**è**" o "Pr**e**paro un caff**è** a l**e**i ③".

Pronunciation
fattchamo ... pou'nto **1** *... niè'ntê ...* **2** *ka'mbiano ...*
3 *... diffitchili ...*

Notes
① Dans chacune des phrases du dialogue, la première forme utilisée est appelée "faible", la deuxième, "forte", car on l'utilise lorsqu'on souhaite souligner le complément d'objet indirect, toujours précédé de la préposition **a**, *à*.
② Pour cette phrase et les suivantes (jusqu'à la phrase 9), vous constatez que les deux traductions données sont identiques. Le français recourt en effet à une unique structure pour traduire les deux variantes italiennes. Si l'on devait pointer une différence entre ces dernières, on pourrait dire que la seconde ▸

Lisez attentivement le texte et repérez-les afin de comprendre leur fonctionnement... Vous verrez, ils vous sembleront vite familiers. Courage !

Faisons le point

1 – Annamaria, je n'y comprends rien à *(dans)* ces pronoms personnels !

2   Ils changent [de] forme trois fois par *(au)* jour !

3 – Mais non, ils ne sont pas si *(aussi)* difficiles ! Tu te souviens, nous avons vu que nous pouvons dire :

4   "Je me demande où est Aldo", mais aussi : "Paola me demande *(demande à moi)* où est Aldo".

5   "Je te propose de sortir", ou "Je te propose *(propose à toi)* de sortir".

6   "Je lui prépare un café", ou "Je lui prépare *(prépare à lui)* un café".

7   "Je lui prépare un café", ou "Je lui prépare *(prépare à elle)* un café".

▶   des propositions insiste davantage sur l'objet : **Propongo a te di uscire**, *Je te propose de sortir*, *C'est à toi que je propose de sortir*.

③ Remarquez de nouveau la différence entre **gli** et **le**, tous deux signifiant *lui*. Le bon usage maintient cette différence qui tend à disparaître de la langue parlée où l'on privilégie **gli**, qui remplace également souvent **loro**, *leur* (voir la phrase 11). Ainsi, vous n'entendrez jamais **Mandiamo loro una cartolina!** mais : **Mandiamogli una cartolina!**, *Envoyons-leur une carte !*

8 "Paola e Giovanna ci parlano", o "Paola e Giovanna parlano a noi".

9 "Noi vi parliamo", o "Noi parliamo a voi".

10 "Noi parliamo a Paola e Giovanna", o "Noi parliamo loro",

11 ma molto più spesso "Noi gli parliamo".

12 – Ma è facilissimo! □

12 ... fatchilissimo

***

Esercizio 1 – Traducete

❶ Non ci capisco niente in questa lezione. ❷ Paola si cambia tre volte al giorno! ❸ Ti ricordi, abbiamo visto Pietro all'aeroporto! ❹ A volte diciamo "gli", a volte "loro". ❺ Di solito Aldo le prepara un caffè.

Esercizio 2 – Completate

❶ Je lui propose de sortir, oui, c'est à elle que je propose de sortir !

. . propongo di uscire, sì, è . . . . che propongo di uscire!

❷ Je lui prépare un café, oui, c'est à lui que je prépare un café !

. . . preparo un caffè, sì, è . . . . . che preparo un caffè!

❸ Tante Emma nous téléphone dimanche, oui, c'est à nous qu'elle téléphone !

La zia Emma . . telefona . . . . sì, telefona . . . . !

❹ Nous leur préparons une tarte aux fraises.

. . . prepariamo una . . . .

8   "Paola et Giovanna nous parlent", ou "Paola et Giovanna nous parlent *(parlent à nous)*".

9   "Nous vous parlons", ou "Nous vous parlons *(parlons à vous)*".

10   "Nous parlons à Paola et Giovanna", ou "Nous leur parlons",

11   mais beaucoup plus souvent : "Nous leur *(lui)* parlons".

12 –   Mais c'est très facile !

***

Corrigé de l'exercice 1

❶ Je n'y comprends rien, à cette leçon ! ❷ Paola se change trois fois par jour ! ❸ Tu te souviens, nous avons vu Pietro à l'aéroport ! ❹ Parfois nous disons "lui", parfois "leur". ❺ D'habitude, Aldo lui prépare un café.

❺   Je n'y comprends rien, à ces pronoms italiens !

   Non .. .. in questi pronomi italiani!

FACCIAMO IL PUNTO.

Corrigé de l'exercice 2

❶ Le – a lei – ❷ Gli – a lui – ❸ – ci – domenica – a noi ❹ Gli – torta alle fragole ❺ – ci capisco niente –

35 Trentacinquesima lezione

Revisione – Révision

1 Le verbe irrégulier *porre* et ses composés au présent de l'indicatif

La conjugaison du présent de l'indicatif du verbe **porre**, *poser*, et de ses composés tels que **supporre**, *supposer* ; **proporre**, *proposer* ; **disporre**, *disposer*, etc, est la suivante :

io suppongo	*je suppose*
tu supponi	*tu supposes*
lui/lei suppone	*il/elle suppose*
noi supponiamo	*nous supposons*
voi supponete	*vous supposez*
loro suppongono	*ils/elles supposent*

2 Le passé composé

2.1 Emploi

Comme nous l'avons vu au cours des six dernières leçons, le passé composé s'utilise pour parler d'un événement ponctuel ou dont on connaît la durée précise, dans le passé.

2.2 Formation

La formation du passé composé italien ne vous semblera guère compliquée car elle est identique à celle que vous connaissez en français :

Auxiliaire **avere**, *avoir*	+	participe passé
ou **essere**, *être*		du verbe conjugué
à l'indicatif présent		

• **Choix de l'auxiliaire**

Notez qu'à quelques exceptions près, le choix entre les auxiliaires **essere** et **avere** se fait comme en français. Ne réfléchissez donc pas trop !
La seule différence importante concerne le verbe **essere**, qui se conjugue avec l'auxiliaire **essere**. Ex. : **sono stato** (litt. "je suis été"), *j'ai été.*

• **Le participe passé**

Formation du participe passé
Il se forme à partir de l'infinitif, en remplaçant sa terminaison par :
› **-ato**, pour les verbes du premier groupe : **pens-are**, *penser*, **pens-ato**, *pensé* ;
› **-uto** pour les verbes du deuxième groupe : **sap-ere**, *savoir*, **sap-uto**, *su* ;
› **-ito** pour les verbes du troisième groupe : **fin-ire**, *finir*, **fin-ito**, *fini*.
Notez aussi que le participe passé du verbe **essere**, *être*, est **stato**, *été*, et le participe passé du verbe *avoir*, **avere**, est **avuto**, *eu.*

Accord du participe passé
– avec l'auxiliaire **essere** :
Le participe passé s'accorde obligatoirement avec le sujet : **Emma è tornata da New York**, *Emma est rentrée de New York.* Veillez à ne pas oublier l'accord lorsque vous utilisez le passé composé de **essere** : **La giornata è stata molto difficile!**, *La journée a été très difficile !*
– Avec l'auxiliaire **avere**, en revanche, il n'y a pas d'accord, sauf lorsque le passé composé est précédé des pronoms personnels compléments d'objet direct (COD) : **lo**, *le* ; **li**, *les* ; **la**, *la* ; **le**, *les* : **Le ciliege, le ho dimenticate**, *Les cerises, je les ai oubliées.*

Nous l'avons vu en leçon 34, les pronoms personnels compléments d'objet indirect (COI) peuvent avoir des formes dites "faibles" ou "atones" et des formes dites "fortes" ou "toniques".

On utilise les formes fortes lorsque l'on souhaite insister sur le COI. Ce petit tableau récapitulatif vous aidera à y voir plus clair :

Les pronoms personnels COI			
Formes faibles		Formes fortes	
mi	*me*	**a me**	*à moi*
ti	*te*	**a te**	*à toi*
gli/le	*lui*	**a lui/a lei**	*à lui/à elle*
ci	*nous*	**a noi**	*à nous*
vi	*vous*	**a voi**	*à vous*
gli/loro	*leur*	**a loro**	*à eux*

Dialogo di revisione

1 – Sapete che domenica vengono a pranzo da noi i nonni?

2 – Che cosa gli prepari di buono, lasagne e torta di fragole?

3 – Ma è meraviglioso, Nicola ha fatto la spesa!

4   Suppongo che hai comprato anche i grissini!

5 – No, i grissini li ho dimenticati, ma forse li ha già comprati Fausto!

6 – Oggi ho avuto mille cose da fare: accompagnare i bambini a scuola,

7   il corso di inglese, la ginnastica…

8 – Mamma, devo fare un colpo di telefono a Luigi,

Attention :
Lorsqu'une des formes faibles accompagne un verbe à l'infinitif, elle le suit et s'y rattache : **Le ho domandato di spiegarmi la lezione**, *Je lui ai demandé de m'expliquer la leçon.*

4 Expressions à retenir

Voici quelques expressions utilisées dans les six leçons précédentes. Nous vous invitons à les retrouver et à les utiliser en contexte afin de mémoriser à la fois leur prononciation et leur signification.
Ho mille cose da fare… ou C'ho mille cose da fare!
Che cosa hai fatto di bello?
Non ci capisco niente!
Una squadra da quattro soldi!

9 devo dirgli che la Roma ha battuto la Lazio…
10 e a Lidia devo dirle che abbiamo trovato un gattino…

Traduction

1 Savez-vous que dimanche, vos grands-parents viennent déjeuner chez nous ? **2** Qu'est-ce que tu leur prépares de bon, des lasagnes et une tarte aux fraises ? **3** Mais c'est merveilleux, Nicola a fait les courses ! **4** Je suppose que tu as acheté les gressins aussi ! **5** Non, les gressins, je les ai oubliés, mais peut-être [que] Fausto les a déjà achetés. **6** Aujourd'hui, j'ai eu mille choses à faire : accompagner les enfants à l'école, **7** le cours d'anglais, la gymnastique… **8** Maman, je dois passer un coup de fil à Luigi, **9** je dois lui dire que "la Roma" a battu "la Lazio"… **10** et à Lidia, je dois *(lui)* dire que nous avons trouvé un petit chat…

Concerto o teatro?

1 – Ciao, **Aldo**! **C**osa **f**ate tu e Stella sabato
sera?
2 – Credo che non facciamo niente di speciale.
3   I ragazzi ① vanno ad una festa,
4   e noi non sappiamo ancora…
5 – Vi va ② di andare al cinema ③?
6 – A dire il vero, abbiamo già visto parecchi ④
film in questi giorni.
7   Forse preferiamo andare al teatro o ad un
concerto.
8   C'è un eccellente spettacolo al teatro qui
vicino,
9   e i biglietti posso passare a prenderli
domani mattina!
10 – Sei un vero amico, Eugenio!   □

Prononciation
ko'ntchèrto … **2** … fattchamo … spétchalê   **8** … éttchéllè'ntê
… **9** … bill'étti … **10** … éoudjènio

Notes

① **ragazzi**, *adolescents*, *jeunes*, désigne des enfants déjà entrés
dans l'adolescence, alors que **bambini** (leçon 33) désigne des
enfants plus jeunes.

② **vi va?** (litt. "ça vous va ?"), *ça vous dit ?* ; voici un emploi très
fréquent, dans la langue parlée, du verbe **andare**, *aller*, pour
demander un avis, un goût ou un souhait, un peu comme notre
Ça te va ?   ▶

Concert ou théâtre ?

1 – Salut, Aldo ! Que faites-vous, toi et Stella
samedi soir ?

2 – Je crois que nous ne faisons rien de spécial.

3 Les enfants vont à une soirée,

4 et nous, nous ne savons pas encore…

5 – Ça vous dirait *(va)* d'aller au cinéma ?

6 – À vrai dire, nous avons déjà vu plusieurs films,
(en) ces jours-ci.

7 Nous préférerions *(préférons)* peut-être aller au
théâtre ou à un concert.

8 Il y a un excellent spectacle au théâtre près d'ici
(ici près),

9 et les billets, je peux passer les prendre demain
matin !

10 – Tu es un véritable ami, Eugenio !

▶ ③ **cinema** reste invariable (leçon 21), car il s'agit de la forme
abrégée de **cinematografo**, ce mot étant d'ailleurs tombé en
désuétude.

④ **parecchi**, *plusieurs*, *beaucoup de* a plusieurs significations.
Retenez déjà celle-ci : **parecchi film**, *plusieurs/beaucoup
de films*, et remarquez qu'il est possible d'utiliser **parecchio**
au singulier, avec des mots désignant des quantités indénom-
brables : **C'è ancora parecchio caffè**, *Il y a encore beaucoup/
pas mal de café*.

Esercizio 1 – Traducete

❶ Ragazzi, cosa fate sabato sera? ❷ Aldo va ad una festa, ma io non so ancora. ❸ Domenica non faccio niente di speciale. ❹ Ti va di andare al ristorante? ❺ Aldo e Stella sono dei veri amici.

Esercizio 2 – Completate

❶ Nous allons au restaurant, ça vous dit *(va)* de venir ?

. . . . al ristorante, ... di venire?

❷ Cette semaine nous avons vu plusieurs films.

Questa settimana abbiamo visto . . . .
. . . . .

❸ Les billets, c'est moi qui passe les prendre !

I . . . . passo a . . . . io!

❹ Samedi il y a un excellent concert, et c'est tout près d'ici.

. . . . . . c'è un eccellente . . . . ed è
proprio . . . .

❺ Stella préfère aller au théatre.

Stella . . . . andare al . . . .

---

37   Trentasettesima lezione

Come state?

1 – Carlo! Che piacere incontrarti!
2   Da quanto ① tempo non ci vediamo!

Prononciation
1 … piatchérê …

Corrigé de l'exercice 1

❶ Les copains, que faites-vous samedi soir ? ❷ Aldo va à une soirée, mais moi, je ne sais pas encore. ❸ Dimanche je ne fais rien de spécial. ❹ Ça te dit d'aller au restaurant ? ❺ Aldo et Stella sont de vrais amis.

Corrigé de l'exercice 2

❶ Andiamo – vi va – ❷ – parecchi film ❸ – biglietti – prenderli – ❹ Sabato – concerto – qui vicino ❺ – preferisce – teatro

Trente-septième leçon   37

Comment allez-vous ?

1 – Carlo! Ça fait *(Quel)* plaisir [de] te rencontrer !
2 Depuis *(combien de)* le temps que nous ne nous sommes pas vus !

Note

① **quanto**, *combien*, s'accorde en genre et en nombre (leçon 11) avec le nom qui le suit : **Da quanti giorni non hai visto Stella?**, *Depuis combien de jours n'as-tu pas vu Stella ?*

3 Come stai ②? Che cosa fai?

4 – Sto abbastanza bene, grazie.

5 – Sono anni ③ che non ho più notizie di tua sorella Ida!

6 – Sta benissimo! Si è sposata, ha fatto una brillante carriera,

7 e ha due bei ④ bambini!

8 – Non so più nulla neanche delle tue amiche, le sorelle Roppoli! Le frequenti sempre?

9 – Sì, sì, le ho viste due settimane fa.

10 Sono in forma come sempre.

11 I loro cugini, invece, li ho completamente persi di vista. □

*7 … bèï … **11** … koudjïni …*

Notes

② **stai** peut changer de sens selon le contexte. Ici, il signifie *tu vas, tu te portes* (phrases 3 et 4). Nous reviendrons sur les autres sens de **stare**.

③ **sono anni**, *ça fait des années*, est une construction à ne pas confondre avec l'expression de la phrase 9, **due settimane fa**, *il y a deux semaines*. Voyez aussi **due giorni fa**, *il y a deux jours* ≠ **sono due giorni**, *cela fait deux jours*. ▶

***

Esercizio 1 – Traducete

❶ Da quanti giorni non abbiamo visto Luisa? ❷ Che piacere vederti, Eugenio! Sei in forma come sempre! ❸ Sono anni che non ho notizie delle sorelle Roppoli! ❹ Ida sta benissimo, ha fatto una brillante carriera! ❺ E Aldo, lo frequenti sempre?

3 Comment vas-tu ? Que fais-tu ?

4 – Je vais *(suis)* assez bien, merci.

5 – Ça fait *(sont)* des années que je n'ai plus de nouvelles de ta sœur Ida !

6 – Elle va très bien ! Elle s'est mariée, a fait une brillante carrière,

7 et elle a deux beaux enfants !

8 – Je n'ai plus entendu parler *(ne sais plus rien)* non plus de tes amies, les sœurs Roppoli ! Tu les fréquentes toujours ?

9 – Oui, oui, je les ai vues il y a deux semaines.

10 Elles sont en forme, comme toujours.

11 Leurs cousins, en revanche, je les ai complètement perdus de vue.

▶ ④ **bei**, *beaux*, est le pluriel de l'adjectif **bello**, *beau/bel*. Lorsqu'il est placé devant le nom, il a la particularité d'avoir autant de formes qu'il existe d'articles. Nous aurons donc **il bel bambino**, *le bel enfant* ; **i bei bambini**, *les beaux enfants* ; **un bell'uomo**, *un bel homme* ; **dei begli uomini**, *de beaux hommes* ; **la bella bambina**, *la belle enfant* ; **le belle bambine**, *les belles enfants*.

***

Corrigé de l'exercice 1

❶ Depuis combien de jours n'avons-nous pas vu Luisa ? ❷ Ça fait plaisir de te voir, Eugenio ! Tu es en forme, comme toujours ! ❸ Ça fait des années que je n'ai pas de nouvelles des sœurs Roppoli ! ❹ Ida va très bien, elle a fait une brillante carrière ! ❺ Et Aldo, tu le fréquentes toujours ?

Esercizio 2 – Completate

① Je ne sais plus rien de leurs cousins non plus.

... . niente .... dei loro cugini.

② Comment vas-tu ? – Je vais bien, merci !

Come ....? – ... ., grazie!

③ Depuis combien de jours Mario est-il arrivé ?

.. .. giorni è arrivato Mario?

④ Nous sommes allés au cinéma il y a trois jours.

Siamo andati al cinema ... .

⑤ Ça fait des années que je les ai perdus de vue !

.... che .. ho ..... di vista!

---

38 Trentottesima lezione

Le donne hanno sempre ragione

1 – Ragazzi, se volete un consiglio,
2 non andate a vedere quel film!
3 – È veramente pessimo ①, noiosissimo e violento.
4 Ma sapete com'è Giovanna…

Prononciation
… *radjonê* **1** … *ko'nsill'o* **4** … *djovanna*

Note
① **pessimo**, signifie *très mauvais*, tout comme **molto cattivo**. De même, pour traduire *très bon*, l'italien dispose de **ottimo** ▸

❶ Non so più – neanche – ❷ – stai – Sto bene – ❸ Da quanti –
❹ – tre giorni fa ❺ Sono anni – li – persi –

Trente-huitième leçon   38

Les femmes ont toujours raison

1 –   Mes *(Les)* amis, si vous voulez un conseil,
2   n'allez pas *(à)* voir ce film !
3 –   Il est vraiment très mauvais, très ennuyeux et
     violent.
4   Mais vous savez comment est Giovanna…

▸   et de **molto buono**. Les premières formes, contractées, sont
très proches du latin *pessimus* et *optimus* ; les secondes, avec
molto, relèvent de formulations plus modernes. À vous de
choisir celles que vous trouvez les plus sympathiques !

5   vu**o**le sempre vede**r**e gli **u**ltimi film, **a**nche
      se non ne sa ni**e**nte.

6   La settim**a**na sc**o**rsa ne ha v**i**sti ② sette,

7   di c**u**i ③ c**i**nque, a s**u**o parere, ins**u**lsi. Vi
      sembra l**o**gico?

8 – No, ma le d**o**nne non v**o**gliono m**a**i **e**ssere
      contradd**e**tte,

9   **a**nche qu**a**ndo s**a**nno che h**a**nno torto!   □

---

5 ... niè'ntê **8** ... voll'ono ... ko'ntraddéttê **9** ... sanno ...

Notes

② **ne ha visti sette**, *elle en a vu sept* : attention à ne pas oublier
l'accord du participe passé qui, contrairement au français, est
obligatoire en italien lorsque le passé composé est précédé du
pronom **ne**, *en* !

③ **di cui**, *dont*, remplace les formes **del quale**, *duquel* ; **dei quali**,
desquels ; **della quale**, *de laquelle* ; **delle quali**, *desquelles*,
qui sont extrêmement formelles et n'ont pas leur place dans les
conversations informelles.

***

Esercizio 1 – Traducete

❶ Sai com'è Carlo! ❷ Vuole vedere quel film
anche se non ne sa niente! ❸ Giovanna ha visto
cinque film, di cui tre insulsi! ❹ Lucia non vuole
mai essere contraddetta, anche quando ha torto!
❺ Quel film è pessimo; ti consiglio di non andare
a vederlo.

5   elle veut toujours voir les derniers films, même
si elle n'en a pas entendu parler *(n'en sait rien)*.

6   La semaine dernière, elle en a vu sept,

7   dont *(desquels)* cinq, à son avis, [sont] nuls.
[Est-ce que] cela vous paraît logique ?

8 – Non, mais les femmes ne veulent jamais être
contredites,

9   même quand elles savent qu'elles ont tort !

***

Corrigé de l'exercice 1

❶ Tu sais comment est Carlo ! ❷ Il veut voir ce film, même s'il n'en a pas entendu parler ! ❸ Giovanna a vu cinq films, dont trois nuls ! ❹ Lucia ne veut jamais être contredite, même quand elle a tort ! ❺ Ce film est très mauvais ; je te conseille de ne pas aller le voir.

39 Esercizio 2 – Completate

❶ Combien de film as-tu vus ? – J'en ai vu deux.

Quanti film hai . . . . . ? – . . . . due.

❷ Elles savent qu'elles ont tort, mais elles ne veulent pas être contredites.

. . . . . che hanno . . . . . , ma non . . . .
essere contraddette.

❸ Si vous voulez un conseil, n'allez pas voir ce film, il est très mauvais !

Se . . . . . . un consiglio, non . . . . . . a vedere
. . . . film, è . . . .

---

39 Trentanovesima lezione

I coniugi Della Casa litigano

1 – Fai presto, Filippo, la mamma ① ha telefonato già due volte!
2 – Senti Anna, non ho sposato mia suocera, ho sposato te!

Prononciation
... *konioudji* ... *litigano* **1** *faï* ... *djà* ... **2** ... *souotchèra* ...

Note

① Rappelez-vous que **la mamma** ou **mamma** tout court sont les deux formes qu'on utilise pour dire *maman* (leçon 33).

❹ Carlo n'en sait rien !

Carlo … .. .. ……!

❺ J'ai vu quatre films, dont deux étaient très mauvais !

Ho visto quattro …. .. … due erano
……..

Corrigé de l'exercice 2

❶ – visto – Ne ho visti – ❷ Sanno – torto – vogliono – ❸ – volete –
andate – quel – pessimo ❹ – non ne sa niente ❺ – film di cui –
pessimi

Les époux Della Casa se disputent

1 – Dépêche-toi, Filippo, maman a déjà téléphoné
       deux fois !
2 – Écoute, Anna, je n'ai pas épousé ma belle-mère,
       c'est toi que j'ai épousée *(j'ai épousé toi)* !

3 Non posso vivere con l'angoscia di una
donna che ② decide tutto al nostro posto…

4 …che cosa dobbiamo fare, che cosa non
dobbiamo dimenticare,

5 a che ora dobbiamo rincasare…

6 Chi ③ può sopportarla?

7 – Sei un mostro Filippo, ti odio!

8 Come puoi dire delle cose così orribili di
mia madre,

9 che è sempre così gentile con te! □

---

3 … a'ngocha … **8** … pouoï … mïa … **9** … djé'ntilê …

Notes

② **che**, signifie *qui* ou *que*. On dira donc **Paola, che vedo tutti i giorni…**, *Paola, que je vois tous les jours…* ; et aussi **Paola, che mi conosce bene…**, *Paola, qui me connaît bien…* D'un point de vue purement grammatical, on aurait pu employer, à la place de **che**, les formes **il quale**, *lequel* ; **i quali**, *lesquels* ; **la quale**, *laquelle* ; **le quali**, *lesquelles*, mais comme nous ▸

***

Esercizio 1 – Traducete

❶ Ti odio, Filippo, chi può sopportarti? ❷ Fai presto, Anna! ❸ Ho sposato te, non mia suocera! ❹ Come puoi dire delle cose così orribili di me! ❺ Questa donna decide a che ora dobbiamo rincasare!

3 Je ne peux pas vivre avec l'angoisse d'une femme qui décide tout à notre place …

4 … ce que nous devons faire, ce que nous ne devons pas oublier,

5 à quelle heure nous devons rentrer…

6 Qui peut la supporter ?

7 – Tu es un monstre, Filippo, je te déteste !

8 Comment peux-tu dire des choses aussi horribles sur *(de)* ma mère,

9 qui est toujours tellement gentille avec toi !

▸ l'avons déjà vu (leçon 38, note 3), elles sont aujourd'hui totalement désuètes.

③ Attention ! Le pronom **chi**, *qui*, est presque toujours interrogatif : **Chi è quel signore?** *Qui est ce monsieur ?* Il ne peut avoir une fonction de démonstratif que dans des phrases assez rares ou des formules idiomatiques, comme par exemple **Chi vivrà vedrà**, *Qui vivra verra* ; **Chi rompe paga**, *Qui casse paie*.

***

Corrigé de l'exercice 1

❶ Je te déteste, Filippo, qui peut te supporter ? ❷ Dépêche-toi, Anna ! ❸ Je t'ai épousée toi, pas ma belle-mère ! ❹ Comment peux-tu dire des choses aussi horribles sur moi ! ❺ Cette femme décide à quelle heure nous devons rentrer !

Esercizio 2 – Completate

❶ C'est maman qui a téléphoné déjà trois fois !

È .. mamma ... ha telefonato già tre
. . . . . !

❷ Qui peut supporter cette femme !

... ... sopportare ...... donna!

❸ Maman est toujours si gentille avec toi !

La mamma è .... gentile con .. !

---

40 Quarantesima lezione

Spostiamo i mobili!

1 – Chi mi aiuta a spostare questi mobili?
2 Subito, papà, ti aiutiamo noi!
3 – Ho un'idea! Perché non facciamo una
sorpresa alla mamma?
4 Dice sempre che vuole cambiare casa ①,
perché non spostiamo tutti i mobili?
5 – Dai ②, perché no? Da quali ③ cominciamo?

Prononciation
2 ... aïoutiamo ... **4** ditchê ... ka'mbiarê ... **5** daï ...
komi'ntchamo

Notes

① **casa**, désigne tout à la fois *une maison* et *un appartement*. Le
mot **appartamento**, *appartement*, existe, mais il est surtout
utilisé dans le jargon immobilier.

② **Dai!**, *Allez !* Dans cet emploi idiomatique, **dai** (litt. "tu
donnes"), s'utilise aussi bien au singulier qu'au pluriel : **Dai,** ▸

④ Je ne peux pas vivre avec cette angoisse !
Non . . . . . vivere con . . . . !

⑤ C'est toujours Anna qui décide à ma place !
È sempre Anna . . . decide . . . . !

Corrigé de l'exercice 2

❶ – la – che – volte ❷ Chi può – questa – ❸ – sempre così – te
❹ – posso – questa angoscia ❺ – che – al mio posto

Déplaçons les meubles !

1 – Qui m'aide à déplacer ces meubles ?
2   Tout de suite, papa, nous [venons] t'aider
     (t'aidons) !
3 – J'ai une idée ! Pourquoi ne ferions-nous
     (faisons) pas une surprise à maman ?
4   Elle dit toujours qu'elle veut changer
     d'appartement, [alors] pourquoi ne
     déplacerions-nous *(déplaçons)* pas tous les
     meubles ?
5 – Allez *(donne)*, pourquoi pas ? Par lesquels est-
     ce qu'on commence *(commençons)* ?

▸ **vieni al cinema con me!**, *Allez, viens au cinéma avec moi !* ;
Dai, venite anche voi!, *Allez, venez vous aussi !* Mémorisez
bien ce petit mot : son emploi est très courant, et il fait très
"italien" !

③ **quali?**, *lesquels ?* est un interrogatif que l'on prononce *[kouali]*.
Faites attention à ne pas le confondre avec **quelli** *[kouélli]*,
ceux, dont il faut bien prononcer la double consonne.

6 – Da quelli della mia camera!
7 Mettiamo il letto al posto dell'armadio,
8 – l'armadio al posto della scrivania... e... vediamo un po' ④...
9 la scrivania al posto della libreria! □

Note

④ **un po'**, *un peu* ; **po'** est la forme abrégée de **poco**. On l'utilise fréquemment, tout comme le diminutif **pochino**, *un petit peu*.

***

Esercizio 1 – Traducete

❶ Chi mi da una mano a spostare l'armadio? ❷ Dai, facciamo una sorpresa alla mamma! ❸ Mettiamo la scrivania al posto del letto. ❹ In quale cinema hai visto quel film? ❺ In quello di via Rossini.

Esercizio 2 – Completate

❶ Mario dit qu'il veut changer d'appartement.
Mario .... vuole cambiare .....

❷ Je t'aide tout de suite, papa !
Ti .... papà!

❸ Quels meubles déplaçons-nous ?
..... mobili ....?

❹ Déplaçons ceux de ma chambre !
Spostiamo ...... della mia ......!

❺ Mettons la bibliothèque à la place de l'armoire ! – Pourquoi pas ?
Mettiamo la .... al posto dell'
.......! – ....?

6 – Par ceux de ma chambre !
7 Mettons le lit à la place de l'armoire,
8 – l'armoire à la place du bureau, et… voyons *(un peu)*…
9 … le bureau à la place de la bibliothèque !

***

Corrigé de l'exercice 1

❶ Qui me donne un coup de main pour déplacer l'armoire ?
❷ Allez, faisons une surprise à maman ! ❸ Mettons le bureau à la place du lit. ❹ Dans quel cinéma as-tu vu ce film ? ❺ Dans celui de la rue Rossini.

Corrigé de l'exercice 2

❶ – dice che – casa ❷ – aiuto subito – ❸ Quali – spostiamo
❹ – quelli – camera ❺ – libreria – armadio – Perché no

Comme celui de la leçon 34, ce dialogue a une fonction toute particulière, il constitue à lui seul une petite rubrique de grammaire. Soyez attentif, regardez bien quelles sont les formes faibles et

Ancora un promemoria

1 – Allora, va meglio con i pronomi personali?
2 – Sì, sono diventato bravissimo, adesso ① li conosco tutti benissimo!
3　Ascolta bene, si può dire:
4　"Io mi guardo allo specchio" o "Io guardo me allo specchio".
5　"Tu ti guardi nelle vetrine" o "Tu guardi te nelle vetrine".
6　"Io guardo Paolo", o "Io lo guardo".
7　"Io guardo Paola", o "Io la guardo".
8　"Loro ci guardano con insistenza", o "Loro guardano noi con insistenza".
9　"Loro vi guardano severamente", o "Loro guardano voi severamente".
10　"Io guardo Paolo e Marco", o "Io li guardo".
11　"Io guardo Paola e Carla", o "Io le guardo".

Prononciation
1 ... mèll'o ... 4 ... spèkkio ...

quelles sont les formes fortes : la découverte des pronoms person-
nels compléments d'objet direct (COD) se fait à ce prix !

Encore un aide-mémoire

1 – Alors, ça va mieux avec les pronoms
     personnels ?
2 – Oui, je suis devenu très fort, maintenant je les
     connais tous très bien !
3   Écoute bien, on peut dire :
4   "Je me regarde dans le *(au)* miroir", ou "C'est
     moi que je regarde dans le miroir *(je regarde*
     moi dans le miroir)".
5   "Tu te regardes dans les vitrines", ou "C'est toi
     que tu regardes dans les vitrines *(tu regardes toi*
     dans les vitrines)".
6   "Je regarde Paolo", ou "Je le regarde".
7   "Je regarde Paola", ou "Je la regarde".
8   "Ils nous regardent avec insistance", ou "C'est
     nous qu'ils regardent avec insistance *(ils*
     regardent nous avec insistance)".
9   "Ils vous regardent sévèrement", ou "C'est
     vous qu'ils regardent sévèrement *(ils regardent*
     vous sévèrement)".
10   "Je regarde Paolo et Marco", ou "Je les
     regarde".
11   "Je regarde Paola et Clara", ou "Je les regarde".

Note

① **adesso**, *maintenant*, est un synonyme de **ora**, adverbe que l'on
aurait pu employer dans cette phrase.

41 **12** Dobbiamo necessariamente dire:
  13 "Il pane l'ho comprato, ma i grissini li ho
     dimenticati.
  14 La carne non l'ho comprata, ma le ciliege
     le ho comprate."
  15 – Quanti film hai visto?, "Ne ho visti
     molti ②." □

---

12 ... nétchéssariame'ntê ...

Note

② **Ne ho visti tanti (di film)**, *J'en ai vu beaucoup (des films)* ;
Ne ho viste tante (di città), *J'en ai vu beaucoup (des villes)* ;
Ne ho mangiati due (di cornetti), *J'en ai mangé deux (des croissants)*, etc. Tâchez de bien mémoriser ces formes, afin de ne vous tromper ni dans l'accord du participe passé ni dans la traduction de **ne** (qui n'a rien à voir avec la négation !).

***

Esercizio 1 – Traducete

❶ Mi guardo nella vetrina. ❷ Paolo guarda te. ❸ Paolo e Aldo? Li chiamo subito! ❹ Le ciliege? No, non le ho comprate! ❺ Hai visto molti film? – No, non ne ho visti molti.

12   Nous devons dire obligatoirement :
13   "Le pain, je l'ai acheté, mais les grissini, je les
       ai oubliés.
14   La viande je ne l'ai pas achetée, mais les
       cerises, je les ai achetées."
15 – Combien de films as-tu vus ?, "J'en ai vu
       beaucoup !"

***

Corrigé de l'exercice 1

❶ Je me regarde dans la vitrine. ❷ Paolo te regarde. ❸ Paolo et
Aldo ? Je les appelle tout de suite ! ❹ Les cerises ? Non, je ne les
ai pas achetées ! ❺ As-tu vu beaucoup de films ? – Non, je n'en ai
pas vu beaucoup !

42 Esercizio 2 – Completate

❶ Paola n'est pas encore arrivée ! Je l'appelle !

Paola non . ancora . . . .! . . . .!

❷ Les livres que tu m'as demandés, je les ai oubliés !

I libri . . . . . hai domandato, ...
. . . . !

❸ Les enfants, maman vous appelle !

. . . . . . , la mamma . . . .!

❹ Je te rappelle qu'ils nous attendent depuis une heure !

. . ricordo . . . . . aspettano . . . .!

---

42 Quarantaduesima lezione

Revisione – Révision

1 Passé composé : précisions sur l'accord du participe passé avec l'auxiliaire *avere*

Nous l'avons vu, quand un verbe se conjugue avec l'auxiliaire **avere**, *avoir*, son participe passé s'accorde avec le COD quand le verbe conjugué est précédé d'un des pronoms personnels **lo**, *le* ; **li**, *les* ; **la**, *la* ; **le**, *les* (leçon 35) : **Li ho vist**i, *je les ai vus*.

Nous attirons ici votre attention sur le fait que, contrairement à ce qui se passe en français, cet accord existe également lorsque le verbe conjugué est précédé du pronom **ne**, *en* :
Quanti spettacoli hai visto? – Ne ho visti **molti!**
Combien de spectacles as-tu vus ? – J'en ai vu beaucoup !

⑤ Je suis devenue très forte ! Les pronoms, je les connais tous ❹ **42**
très bien !

Sono . . . . ! I pronomi, . .
. . . . tutti . . . .

Corrigé de l'exercice 2

❶ – è – arrivata – La chiamo **❷** – che mi – li ho dimenticati
❸ Bambini – vi chiama **❹** Ti – che ci – da un'ora **❺** – diventata
bravissima – li conosco – benissimo

Quarante-deuxième leçon   42

2 Les pronoms personnels complément d'objet direct (COD)

Nous l'avons vu en leçon 41, les pronoms personnels compléments d'objet direct (COD) peuvent avoir des formes dites "faibles" ou "atones" et des formes dites "fortes" ou "toniques".

On utilise les formes fortes lorsque l'on souhaite insister sur le COD : **Guardano voi severamente**, *Vous, ils vous regardent sévèrement.* Vous le voyez, pour rendre l'insistance inhérente aux formes fortes des pronoms personnels COD italiens, nous sommes obligés, en français, d'utiliser un pronom tonique en plus du pronom personnel COD.

Ce tableau récapitulatif vous permettra d'y voir plus clair :

Les pronoms personnels COD			
Formes faibles		Formes fortes	
mi	*me*	**me**	*moi*
ti	*te*	**te**	*toi*
lo/la	*la/le*	**lui/lei**	*lui/elle*
ci	*nous*	**noi**	*nous*
vi	*vous*	**voi**	*vous*
li/le	*les*	**loro**	*eux*

Attention :
Lorsqu'une des formes faibles accompagne un verbe à l'infinitif, elle le suit et s'y rattache : **Le ciliege? Ho domandato a Paolo di comprarle!**, *Les cerises ? J'ai demandé à Paolo de <u>les</u> acheter !*

3 Les interrogatifs

3.1 Les pronoms interrogatifs

Comme en français, le pronom interrogatif de personne **Chi?**, *Qui ?* est invariable en genre et en nombre ; on l'utilise donc à la fois pour le féminin et pour le masculin, pour le singulier et pour le pluriel : **Chi è quella ragazza?**, *Qui est cette fille ?* ; **Chi sono quei ragazzi ?**, *Qui sont ces jeunes ?*

3.2 Les adjectifs interrogatifs

• **quale, quali**
À la différence du français, il existe seulement une forme d'adjectif interrogatif au singulier et une forme au pluriel.

Singulier :
Quale?, *Quel, quelle ?*
Quale libreria spostiamo?, *Quelle bibliothèque déplaçons-nous ?*

Pluriel :
Quali?, *Quels, quelles ?*
Quali mobili spostiamo?, *Quels meubles déplaçons-nous ?*

• **quanto**, **quanti**
Quanto, *combien*, s'accorde en genre et en nombre avec le mot qu'il précède : **Quanti libri hai comprato?**, *Combien de livres as-tu achetés ?* Faites bien attention car cet accord n'existe pas en français !

4 Les pronoms relatifs

Historiquement, l'italien possède deux formes de pronoms relatifs ; l'une des deux est aujourd'hui largement privilégiée à l'oral.

4.1 Formes courantes

• **che**, *qui, que*, est la forme du pronom relatif, lorsqu'il est sujet ou complément d'objet direct (COD) : **La persona che parla è Carla!**, *La personne qui parle est Carla !* ; **Il ragazzo che parla è Carlo**, *Le garçon qui parle est Carlo* ; **La persona che vedi là è Paola!**, *La personne que tu vois là est Paola !*

• **cui**, toujours précédé d'une préposition (**di**, *de* ; **a**, *à* ; **da**, *de* ; **con**, *avec* ; **su**, *sur* ; **per**, *pour* ; **tra/fra**, *entre*), est le pronom relatif complément d'objet indirect (COI). On le traduit différemment selon la préposition qui le précède (*dont, duquel, de laquelle, desquel, desquelles, auquel*, etc.) : **Il ragazzo a cui parlo è Carlo**, *Le garçon auquel je parle est Carlo* ; **Il ragazzo di cui parlo è Carlo**, *Le garçon dont* (litt. "de qui") *je parle est Carlo*.

4.2 Formes réservées aux écrits formels

Les pronoms **il quale**, *lequel* ; **la quale**, *laquelle* ; **i quali**, *lesquels* ; **le quali**, *lesquelles*, sont très peu utilisés dans la langue parlée. On les rencontre parfois dans des écrits formels.

Il est important que vous mémorisiez bien les expressions temporelles que vous avez rencontrées au cours des six leçons précédentes… Les avez-vous encore en tête ? N'hésitez pas à vérifier cela en essayant de retrouver la signification de ces quelques phrases !

Da quanto tempo non ti vedo!
Sono anni che l'ho perso di vista!
L'ho visto due giorni fa!

Dialogo di revisione

1 – Ciao, Stella! Cosa fate domenica sera?
2 – Niente di speciale. Vi va di andare al cinema?
3 – Perché no? Quale film preferisci vedere?
4 – Non so, quello che preferite tu e Luisa!
5   La settimana scorsa ho visto sette film, di cui due insulsi!
6   Ma, volete un consiglio? Non andate a vedere quel film, è pessimo!
7 – … Carlo! Da quanto tempo non ci vediamo! Come stai?
8 – Sto benissimo, grazie!
9 – E Aldo, lo vedi sempre? Chi ha sposato? Come sta?
10 – L'ho visto due settimane fa, è in forma come sempre!

Traduction

1 Salut, Stella ! Que faites-vous dimanche soir ? **2** Rien de spécial. Ça vous va d'aller au cinéma ? **3** Pourquoi pas ! Quel film préfères-tu voir ? **4** Je ne sais pas, celui que vous préférez, toi et Luisa ! **5** La semaine dernière j'ai vu sept films, dont deux nuls ! **6** Mais, voulez-vous un conseil ? N'allez pas voir ce film, il est très mauvais ! **7** … Carlo ! Depuis combien de temps ne nous sommes-nous pas vus ? Comment vas-tu ? **8** Je vais très bien, merci ! **9** Et Aldo, tu le vois toujours ? Qui a-t-il épousé ? Comment va-t-il ? **10** Je l'ai vu il y a deux semaines, il est en forme, comme toujours !

Les six prochaines leçons sont consacrées, entre autres, à l'étude de l'imparfait de l'indicatif. Vous le verrez, ce temps n'a rien de difficile : il possède les mêmes usages qu'en français et sa construction est tout à fait à votre portée. Bon courage !

I coniugi Della Casa litigano ancora

1 – Te lo ① avevo detto che non dovevamo ②
firmare quel contratto!

2 C'erano ③ un sacco di punti poco chiari,

3 avevamo ④ pochissimo tempo per riflettere,

4 ma il signore voleva a tutti i costi un grande
giardino!

5 – Già, ma la signora era entusiasta di avere
un' enorme cucina,

6 in cui ⑤ si poteva mangiare.

7 – Sì, ma io non ero d'accordo per firmare in
quattro e quattr'otto!

8 Adesso ci troviamo con un progetto di
autostrada davanti alle nostre finestre!   □

Prononciation
5 ... é'ntousiasta ... 6 ... ma'ndjarê

Notes

① Notez que lorsqu'un des pronoms compléments d'objet indi-
rect (COI) (**mi**, *me* ; **ti**, *te* ; **ci**, *nous* ; **vi**, *vous*), précède un des
pronoms compléments d'objet direct (COD) (**lo**, *le* ; **la**, *la* ; **li**,
les (m.) ; **le**, *les* (f.)), le **i** des premiers se transforme en **e** : **Me
lo aveva detto**, *Il me l'avait dit* ; **Ce lo avevano detto**, *Ils nous
l'avaient dit*, etc.

② **dovevamo**, *nous devions* ; voici donc l'imparfait ! Vous le
voyez, sa contruction est simple : on reprend le radical **dov-**
du verbe **dovere**, *devoir*, auquel on ajoute la terminaison de
l'imparfait, ici **-evamo**.

③ **c'erano**, *il y avait*, littéralement "ils y étaient" ; l'imparfait de
l'indicatif du verbe **essere**, *être*, ne se construit pas de la même ▸

Les époux Della Casa se disputent encore

1 – Je te l'avais dit, que nous ne devions pas signer ce contrat !

2 Il y avait *(ils y étaient)* beaucoup de points assez confus *(peu clairs)*,

3 nous avions très peu de temps pour réfléchir,

4 mais *(le)* monsieur voulait à tout prix *(à tous les coûts)* un grand jardin !

5 – Certes *(déjà)*, mais *(la)* madame était ravie *(enthousiaste)* [à l'idée] d'avoir une énorme cuisine,

6 dans laquelle on puisse *(pouvait)* manger.

7 – Oui, mais je n'étais pas d'accord pour signer à la va-vite *(en quatre et quatre huit)* !

8 Maintenant nous nous [re]trouvons avec un projet d'autoroute devant *(à les)* nos fenêtres !

▸ manière que celui des autres verbes. C'est un des rares verbes à avoir un imparfait irrégulier.

④ **avevamo**, *nous avions*, est, vous l'avez deviné, l'imparfait régulier du verbe **avere**, *avoir*.

⑤ **una cucina in cui si poteva mangiare**, *une cuisine dans laquelle l'on puisse manger* : il serait correct, mais très formel de remplacer cette expression par **una cucina nella quale si poteva mangiare**. Nous l'avons vu, la langue parlée utilise plutôt **cui** lorsqu'une des prépositions **a**, *à* ; **di/da**, *de* ; **in**, *en* ; **con**, *avec* ; **su**, *sur* ; **per**, *pour* ; **tra**, *dans*, est suivie par les pronoms **il/la quale**, **i/le quali** : **l'amico del quale/di cui ti ho parlato**, *l'ami duquel/dont je t'ai parlé* ; **gli amici con i quali/con cui hai parlato**, *les amis avec lesquels/avec qui tu as parlé*, etc. Observez au passage l'absence d'article devant **cui**.

43   **Esercizio 1 – Traducete**

❶ Chi ve lo ha detto? – Ce lo ha detto la Signora Della Casa. ❷ Carlo era entusiasta del nuovo progetto di autostrada. ❸ Luigi voleva firmare il contratto anche se c'erano molti punti poco chiari. ❹ Avevano una cucina in cui non potevano mangiare. ❺ Volevo a tutti i costi firmare quel contratto.

Esercizio 2 – Completate

❶ Ils avaient une autoroute devant leurs fenêtres.

. . . . un'autostrada . . . . finestre.

❷ Il voulait nous faire signer un contrat dans lequel il y avait des points assez confus.

. . . . . . farci firmare un contratto . . . . . .
. . . . dei punti poco chiari.

❸ Ils étaient ravis *(enthousiastes)* de leur énorme cuisine.

Erano . . . . enorme cucina.

❹ Je ne pouvais pas réfléchir, j'avais très peu de temps.

Non . . . . , avevo . . . .
. . . . . .

❺ Le jardin, Paola me l'a montré.

Il giardino . . . . mostrato Paola.

Corrigé de l'exercice 1

❶ Qui vous l'a dit ? – Madame Della Casa nous l'a dit. ❷ Carlo était enthousiaste [à l'idée] du nouveau projet d'autoroute. ❸ Luigi voulait signer le contrat, même s'il y avait beaucoup de points confus. ❹ Ils avaient une cuisine dans laquelle ils ne pouvaient pas manger. ❺ Je voulais à tout prix signer ce contrat.

Corrigé de l'exercice 2

❶ Avevano – davanti alle loro – ❷ Voleva – in cui c'erano – ❸ – entusiasti della loro – ❹ – potevo riflettere – pochissimo tempo ❺ – me lo ha –

*Les phrases qui sont utilisées dans ce dialogue relèvent d'un
registre de langue soutenu.Vous en aurez donc l'usage dans tout*

Un'accoglienza formale

1 – Buongiorno, Signora Della Casa, si
accomodi, La prego ①!

2 Abbiamo ricevuto la Sua lettera
raccomandata,

3 in cui Lei ci chiede il rimborso
dell'assegno,

4 e l'abbiamo immediatamente trasmessa al
nostro direttore.

5 La prego di credere che sta facendo ② tutto
il possibile,

6 per trovare una soluzione soddisfacente per
entrambe ③ le parti.

Prononciation
5 ... fatchè'ndo ... **6** ... soddisfatchè'ntê ... é'ntra'mbê ...

Notes

① **La prego**, *Je vous [en] prie* : vous le savez désormais sur le
bout des doigts, la formule de politesse italienne utilise le **Lei**
(autrefois *Elle, Sa Seigneurie*) et non le *vous* ; de ce fait, les
verbes doivent être conjugués à la 3ᵉ personne du singulier.
Le bon usage (qui tend à disparaître) veut que l'on écrive les
pronoms du vouvoiement avec une majuscule afin de faire la
différence avec ceux de la 3ᵉ personne du singulier classique. ▸

type de situation formelle. N'hésitez pas à les répéter plusieurs fois afin qu'elles deviennent des modèles facilement réutilisables !

Un accueil formel

1 – Bonjour, Madame Della Casa, entrez, je vous *(La)* en prie !

2 Nous avons reçu votre *(la Sienne)* lettre recommandée,

3 dans laquelle vous nous demandez *(Elle nous demande)* le remboursement de votre *(du)* chèque,

4 et nous l'avons immédiatement transmise à notre directeur.

5 Je vous *(La)* prie de croire qu'il est en train de faire *(faisant)* tout son *(le)* possible,

6 pour trouver une solution satisfaisante pour les deux parties.

▶ ② **sta facendo**, *elle est en train de faire* ; la forme progressive, très utilisée en italien s'obtient en faisant précéder le gérondif du verbe par **stare** : **sto cercando**, *je suis en train de chercher* ; **stanno parlando**, *ils sont en train de parler*, etc. Notez ici que le gérondif des verbes du 1er groupe se forme en substituant **-ando** à la terminaison **-are** de l'infinitif.

③ **entrambe**, *les deux*, est un mot un peu formel. Pour les conversations courantes, préférez-lui **tutti/e e due**, en prenant garde à ne pas oublier de glisser le **e** entre **tutti** et **due** !

7 Il Suo reclamo è stato inviato ④ anche al nostro avvocato,

8 il cui ⑤ principale compito, come Lei sa,

9 è la salvaguardia degli interessi dei nostri clienti. ☐

7 ... *i'nviato* ...

Notes

④ **è stato inviato**, *a été envoyé* ; comme en français, la forme passive nécessite l'emploi de l'auxiliaire **essere**, *être*. Notez qu'elle est assez rarement employée dans la langue parlée, où l'on préfère les tournures actives.

⑤ **il nostro avvocato, il cui principale compito** (…) **è la salvaguardia**, *notre avocat, dont la tâche principale (…) est la défense* ; cette tournure, assez recherchée, est relativement fréquente dans les contextes formels. On pourrait dire également **un avvocato, il principale compito del quale è la salvaguardia**, mais cette structure est moins naturelle, plus ▶

***

Esercizio 1 – Traducete

❶ È la lettera raccomandata in cui ci chiedono il rimborso dell'assegno. ❷ Signora, La prego di credere che è un eccellente contratto. ❸ Il Suo reclamo non è stato trasmesso al direttore. ❹ Ecco il nostro avvocato, il cui principale compito è trovare una soluzione soddisfacente. ❺ Entrambe le parti sono d'accordo.

7   Votre *(Sa)* réclamation a été envoyée à notre
avocat aussi,

8   dont la tâche principale *(duquel)*, comme vous *(Elle)* [le] savez,

9   est de défendre *(la sauvegarde)* les *(des)* intérêts de nos clients.

UN' ACCOGLIENZA FORMALE

▸ lourde. Remarquez que dans ce cas (c'est le seul), le pronom **cui** est précédé d'un article.

***

Corrigé de l'exercice 1

❶ C'est la lettre recommandée dans laquelle ils nous demandent le remboursement du chèque. **❷** Madame, je vous prie de croire que c'est un excellent contrat. **❸** Votre réclamation n'a pas été transmise au directeur. **❹** Voici notre avocat, dont la tâche principale est de trouver une solution satisfaisante. **❺** Les deux parties sont d'accord.

Esercizio 2 – Completate

❶ Nous avons reçu un accueil très formel.

Abbiamo . . . . un' . . . . molto
. . . .

❷ Je vous en prie, Monsieur Della Casa, installez-vous.

. . . . . , Signor Della Casa, ...

❸ Notre directeur est en train de faire tout ce qu'il peut.

. . nostro direttore . . . . tutto quello
che . . . .

❹ Comme vous le savez, madame, c'est ma tâche principale !

Come . . . . . , Signora, è il mio . . . .
principale!

---

45 Quarantacinquesima lezione

Pazienza!

1 – Ma cosa fai qui, Nicola!
2   Non dovevi andare a giocare a tennis con
     Aldo?
3 – Sì, pensavamo ① di uscire dall'ufficio alle
     sei,
4   ma una cliente ci ha trattenuti.
5   Un noiosissimo reclamo e una richiesta di
     rimborso.

Prononciation
4 ... kliè'ntê ...

⑤ Votre lettre a été envoyée hier.

La ... lettera . ... ieri.

Corrigé de l'exercice 2

❶ – ricevuto – accoglienza – formale **❷** Prego – si accomodi **❸** Il – sta facendo – può **❹** – Lei sa – compito – **❺** – Sua – è stata inviata –

Quarante-cinquième leçon 45

Tant pis *(Patience)* !

1 – Mais que fais-tu ici, Nicola ?
2 Tu ne devais pas aller jouer au *(à)* tennis avec Aldo ?
3 – Si, nous pensions *(de)* sortir du bureau à *(les)* six [heures],
4 mais une cliente nous a retenus.
5 Une réclamation très ennuyeuse et une demande de remboursement.

Note

① **pensavamo**, *nous pensions*, est l'imparfait du verbe du 1er groupe **pensare**, *penser*.

6 Mi sai dire perché la gente ② non riflette,
7 prima di mettere la propria ③ firma su un documento?
8 Sai, con Aldo pensavamo di consolarci con un buon ristorante,
9 e magari ④ anche con un filmetto ⑤, che ne dici?
10 – Mi sembra perfetto, amore!   □

---

6 … djè'ntê … 8 … pé'nsavamo …

Notes

② Attention, **la gente**, *les gens*, est toujours singulier en italien, et s'accompagne logiquement d'un verbe au singulier.

③ **la propria firma**, *leur propre signature*, voici un emploi de **proprio** à bien mémoriser, il souligne ici la possession : **la propria firma**, *sa signature (à soi)* ; **il proprio cognome**, *son nom (à soi)*, etc.

④ **magari**, *peut-être*, est un mot particulièrement prisé des Italiens, et que l'on entend très souvent ! Son utilisation nécessite un peu d'attention car il possède plusieurs significations. Retenez pour le moment : **Che ne dici di un ristorante, e magari poi di un buon film ?** *Que dirais-tu* (litt. "qu'en dis-tu") *d'un restaurant et peut-être après d'un bon film ?*   ▶

***

Esercizio 1 – Traducete

❶ Prego, Signora, deve mettere la Sua firma su questo documento. ❷ Ma non dovevate giocare a tennis? ❸ Perché la gente non riflette prima di firmare? ❹ Pensavamo di consolarci con un filmetto. ❺ Che ne dici, amore? – È perfetto!

6 Peux-tu *(Sais-tu)* me dire pourquoi les gens ne réfléchissent pas,

7 avant de mettre leur *(propre)* signature sur un document ?

8 Tu sais, avec Aldo nous pensions *(de)* nous consoler avec un bon restaurant,

9 et peut-être aussi avec un petit cinéma, qu'en penses-tu ?

10 – Cela me paraît parfait, [mon] amour !

▶ ⑤ **filmetto**, *un petit film* ; synonyme de **-ino**, le suffixe **-etto** apporte à un mot la connotation de "petit et gracieux". Notez par exemple : **una casetta**, *une maisonnette*.

***

Corrigé de l'exercice 1

❶ S'il vous plaît, Madame, vous devez mettre votre signature sur ce document. ❷ Mais ne deviez-vous pas jouer au tennis ? ❸ Pourquoi les gens ne réfléchissent-ils pas avant de signer ? ❹ Nous pensions nous consoler avec un petit cinéma. ❺ Qu'en dis-tu, mon amour ? – C'est parfait !

Esercizio 2 – Completate

❶ Mais que faites-vous ici ?
Ma .... qui?

❷ Nous devions faire une réclamation.
.... fare un ....

❸ Nous pensions aller dans un bon restaurant.
.... andare .. un .... ristorante.

❹ Et peut-être [qu']elle demande aussi un remboursement !
E ...... chiede anche un ....!

---

46 Quarantaseiesima lezione

Sai chi ho incontrato?

1 – Te li ricordi quei ① ragazzi danesi,
2 che tu e Lidia avevate conosciuto ②
all'Università?
3 – Quegli studenti in storia dell'arte che
amavano follemente Firenze e le fiorentine?
4 – Proprio loro!

Prononciation
3 *kouéll'i* ...

Notes
① **quei**, *ces* ; l'adjectif **quello**, *ce*, se décline de la même manière
que l'adjectif **bello**, *beau* (leçon 37, note 4), en fonction de
la première lettre du nom qu'il accompagne : **il ragazzo**, *le*
garçon → **quel ragazzo**, *ce garçon* ; **i ragazzi**, *les garçons* ▸

❺ C'est important de mettre sa signature sur un contrat.

È importante mettere .. .. su
un ....

Corrigé de l'exercice 2

❶ – cosa fate – **❷** Dovevamo – reclamo **❸** Pensavamo di – in –
buon – **❹** – magari – rimborso **❺** – la propria firma – contratto

---

Quarante-sixième leçon   46

Sais-tu qui j'ai rencontré ?

1 – Te *(les)* rappelles-tu ces jeunes *(garçons)*
Danois,
2   que toi et Lidia aviez rencontrés *(connu)* à
l'université ?
3 – Ces étudiants en histoire de l'art qui aimaient
follement Florence et les Florentines ?
4 – Tout à fait *(eux)* !

▶ → **quei ragazzi**, *ces garçons*, etc. Remarquez que ces formes
sont calquées sur celles des articles définis ; nous y reviendrons en leçon de révision.

② **avevate conosciuto**, *vous aviez rencontré* (litt. "vous aviez
connu") ; rappelez-vous (leçon 32), le plus-que-parfait se
forme avec l'imparfait de l'auxiliaire suivi du participe passé
du verbe : **Avevo conosciuto Michele**, *J'avais rencontré
Michele* ; **Ero andato a Roma**, *J'étais allé à Rome*, etc. Il
s'emploie exactement comme en français.

5   Figurati ③ che stavo tranquillamente
     prendendo ④ un caffè in un bar,
6   un po' leggevo, un po' ascoltavo le
     conversazioni dei vicini,
7   e improvvisamente sento qualcuno che dice
     "Ma è Luca!".
8   Alzo la testa e chi vedo?
9   Il biondo Sören, con al braccio la bruna e
     formosa Emanuela Rossi,
10   e con loro avevano due bei bambini,
11   con dei magnifici occhioni ⑤ azzurri!   □

---

5 ... tra'nkouillamè'ntê ... 11 ... déll'i ...

Notes

③ **figurati**, *figure-toi*, et, au pluriel, **figuratevi**, *figurez-vous*,
   sont des expressions très courantes en italien. N'hésitez pas
   à les employer pour exprimer votre étonnement ou votre surprise : **Lei, arrivare in orario? Figurati!**, *Elle, arriver à*
   l'heure ? Penses-tu !/Tu plaisantes !   ▶

***

Esercizio 1 – Traducete

❶ Figurati che abbiamo incontrato Emanuela!
❷ Ve le ricordate quelle ragazze italiane? ❸ E quei
ragazzi francesi, te li hanno presentati? ❹ Stavano
prendendo un caffé al bar vicino all'università.
❺ Il bambino di Luca ha dei magnifici occhioni!

5   Figure-toi que j'étais tranquillement en train de
       prendre *(prenant)* un café dans un bar,
6   tantôt *(un peu)* je lisais, tantôt *(un peu)*
       j'écoutais les conversations des voisins,
7   et soudain j'entends quelqu'un qui dit "Mais
       c'est Luca !".
8   Je lève la tête et qui [est-ce que] je vois ?
9   Le blond Sören, avec, à son bras, la brune et
       plantureuse Emanuela Rossi,
10 et avec eux ils avaient deux beaux enfants,
11 avec de grands yeux bleus magnifiques !

▸ ④ **prendendo**, *en prenant* : le gérondif des verbes du 2e groupe
   se forme en remplaçant la terminaison **-ere** de l'infinitif par la
   terminaison **-endo** : **prend-ere**, *prendre* → **prend-endo**, *en
   prenant*.

⑤ Le suffixe **-one**, **-oni**, permet de former l'augmentatif : **Che
   begli occhi!**, *Quels beaux yeux !* ; **Che begli occhioni!**, *Quels
   beaux <u>grands</u> yeux !*

***

Corrigé de l'exercice 1

❶ Figure-toi que nous avons rencontré Emanuela ! ❷ Vous
souvenez-vous de ces filles italiennes ? ❸ Et ces garçons français,
ils te les ont présentés ? ❹ Ils étaient en train de prendre un café
au bar près de l'université. ❺ L'enfant de Luca a de grands yeux
magnifiques !

Esercizio 2 – Completate

❶ Tu avais connu ces étudiants florentins !
.... studenti
fiorentini!

❷ Ils me l'ont envoyé hier.
.. .. hanno inviato .....

❸ Figurez-vous que j'ai parlé avec Sören !
.... che .. .. con Sören!

❹ Voilà la lettre d'Aldo, je te la lis.
.... la lettera di Aldo, ... leggo.

❺ Quels beaux enfants ! Et quelle belle femme !
Che ... bambini! E che ..... donna!

---

47 Quarantasettesima lezione

Che golosi!

1 – Bambini, sbaglio o dovevate finire i compiti
prima di passare alla merenda?
2 – Mamma, Lorenzo aveva tanta fame che si
sentiva ① svenire,
3 e aveva male allo stomaco!
4 – Poverino! Dovevano essere crampi! Troppo
tempo senza cioccolato!

Prononciation
1 ... sball'o ...

Corrigé de l'exercice 2

❶ Avevi conosciuto quegli – ❷ Me lo – ieri ❸ Figuratevi – ho parlato – ❹ Ecco – te la – ❺ – bei – bella –

IL BAMBINO DI LUCA HA DEI MAGNIFICI OCCHIONI !

Quarante-septième leçon   47

Quels gourmands !

1 – [Les] enfants, je me trompe ou vous deviez finir vos *(les)* devoirs avant de passer au goûter ?
2 – Maman, Lorenzo avait tellement faim qu'il était sur le point de *(se sentait)* s'évanouir,
3   et il avait mal à l'estomac !
4 – Le pauvre *(petit)* ! Ça devait être des crampes ! Trop de temps sans chocolat !

Note

① **si sentiva**, *il se sentait* ; voici l'imparfait régulier du verbe pronominal du 3ᵉ groupe **sentirsi**, *se sentir*.

5   Non ne mangiava da ventiquattro ore!
6 – Mamma, dove hai messo le ciliege che
     abbiamo comprato stamattina ②?
7 – Mamma, ci avevi promesso di comprarci
     un gelato,
8   se finivamo i compiti entro ③ le cinque!
9 – Ma come potete essere così golosi?
10   Mi chiedo se non avete una strana malattia!□

Notes

② **le ciliege che abbiamo comprato**, *les cerises que nous avions achetées*. En français on accorde le participe passé précédé du pronom relatif **che**, *que, qui*, avec le complément d'objet direct (COD) ; pas en italien. Prudence donc !

③ **entro le cinque**, *avant cinq heures*. Voici une nouvelle expression de temps à bien mémoriser : **Devo mandare il mio C.V. entro il dieci gennaio**, *Je dois envoyer mon C.V. avant le dix janvier*, ou, *pour le dix janvier dernier délai*.

***

Esercizio 1 – Traducete

❶ Lorenzo aveva dei crampi allo stomaco e si sentiva svenire. ❷ Poverino! Non mangiava da dodici ore! ❸ Quei bambini sono troppo golosi! ❹ Forse hanno una strana malattia. ❺ Lidia ha mangiato le ciliege che avevamo comprato!

5   Il n'en avait pas mangé *(mangeait pas)* depuis
vingt-quatre heures !

6 – Maman, où as-tu mis les cerises que nous avons
achetées ce matin ?

7 – Maman, tu nous avais promis de nous acheter
une glace,

8   si nous finissions nos *(les)* devoirs avant cinq
heures !

9 – Mais comment pouvez-vous être aussi
gourmands ?

10   Je me demande si vous n'avez pas une maladie
(étrange) bizarre !

***

Corrigé de l'exercice 1

❶ Lorenzo avait des crampes à l'estomac et était sur le point de
(se sentait) s'évanouir. ❷ Le pauvre ! Il n'avait pas mangé depuis
douze heures ! ❸ Ces enfants sont trop gourmands ! ❹ Peut-être
ont-ils une étrange maladie. ❺ Lidia a mangé les cerises que nous
avions achetées.

Esercizio 2 – Completate

❶ Avant de passer au goûter, tu dois finir tes *(les)* devoirs.

. . . . passare alla . . . . , devi finire . .

. . . .

❷ J'avais mal à l'estomac depuis trois jours.

. . . . allo stomaco . . tre giorni.

❸ Nous devions aller chez Lorenzo avant sept heures.

. . . . andare . . Lorenzo . . . . sette.

❹ Le pauvre ! Peut-être avait-il une étrange maladie !

. . . . ! Forse . . . . . una strana

. . . . !

---

48 Quarantottesima lezione

Attenzione alle promesse!

1 – Luisa, a che **o**ra dov**e**vano part**i**re per la
camp**a**gna i tu**o**i genit**o**ri?

2 – St**a**nno part**e**ndo ① in qu**e**sto mom**e**nto,
c**a**ro!

3 – Accid**e**nti ②! Ci ten**e**vo ad accompagn**a**rli
alla stazi**o**ne!

Pronunciation
3 attchid**è**'nti …

Notes

① **partendo**, *en partant* : on forme le gérondif des verbes
réguliers du 3e groupe en remplaçant la terminaison **-ire** de
l'infinitif par la terminaison **-endo** du gérondif : **part-ire**, *partir* → **part-endo**, *en partant*. ▸

❺ Il était tellement gourmand qu'il devait manger du chocolat **48**
tous les jours.

... così ...... che ...... mangiare ...
.... tutti i giorni.

Corrigé de l'exercice 2

❶ Prima di – merenda – i compiti ❷ Avevo male – da – ❸ Dovevamo
– da – entro le – ❹ Poverino – aveva – malattia ❺ Era – goloso –
doveva – del cioccolato –

Quarante-huitième leçon   48

Attention aux promesses !

1 – Luisa, à quelle heure tes parents devaient-ils
partir pour la campagne ?
2 – Ils sont en train de partir en ce moment, chéri !
3 – Zut ! Je *(y)* tenais à les accompagner à la gare !

▶ ② **Accidenti!**, *Zut !*, vous permet d'exprimer votre mécontentement de manière tout à fait courtoise… Ce n'est pas
nécessairement le cas avec ses nombreux synonymes !

4 Glielo ③ avevo promesso!

5 Devono aver pensato che mentivo spudoratamente!

6 – Ma no! Gliel'ho spiegato che finivi di lavorare molto tardi!

7 Per caso oggi pomeriggio partiva anche lo zio Carlo,

8 ed è passato lui a prenderli.

9 – Meno male ④! Forse per questa volta l'ho scampata bella! □

---

4 Il'élo …

Notes

③ **glielo**, *le leur* : lorsque le pronom **gli** est suivi de **lo**, *le* ; **la**, *la* ; **li**, *les* (m.) ; **le**, *les* (f.) ; **ne**, *en*, les deux pronoms fusionnent et sont reliés par un **e** de liaison.

④ **Meno male!** (litt. "Moins mal !"), *Heureusement !* Cette expression, un peu surprenante, est très courante ; il vous faut absolument la retenir !

***

Esercizio 1 – Traducete

❶ Gli mentivo spudoratamente, ma l'ho scampata bella! ❷ Meno male, Luca è passato a prendermi. ❸ Per caso ieri pomeriggio ho incontrato Nicola. ❹ Ci tenevo ad andare a Roma con lo zio Aldo. ❺ Ma no, non stanno pensando che dimentichi sempre tutto.

4   Je le leur avais promis !   **48**

5   Ils ont dû croire *(Ils doivent avoir pensé)* que je
         mentais effrontément *(sans pudeur)* !

6 – Mais non ! Je *(le)* leur ai expliqué que tu
         finissais de travailler très tard !

7   Par hasard cet après-midi *(aujourd'hui après-
         midi)*, l'oncle Carlo partait aussi,

8   et [c'est lui qui] *(lui)* est passé les chercher
         (prendre).

9 – Heureusement *(moins mal)* ! Peut-être l'ai-je
         échappé belle pour cette fois *(peut-être pour
         cette fois l'ai-je échappé belle)* !

***

Corrigé de l'exercice 1

❶ Je lui mentais effrontément, mais je l'ai échappé belle !
❷ Heureusement, Luca est passé me prendre. ❸ Par hasard, hier
après-midi, j'ai rencontré Nicola. ❹ Je tenais à aller à Rome avec
l'oncle Aldo. ❺ Mais non, ils ne sont pas en train de penser que tu
oublies toujours tout.

49 Esercizio 2 – Completate

❶ Zut ! L'oncle Carlo est en train de partir !

. . . . ! .. . . . Carlo sta . . . . !

❷ Je le lui avais promis, mais j'ai oublié !

. . . . . . avevo . . . . , ma ho dimenticato!

❸ Elles sont en train d'acheter toute la boutique de chaussures !

. . . . tutto il negozio di
. . . . . . !

❹ As-tu dit à tes parents que je finis de travailler très tard ? –
Oui, je le leur ai dit.

Hai detto .. . . che . . . . di
lavorare molto tardi ? – Si, ... detto.

---

49 Quarantanovesima lezione

Revisione – Révision

1 L'imparfait

1.1 Emploi

Comme en français, l'imparfait italien est un temps que l'on utilise pour parler d'une action passée qui est interrompue ou dont
la durée est inconnue, pour évoquer une habitude passée ou pour
décrire une situation, un état d'esprit, etc.

1.2 Formation

En italien, l'imparfait se forme en ajoutant au radical de l'infinitif
les terminaisons que vous pouvez découvrir ci-dessous. Ce temps
est facile à retenir car il compte très peu de verbes irréguliers (un
présent irrégulier n'entraîne pas un imparfait irrégulier et des
verbes comme **potere**, **volere** ou **dovere** sont complètement réguliers à l'imparfait).

⑤ Je voulais passer la chercher à sept heures et demie.

...... passare . ... alle sette e

....

Corrigé de l'exercice 2

❶ Accidenti – Lo zio – partendo ❷ Glielo – promesso – ❸ Stanno comprando – scarpe ❹ – ai tuoi genitori – finisco – gliel'ho – ❺ Volevo – a prenderla – mezza

Quarante-neuvième leçon   49

• **Les verbes**

– 1er groupe : **pensare**, *penser*

io pens-avo	*je pensais*
tu pens-avi	*tu pensais*
lui/lei pens-ava	*il/elle pensait*
noi pens-avamo	*nous pensions*
voi pens-avate	*vous pensiez*
loro pens-avano	*ils/elles pensaient*

– 2e groupe : **volere**, *vouloir*

io vol-evo	*je voulais*
tu vol-evi	*tu voulais*
lui/lei vol-eva	*il/elle voulait*
noi vol-evamo	*nous voulions*
voi vol-evate	*vous vouliez*
loro vol-evano	*ils/elles voulaient*

io fin-ivo	*je finissais*
tu fin-ivi	*tu finissais*
lui/lei fin-iva	*il/elle finissait*
noi fin-ivamo	*nous finissions*
voi fin-ivate	*vous finissiez*
loro fin-ivano	*ils/elles finissaient*

• **Les auxiliaires**

Remarquez que si **avere**, *avoir* ne présente aucune irrégularité à l'imparfait, il en va différemment pour **essere**, *être* :

io ero, *j'étais*	**io avevo**, *j'avais*
tu eri, *tu étais*	**tu avevi**, *tu avais*
lui/lei era, *il/elle était*	**lui/lei aveva**, *il/elle avait*
noi eravamo, *nous étions*	**noi avevamo**, *nous avions*
voi eravate, *vous étiez*	**voi avevate**, *vous aviez*
loro erano, *ils/elles étaient*	**loro avevano**, *ils/elles avaient*

2 Le plus-que-parfait

Le plus-que-parfait a le même emploi et la même construction en italien et en français. Il est donc utilisé pour marquer une antériorité dans le passé et se forme ainsi :

Auxiliaire **avere** ou	+	Participe passé
essere conjugué à		du verbe conjugué
l'imparfait		

Pour le verbe **conoscere**, *connaître*, par exemple, cela donne :
Avevo conosciuto Maria all'Università, *J'avais fait la connaissance de Maria à l'université.*

Il s'utilise seul (pour donner une indication sur la manière), ou dans des structures complexes.

Sa construction est assez simple :

– pour les verbes du 1er groupe, on remplace la terminaison **-are** par la terminaison **-ando** : **parl-are**, *parler* → **parl-ando**, *en parlant*.

– pour ceux du 2e et du 3e groupes, on remplace les terminaisons **-ere** et **-ire** par la terminaison **-endo** : **sap-ere**, *savoir* → **sap-endo**, *en sachant* ; **fin-ire**, *finir* → **fin-endo**, *en finissant*.

4 La forme progressive

La forme progressive est très utilisée en italien. Elle décrit une action (présente, passée ou future) dans son déroulé. On la forme ainsi : verbe **stare** conjugué + gérondif du verbe conjugué

Exemples :
Sto cercando, *Je suis en train de chercher.*
Stavo cercando, *J'étais en train de chercher.*

5 La voix passive

La structure de la phrase passive est identique en français et en italien. Pour passer de la forme active à la forme passive d'un verbe il faut donc utiliser l'auxiliaire **essere**, *être*, et faire précéder le complément d'agent de la préposition **da**, *par* :
Mario ha inviato questa cartolina, *Mario a envoyé cette carte.* →
Questa cartolina è stata inviata da Mario, *Cette carte a été envoyée par Mario.*

6.1 Ordre des pronoms personnels

Quand deux pronoms personnels sont employés ensemble, comme dans la phrase **Glielo ha detto**, *Il le lui a dit*, le pronom complément indirect (ici **gli**, *lui*) précède toujours le pronom complément direct (ici **lo**, *le*). L'ordre est donc différent de celui établi en français. Voyez les différentes combinaisons possibles :

Pron. COD / Pron. COI	lo	la	li	le	ne
mi	me lo	me la	me li	me le	me ne
ti	te lo	te la	te li	te le	te ne
gli, le	glielo	gliela	glieli	gliele	gliene
ci	ce lo	ce la	ce li	ce le	ce ne
vi	ve lo	ve la	ve li	ve le	ve ne
gli	glielo	gliela	glieli	gliele	gliene

6.2 Modification orthographique

Vous le constatez dans le tableau ci-dessus, lorsque deux pronoms personnels sont employés ensemble, la voyelle **i** du pronom personnel COI se transforme en **e** : **Ti avevo detto.** *Je t'avais dit.* → **Te lo avevo detto.** *Je te l'avais dit.*

Par ailleurs, si le pronom complément d'objet indirect est **gli**, *(à) lui*, il fusionne avec le pronom complément d'objet direct, et il faut intercaler un **e** entre **gli** et le pronom COD : **Glielo avevo detto**, *Je le lui avais dit.*

Quello, *ce*, et **bello**, *beau*, ont plusieurs formes. Elles sont calquées sur les formes des articles déterminatifs et leur emploi suit les mêmes règles d'utilisation :

	Article défini	quello	bello
Masc. sing.	il	quel	bel
	lo	quello	bello
	l'	quell'	bell'
Fém. sing.	la	quella	bella
Masc. pl.	i	quei	bei
	gli	quegli	begli
Fém. pl.	le	quelle	belle

Exemples :
il ragazzo, **il bel ragazzo**, **quel ragazzo**
le garçon, le beau garçon, ce garçon

i ragazzi, **i bei ragazzi**, **quei ragazzi**
les garçons, les beaux garçons, ces garçons

8 Des suffixes qui connotent

8.1 Le suffixe *-etto*

Il apporte une connotation de "petit et joli" au mot auquel il s'ajoute :

una casa → **una casetta**
une maison   *une maisonnette*

Ce suffixe est un augmentatif :

degli occhi azzurri   →   **degli occhioni azzurri**
des yeux bleus   *de grands yeux bleus*

Dialogo di revisione

1 – Nicola!... ma non dovevi giocare a tennis con Aldo?

2 – Sì, ma ci ha trattenuti una cliente per un reclamo e una richiesta di rimborso!

3   "Te lo avevo detto che non dovevamo firmare...", continuava a dire la signora.

4   E il marito "Già, ma tu volevi una cucina in cui si poteva mangiare!"

5 – Poverino!

6   Sono sicura che il vostro avvocato sta facendo tutto il possibile per trovare una soluzione soddisfacente.

7 – Ah, sai che ho incontrato quegli studenti che avevamo conosciuto a Firenze?

8 – E sai che i miei genitori stanno partendo in questo momento?

9 – Oh, no! Ci tenevo ad accompagnarli alla stazione!

10   Glielo avevo promesso!

Il est temps de vérifier que vous avez bien assimilé le vocabulaire des six leçons précédentes en réutilisant en contexte les expressions suivantes :

Du registre informel
Accidenti! Figurati che...!
Meno male! Poverino!

Du registre formel
Sì, proprio loro!
Si accomodi, prego!

Traduction

1 Nicola ! … Mais tu ne devais pas jouer au tennis avec Aldo ? **2** Si, mais une cliente nous a retenus pour une réclamation et une demande de remboursement ! **3** "Je te l'avais dit que nous ne devions pas signer…", continuait de *(à)* dire la dame. **4** Et le mari, "Certes *(déjà)*, mais [toi], tu voulais une cuisine dans laquelle on puisse *(pouvait)* manger !" **5** Mon *(Le)* pauvre ! **6** Je suis sûre que votre avocat est en train de faire tout son *(le)* possible pour trouver une solution satisfaisante. **7** Ah, sais-tu que j'ai rencontré ces étudiants que nous avions connus à Florence ? **8** Et sais-tu que mes parents sont en train de partir en ce moment ? **9** Oh, non ! Je *(y)* tenais à les accompagner à la gare ! **10** Je le leur avais promis !

> *Vous voici arrivé à la fin de la première vague de votre apprentissage. Vous n'êtes pas encore tout à fait en mesure de juger de vos progrès. Mais dès demain, en abordant la deuxième vague, vous allez vous rendre compte de tout le trajet parcouru…*

50 Cinquantesima lezione

Saldi, sconti!

1 – Buongiorno, Signorina.
2 Per cortesia, vorrei misurare quella gonna blu ① in vetrina.
3 – Certo Signora, che ② taglia?
4 – Quarantadue.
5 – Gliela prendo subito!
6 Ah, mi dispiace, la quarantadue mi è rimasta solamente in nero o in rosso.
7 Provi ③ la rossa! Secondo me è molto più carina della ④ blu!
8 E c'è uno sconto del trenta per cento.
9 – No, ho bisogno di qualcosa di blu.
10 – Allora guardi questo pantalone blu, c'è uno sconto eccezionale,
11 è il meno caro di tutti ⑤!   □

Notes

① **blu**, *bleue* ; certains adjectifs désignant des noms de couleurs sont invariables en italien : **blu**, *bleu* ; **rosa**, *rose* ; **viola**, *violet*. Pour **marrone**, *marron*, l'accord est facultatif.

② **che taglia**, *quelle taille* : un langage plus formel exigerait que l'on dise **quale taglia?**, *quelle taille ?* Toutefois, dans la langue parlée, on préfère souvent utiliser **che**, plutôt que **quale**.

③ **Provi!**, *Essayez !* et **Guardi!**, *Regardez !* (phrase 10) sont des verbes au subjonctif à valeur d'impératif. Les formes de la 3ᵉ personne étant inexistantes à l'impératif, l'italien recourt au subjonctif pour le vouvoiement. À partir de **prov-are**, *essayer*, on a **prov-i**, *(qu'il/elle) essaie* → *Essayez !* La leçon de révision vous en apprendra plus à ce sujet.   ▶

Soldes, rabais !

1 – Bonjour, Mademoiselle.
2   S'il vous plaît, je voudrais essayer *(mesurer)*
    cette jupe bleue [qui est] en vitrine.
3 – Certainement, Madame, quelle taille ?
4 – Quarante-deux.
5 – Je vous l'apporte (la prends) tout de suite !
6   Ah, je suis désolée *(me déplaît)*, il me reste
    (m'est restée) la quarante-deux seulement en
    noir ou en rouge.
7   Essayez la rouge ! D'après moi, elle est
    beaucoup plus jolie que la bleue !
8   Et il y a une réduction de *(du)* trente pour cent.
9 – Non, j'ai besoin de quelque chose de bleu.
10 – Alors regardez ce pantalon bleu, il bénéficie d'
    (il y a) une réduction exceptionnelle,
11   c'est le moins cher de tous !

④ **più carina della blu**, *plus jolie que la bleue* : observez, dans les phrases comparatives, les expressions **più di**, *plus que*, et **meno di**, *moins que* : **la giacca è meno cara del pantalone**, *la veste est moins chère que le pantalon*. Pour l'instant, contentez-vous de les retenir. Nous y reviendrons un peu plus tard.

⑤ **il meno caro di tutti**, *le moins cher de tous* ; **il più... di**, *le plus... de*, et **il meno... di**, *le moins... de*, sont les deux formules pour exprimer les superlatifs de supériorité et d'infériorité. Retenez au passage que l'italien n'utilise qu'une fois l'article dans une phrase comme *C'est la jupe [la] moins chère de toutes*, **È la gonna meno cara di tutte**.

50   Esercizio 1 – Traducete

❶ Vorrei misurare quel pantalone nero. ❷ Glielo prendo in vetrina! ❸ Che taglia, signora? – Quaranta! ❹ La gonna blu è molto più carina della rossa. ❺ È la gonna più cara di tutte.

Esercizio 2 – Completate

❶ J'ai besoin d'une jupe bleue, taille trente-huit.

.. .. di una gonna ..., ...
trentotto.

❷ Regardez ce pantalon noir, il est très joli.

...... questo .... nero, è .....
....

❸ Aujourd'hui il y a une réduction de *(du)* cinquante pour cent.

Oggi ... uno .... cinquanta per
cento.

❹ Je voudrais essayer *(mesurer)* la jupe la moins chère.

Vorrei .... la gonna ....

❺ Je suis désolé, les soldes sont finis.

.. .., i ..... sono ......

Vous voici arrivé au seuil de la seconde vague. Voici comment vous allez procéder : après avoir étudié attentivement la cinquantième leçon, vous reprendrez la première leçon. Reprenez le texte du dialogue et de l'exercice 1 en français et traduisez-le en italien, et vous vous corrigerez vous-même. Ainsi, vous étudierez chaque jour une nouvelle leçon et une leçon passée (la leçon 2 avec la leçon 51, la

Corrigé de l'exercice 1

❶ Je voudrais essayer ce pantalon noir. ❷ Je vous le prends dans la vitrine ! ❸ Quelle taille, Madame ? – Quarante ! ❹ La jupe bleue est beaucoup plus jolie que la rouge. ❺ C'est la jupe la plus chère de toutes.

Corrigé de l'exercice 2

❶ Ho bisogno – blu, taglia – ❷ Guardi – pantalone – molto carino ❸ – c'è – sconto del – ❹ – misurare – meno cara ❺ Mi dispiace – saldi – finiti

È LA GONNA PIÙ CARA DI TUTTE.

leçon 3 avec la leçon 52, etc.). Il n'y a pas de meilleur moyen pour consolider vos acquis et vous amener à parler naturellement. Vous verrez, vous serez impressionné de vos progrès ! Bon courage !

Deuxième vague : 1ʳᵉ leçon

Qualche ① modifica

1 – Questi pantaloni ② le stanno ③ benissimo, Signore,

2   si devono ④ solo accorciare un pochino ⑤.

3   Alla giacca invece non si deve fare nessuna modifica.

4 – A me sembra un poco larga,

5   non ha la taglia più piccola?

6 – Se vuole gliela faccio misurare, ma sarà troppo stretta. (…)

7 – Aveva ragione! Ma le maniche non le sembrano troppo corte?

8 – Non credo. Se vuole le allunghiamo un po', giusto un centimetro!

9   Vedrà, sarà molto contento di questo completo;

10   c'è sempre bisogno ⑥ di un abito elegante nel proprio guardaroba!   □

Notes

① Attention, **qualche**, *quelque(s)* est toujours singulier en italien, et s'emploie aussi bien au masculin qu'au féminin.

② **questi pantaloni**, *ce pantalon* : nous aurions pu dire également **questo pantalone**, *ce pantalon*. Les deux formes sont parfaitement équivalentes.

③ **Questi pantaloni le stanno benissimo**, *Ce pantalon vous va très bien* : voici un nouvel emploi du verbe **stare**, qui signifie *aller*, lorsqu'il s'agit, comme ici, d'habillement.

④ **si devono**, *on doit* ; à la forme impersonnelle française *on doit*, correspondent deux formes en italien, une pour le singulier et ▶

Quelques retouches *(modifications)*

1 – Ce pantalon vous va très bien, Monsieur,
2 il faut *(on doit)* seulement le raccourcir un petit peu.
3 À la veste, en revanche, on ne doit faire aucune retouche.
4 – Elle me semble *(à moi elle semble)* un peu large.
5 vous n'avez pas la taille en dessous *(plus petite)* ?
6 – Si vous voulez, je vous la fais essayer *(mesurer)*, mais elle sera trop serrée. (…)
7 – Vous aviez raison ! Mais les manches ne vous paraissent *(semblent)* pas trop courtes ?
8 – Je ne crois pas. Si vous voulez, nous [vous] les allongeons un peu, juste un centimètre !
9 Vous verrez, vous serez très content de ce complet ;
10 il faut toujours avoir *(il y a toujours besoin)* un vêtement élégant dans sa garde-robe !

▶ une pour le pluriel : **si devono** et **si deve** (phrase 3). Attention à ne pas oublier de choisir la forme plurielle lorsque votre sujet est pluriel !

⑤ **un pochino**, *un petit peu* ; **un po'**, **un poco**, *un peu*… Comme nous le disions en leçon 40, ces trois formes sont quasiment équivalentes. Utilisez celle que vous préférez !

⑥ **c'è bisogno**, *il y a besoin*, *il faut*, est une expression assez simple à utiliser : elle peut être suivie aussi bien d'un verbe que d'un nom : **C'è bisogno di qualcosa?**, *Y a-t-il besoin de quelque chose ?* ; **C'è bisogno di comprare qualcosa?**, *Y a-t-il besoin d'acheter quelque chose ?*

51 **Esercizio 1 – Traducete**

❶ Questa giacca Le sta molto bene, Signorina!
❷ Le maniche si devono accorciare un pochino.
❸ Questi pantaloni non Le sembrano un po' larghi?
❹ Se vuole Le faccio misurare la taglia più piccola.
❺ C'è sempre bisogno di un completo elegante!

Esercizio 2 – Completate

❶ Ce pantalon a besoin de quelques retouches.

Questi . . . . hanno . . . . di

. . . .

❷ Cette veste me paraît trop large et les manches sont trop courtes.

Questa . . . . sembra troppo . . . . . e le

. . . . sono troppo . . . . . .

❸ Je vous la fais essayer tout de suite !

. . . . . . faccio misurare . . . . . . !

❹ Vous serez certainement très contente de cette jupe !

. . . . certamente . . . . di questa gonna!

❺ Ce pantalon, il faut l'allonger de trois centimètres.

Questi pantaloni . . . . allungare di tre

. . . .

Corrigé de l'exercice 1

❶ Cette veste vous va très bien, Mademoiselle ! ❷ Les manches doivent être un petit peu raccourcies. ❸ Ce pantalon ne vous semble-t-il pas un peu large ? ❹ Si vous voulez, je vous fais essayer la taille en dessous. ❺ On a toujours besoin d'un complet élégant !

Corrigé de l'exercice 2

❶ – pantaloni – bisogno – qualche modifica ❷ – giacca mi – larga – maniche – corte ❸ Gliela – subito ❹ Sarà – molto contenta – ❺ – si devono – centimetri

Deuxième vague : 2ᵉ leçon

52 Cinquantaduesima lezione

Antonio, smetti ① di fare storie!

1 – Scusi, mi sa dire dove posso trovare il reparto giocattoli?
2 – Prenda ② la scala mobile qui a destra,
3 e poi salga fino al terzo piano, Signora!
4 Li troverà sulla Sua sinistra, a fianco all'abbigliamento per bambini.
5 – Zia Ida, io voglio questo pallone giallo e verde, sono i colori della mia squadra!
6 – Io voglio anche la maglietta azzurra della nazionale!
7 – No, non è giusto, compri più cose a lui che a me ③!
8 – Sì, è giusto, perché il tuo pallone è più grande del mio!

Notes

① **smetti!**, *arrête !* est un impératif à la 2ᵉ personne du singulier. Vous ne remarquez rien ? Si ! La forme du verbe est la même que celle du présent de l'indicatif…et il en est de même pour la 2ᵉ personne du pluriel (phrase 9). Voilà de quoi vous réjouir, non ?! Font exception les verbes du premier groupe dont la deuxième personne du singulier prend la terminaison **-a** : **guard-are**, *regarder* → **guard-a!**, *regarde !*, et quelques autres cas isolés, sur lesquels nous reviendrons.

② **prenda**, *prenez* : voici encore un impératif de politesse… Vous souvenez-vous de sa construction (leçon 50) ?

③ Dans les phrases comparatives, on utilise en général **più di** et **meno di**. Toutefois, si les deux termes que l'on compare se suivent, on doit utiliser **più che** et **meno che** : **Luca ha più ▶**

Antonio, arrête de faire des histoires !

1 – S'il vous plaît *(excusez-moi)*, pouvez-vous *(savez-vous)* me dire où je peux trouver le rayon jouets ?

2 – Prenez l'escalier mécanique ici à droite,

3 et ensuite, montez jusqu'au troisième étage, madame !

4 Vous les trouverez sur votre gauche, à côté des vêtements pour enfants.

5 – Tante Ida, je veux ce ballon jaune et vert, [ce] sont les couleurs de mon équipe !

6 – Moi, je veux aussi le maillot bleu ciel de la "Nationale" !

7 – Non, ce n'est pas juste, tu achètes plus de choses à lui qu'à moi !

8 – Si, c'est juste, parce que ton ballon est plus gros *(grand)* que le mien !

▸ **giocattoli che libri**, *Luca a plus de jouets que de livres.* Mais **Luca ha più giocattoli di Carlo**, *Luca a plus de jouets que Carlo.*

9 – Bambini, smettete immediatemente di fare storie, o non avrete niente ④!

10 Avete capito? Se non la smettete ⑤ nessuno avrà niente! ☐

Notes

④ **non avrete niente**, *vous n'aurez rien* : dans une phrase négative, la règle générale veut qu'il y ait toujours un élément négatif devant le verbe. Donc, lorsque nous avons des pronoms négatifs, comme **niente**, *rien* ou **nessuno**, *personne* (phrase 10) : soit ils sont en début de phrase, auquel cas une seule négation suffit, ▶

***

Esercizio 1 – Traducete

❶ Scusi, dove posso trovare il reparto abbigliamento? ❷ Lo trova sulla Sua destra, affianco ai giocattoli. ❸ Signora, prenda la scala mobile e salga fino al quinto piano. ❹ Marco, guarda questo pallone. ❺ Bambini, smettete di correre o nessuno avrà niente.

Esercizio 2 – Completate

❶ Maman, tu achètes plus de jouets à Luisa qu'à moi.
Mamma, ... giocattoli a Luisa . . .
. . . .

❷ Prenez ce tee-shirt, Madame, c'est votre taille !
. . . . . . questa . . . ., Signora, è la . . . taglia!

❸ Personne n'a vu mon ballon ?
. . . . visto . . . . . pallone?

9 – [Les] enfants, arrêtez immédiatement de faire des histoires, ou vous n'aurez rien !

10 Vous avez compris ? Si vous n'*(l')*arrêtez pas, personne [n']aura rien !

▸ soit ils sont situés après le verbe, ce qui entraîne une double négation. Ainsi, *Personne n'est venu* pourra se dire **Nessuno è venuto** ou **Non è venuto nessuno**.

⑤ **La smettete?**, *Vous arrêtez ?* ou **La smetti?**, *Tu arrêtes ?*, sont des expressions très courantes dans la langue parlée uniquement.

***

Corrigé de l'exercice 1

❶ Excusez-moi, où puis-je trouver le rayon vêtements ? ❷ Vous le trouvez sur votre droite, à côté des jouets. ❸ Madame, prenez l'escalier mécanique et montez jusqu'au cinquième étage. ❹ Marco, regarde ce ballon ! ❺ Les enfants, arrêtez de courir, ou personne n'aura rien.

❹ Les enfants, regardez où vous mettez les pieds et arrêtez de faire des histoires !

Bambini, ... dove . . . . i piedi e . . . . di . . . . !

❺ Marco, mange ta glace et achète des gâteaux pour Luisa !

Marco, ... gelato e . . . . . . dei . . . . per Luisa!

Corrigé de l'exercice 2

❶ – compri più – che a me ❷ Prenda – maglietta – Sua – ❸ Nessuno ha – il mio – ❹ – guardate – mettete – smettete – fare storie ❺ – mangia il tuo – compra – biscotti –

Le **calcio**, le foot, est assurément le sport national par excellence des Italiens. Ils s'y mettent très tôt, dès leur plus jeune âge... ce qui renvoie aux images bien connues de petits groupes d'enfants ou d'adolescents jouant au foot dès qu'ils disposent du moindre espace : cour, terrasse, plage, tout s'y prête. Cette passion génère

53 Cinquantatreesima lezione

Quanta pazienza!

1 – Mio Dio, con questi bambini ci vuole ①
   veramente ② una pazienza infinita,
2 e non bisogna ③ mai perderli di vista...
3 Confesso che il pomeriggio è stato un po'
   difficile.
4 Il negozio era pieno zeppo ④,
5 loro correvano di qua e di là,
6 toccavano tutto, volevano tutto.

Notes

① **ci vuole**, il faut, est toujours suivi d'un substantif singulier. On utilise **ci vogliono**, il faut, lorsque le substantif qui suit cette expression est au pluriel. Notez bien que ces deux expressions ne fonctionnent que suivies d'un substantif, seul ou accompagné d'un adjectif : **Ci vuole molta pazienza**, Il faut beaucoup de patience.

② **veramente**, vraiment : les adverbes se forment à partir de la forme féminine de l'adjectif, à laquelle on ajoute le suffixe **-mente** : **vero**, vrai → **vera-mente**, vraiment ; **sicuro**, sûr → **sicura-mente**, sûrement.

③ **Non bisogna perderli de vista**, Il ne faut pas les perdre de vue ; on utilise impérativement l'expression invariable **bisogna** lorsque l'idée d'obligation est exprimée par un verbe : **Bisogna avere pazienza**, Il faut avoir de la patience.

▶

aussi des images de foules en liesse à l'occasion des victoires et donne lieu à des discussions à la fois animées et interminables, notamment dans les cafés le lundi matin, après les matches du dimanche et la lecture du journal sportif **La gazzetta dello sport**.

Deuxième vague : 3ᵉ leçon

Cinquante-troisième leçon   53

Que *(Combien)* [de] patience !

1 – Mon Dieu, avec ces enfants, il faut vraiment
        [avoir] une patience infinie,
2   et il ne faut jamais les perdre de vue…
3   J'avoue que l'après-midi a été un peu difficile.
4   Le magasin était plein à craquer,
5   ils couraient de-ci de-là,
6   ils touchaient [à] tout, ils voulaient tout.

QUANTA PAZIENZA !

▶ ④ **pieno zeppo**, *plein à craquer*, est une expression très courante
      dans la langue parlée. On peut se contenter d'ailleurs de l'ad-
      jectif **zeppo** seul : **Il treno era zeppo**, *Le train était bondé*.

7 E **io** non smett**e**vo di d**i**re: "Non toccate, non romp**e**te ⑤!

8 Antonio, non c**o**rrere! M**a**rco, non grid**a**re!…"

9 E pens**a**vo **a**lla n**o**nna Teresa qu**a**ndo dic**e**va che con i bamb**i**ni,

10 ci v**o**gliono sempre c**e**nto **o**cchi! □

Note

⑤ **non toccate**, *ne touchez pas* : on obtient la forme négative de l'impératif à la 2ᵉ personne du pluriel tout simplement en ▸

***

Esercizio 1 – Traducete

❶ Bambini, non correte e non gridate. ❷ Marco, non toccare i giocattoli, Luca non rompere i bicchieri. ❸ Con Paolo ci vuole molta pazienza. ❹ Bisogna avere cento occhi con questo bambino! ❺ In un guardaroba ci vogliono sempre degli abiti eleganti.

Esercizio 2 – Completate

❶ Il ne faut jamais perdre de vue les enfants !
   Non . . . . mai . . . . i bambini!

❷ Marco, ne cours pas de-ci de-là et ne touche pas aux *(les)* jouets !
   Marco, non . . . . e .. . . . e non . . . . i giocattoli!

❸ Il faut beaucoup de retouches à ce pantalon.
   .. . . molte . . . . a questo pantalone.

7 et je n'arrêtais pas de dire : "Ne touchez pas, ne cassez [rien] !

8 Antonio, ne cours pas ! Marco, ne crie pas !"

9 Et je pensais à *(la)* grand-mère Teresa quand elle disait qu'avec les enfants,

10 il faut toujours [avoir] une centaine *(cent)* d'yeux !

▸ ajoutant la négation **non** à l'impératif positif. En revanche, pour la 2ᵉ personne du singulier, il faut utiliser l'infinitif : **Luca, non correre!** (litt. "ne pas courir !"), *Lucas, ne cours pas!*

***

Corrigé de l'exercice 1

❶ Les enfants, ne courez pas et ne criez pas ! ❷ Marco, ne touche pas aux jouets, Luca, ne casse pas les verres ! ❸ Avec Paolo, il faut avoir beaucoup de patience. ❹ Il faut avoir une centaine d'yeux avec cet enfant ! ❺ Dans une garde-robe, il faut toujours avoir des vêtements élégants.

❹ Avec une veste rouge, il faut une jupe noire.

Con una . . . . . . rossa . . . . una . . . . . nera.

❺ Luca et Luisa, ne touchez [à] rien et arrêtez de crier !

Luca e Luisa, non . . . . e . . . . di gridare!

Corrigé de l'exercice 2

❶ – bisogna – perdere di vista – ❷ – correre di qua – di là – toccare – ❸ Ci vogliono – modifiche – ❹ – giacca – ci vuole – gonna – ❺ – toccate niente – smettete –

Deuxième vague : 4ᵉ leçon

54 Cinquantaquattresima lezione

Che ① comodi, i cellulari!

1 – Ciao, Carla, siamo quasi arrivate a Roma,
2   siamo in autostrada, ma siamo un po'
    perse!
3 – L'uscita migliore per arrivare da me ② è la
    Salaria.
4   Una volta che ci siete, seguitela ③ sempre,
5   e in dieci minuti siete a casa mia.
6 – Non vedo l'ora ④! Figurati che siamo
    partite da Firenze da tre ore circa,
7   ma abbiamo avuto a lungo una sola corsia,
8   perché c'erano dei lavori in corso.
9 – Coraggio, ce l'avete quasi fatta ⑤! Sai chi
    c'è con noi stasera?
10 Francesco, quel ragazzo di Venezia che
    trovavi così simpatico!
11 E resta a Roma ancora due giorni.

Notes

① **che comodi**, *c'est bien pratique* + pluriel : il est également possible de dire **come sono comodi**, ou **quanto sono comodi**, mais la langue parlée va souvent au plus simple et dira **che comodi**, **che belle**, etc. Notez que l'adjectif s'accorde avec le substantif : **Che comoda, l'autostrada!**, *C'est bien pratique, l'autoroute !*

② **da me** et **a casa mia** ont exactement le même sens, *chez moi*. Utilisez l'expression que vous préférez !

③ **seguitela**, *suivez-la* : lorsque le verbe est à l'impératif, le pronom personnel le suit et s'y rattache : **prendilo**, *prends-le*. Notez que l'accent du verbe ne se déplace pas. ▸

C'est bien pratique *(Que commodes)*, les portables !

1 – Salut, Carla, nous sommes presque arrivées à Rome,

2   nous sommes sur *(en)* [l']autoroute, mais nous sommes un peu perdues !

3 – La meilleure sortie pour arriver chez moi est la Salaria.

4   Une fois que vous y êtes, suivez-la toujours,

5   et en dix minutes vous êtes chez moi *(à ma maison)*.

6 – J'ai hâte [d'y être] *(Je ne vois pas l'heure)* ! Figure-toi que nous sommes parties de Florence depuis près de trois heures,

7   mais nous avons eu longtemps une seule voie,

8   parce qu'il y avait des travaux *(en cours)*.

9 – Courage, vous y êtes presque *(y l'avez presque faite)* ! Sais-tu qui est avec nous ce soir ?

10   Francesco, ce garçon de Venise que tu trouvais si sympathique !

11   Et il reste à Rome encore deux jours !

▸ ④ **non vedo l'ora**, *j'ai hâte* ; cette expression idiomatique s'emploie très souvent… Retenez-la bien ! **Non vedo l'ora di essere a Roma**, *J'ai hâte d'être à Rome.*

⑤ **ce l'avete fatta**, *vous y êtes*, est une autre expression idiomatique très courante, à utiliser pour exprimer la réussite, le fait d'y arriver: **Ce la fai? – Sì, sì, grazie, ce la faccio!**, *Tu y arrives ? – Oui, oui, merci, j'y arrive !*

54

12 – Carla, devo chiudere, non ho più credito sulla scheda telefonica…! □

***

Esercizio 1 – Traducete

❶ Prendete la Salaria e seguitela sempre fino a casa mia. ❷ Siamo partite da un'ora circa e siamo quasi arrivate a Roma. ❸ Sull'autostrada c'erano dei lavori in corso e abbiamo avuto a lungo una sola corsia. ❹ Ci siamo un po' perse, ma poi ce l'abbiamo fatta. ❺ Devo chiamare Francesco, ma non ho più credito sulla scheda telefonica.

Esercizio 2 – Completate

❶ Qu'elle est commode, cette autoroute ! Nous sommes arrivés en deux heures.

. . . . questa autostrada! Siamo
. . . . due . . . .

❷ Je ne sais pas où est la Salaria ! Demande-le à Paolo !

. . . . . dov'è la Salaria! . . . . a Paolo!

❸ J'ai hâte d'être à Florence ! Nous sommes parties depuis deux heures !

. . . . di essere a Firenze! Siamo
. . . . due ore!

❹ Encore vingt minutes et nous y sommes !

Ancora . . . . e . . l' . . . .
. . . . . !

❺ Tu sais qui est avec nous aujourd'hui ? Ida, cette fille si sympathique !

. . . . . . è con noi oggi? Ida . . . . . . ragazza
. . . . simpatica!

12 – Carla, je dois raccrocher *(fermer)*, je n'ai plus d'unités *(de crédit)* sur ma *(la)* carte téléphonique !

***

Corrigé de l'exercice 1

❶ Prenez la Salaria et suivez-la toujours jusque chez moi. ❷ Nous sommes parties depuis une heure environ et nous sommes presque arrivées à Rome. ❸ Sur l'autoroute, il y avait des travaux et nous avons eu longtemps une seule voie. ❹ Nous nous sommes un peu perdues, mais ensuite nous y sommes arrivées. ❺ Je dois appeler Francesco, mais je n'ai plus de crédit sur ma carte téléphonique.

Corrigé de l'exercice 2

❶ Che comoda – arrivati in – ore ❷ Non so – Chiedilo – ❸ Non vedo l'ora – partite da – ❹ – venti minuti – ce – abbiamo fatta ❺ Sai chi – quella – così –

Deuxième vague : 5ᵉ leçon

55 Cinquantacinquesima lezione

Guarda chi è arrivato!

1 – Finalmente, eccovi qui!
2   Non è stato difficile con le mie indicazioni!
3 – No, no, è stato facilissimo!
4   Ma se non ti dispiace ho bisogno ① di un bicchiere d'acqua.
5   Il viaggio è stato un po' agitato.
6   Sai che siamo partite con la macchina di Claudio,
7   e naturalmente la polizia ci ha fermate per un controllo.
8 – Luisa non aveva allacciato la cintura di sicurezza
9   e abbiamo avuto una bella multa ②.
10   Per la rabbia Luisa ha versato del caffè…
11   sui meravigliosi sedili di pelle ③ di questa super macchina!
12   Però abbiamo chiacchierato un sacco, di vestiti, di film, di uomini…
13   A che ora arriva Francesco…?   □

Notes

① **ho bisogno**, *j'ai besoin*, est une expression très pratique car elle peut être suivie aussi bien d'un nom que d'un verbe : **Ho bisogno di una gonna**, *J'ai besoin d'une jupe*, ou **Hai bisogno di comprare una gonna**, *Tu as besoin d'acheter une jupe*.

② **una bella multa**, *une bonne amende* : voici un emploi détourné de l'adjectif **bello** qui apporte une nuance un peu ironique au ▶

Regarde qui est arrivé !

1 – Enfin, vous voilà *(voilà-vous ici)* !
2   Ça n'a pas été difficile, avec mes indications !
3 – Non, non, ça a été très facile !
4   Mais si cela ne t'ennuie pas, j'ai besoin d'un
        verre d'eau.
5   Le voyage a été un peu agité.
6   Tu sais que nous sommes parties avec la voiture
        de Claudio,
7   et, naturellement, la police nous a arrêtées pour
        un contrôle.
8 – Luisa n'avait pas attaché sa *(la)* ceinture de
        sécurité,
9   et nous avons eu une sacrée *(belle)* amende !
10 De rage *(Pour la colère)*, Luisa a renversé du
        café…
11 sur les merveilleux sièges en cuir de cette super
        voiture !
12 Mais nous avons énormément bavardé *(un tas)*,
        de vêtements, de films, d'hommes…
13 À quelle heure arrive Francesco… ?

▸ substantif qu'il qualifie : **È una bella lezione!**, *C'est une bonne
  leçon !* Comparez avec le français : "C'est un beau gâchis !"

③ **i sedili di pelle**, *les sièges en cuir* : le complément de matière
  italien est toujours introduit par la préposition **di** : **un bicchiere
  di carta**, *un verre en papier.*

Esercizio 1 – Traducete

❶ Ho bisogno di un caffè e di un bicchiere d'acqua. ❷ Con le tue indicazioni è stato facilissimo arrivare qui. ❸ Luisa ha avuto una multa perché non aveva allacciato la cintura di sicurezza. ❹ Maria ha versato del caffè sui sedili di pelle! ❺ Hanno parlato di molte cose, di vestiti, di film...

Esercizio 2 – Completate

❶ Regarde qui est là !

. . . . c'è!

❷ Enfin, tu es arrivé ! As-tu besoin de quelque chose ?

. . . . sei arrivato! . . . . di qualcosa?

❸ Ça a été très facile d'arriver ici !

. . . . arrivare . . . !

❹ Nous avons eu un voyage un peu agité, mais nous avons beaucoup bavardé.

. . . . un viaggio . . . . . agitato, ma abbiamo . . . . molto.

❺ À quelle heure arrive Francesco ? – Il est déjà là !

. . . . arriva Francesco? – È già . . . !

Corrigé de l'exercice 1

❶ J'ai besoin d'un café et d'un verre d'eau. ❷ Avec tes indications, ça a été très facile d'arriver ici. ❸ Luisa a eu une contravention parce qu'elle n'avait pas attaché sa ceinture de sécurité. ❹ Maria a renversé du café sur les sièges en cuir ! ❺ Elles/Ils ont parlé de beaucoup de choses, de vêtements, de films…

Corrigé de l'exercice 2

❶ Guarda chi – ❷ Finalmente – Hai bisogno – ❸ È stato facilissimo – qui ❹ Abbiamo avuto – un po' – chiacchierato – ❺ A che ora – qui

Deuxième vague : 6e leçon

56 Cinquantaseiesima lezione

Revisione – Révision

1 L'impératif

1.1 Emploi

L'impératif a les mêmes emplois en français et en italien. À la forme affirmative, il exprime un ordre, une demande, une suggestion ou un conseil ; à la forme négative, l'interdiction ou la défense de faire quelque chose.

1.2 L'impératif à la forme affirmative

Les formes de l'impératif, à l'exception de la deuxième personne du singulier des verbes du premier groupe, sont identiques à celles du présent de l'indicatif :

parl-are, *parler*	→ **parl-a**!, **parl-iamo**!, **parl-ate**!
prend-ere, *prendre*	→ **prend-i**!, **prend-iamo**!, **prend-ete**!
sal-ire, *monter*	→ **sal-i**!, **sal-iamo**!, **sal-ite**!

Pour la formule de politesse, l'impératif emprunte au présent du subjonctif les formes de la 3e personne du singulier et du pluriel. Cette dernière est toutefois très peu utilisée, car très formelle. À la place on revient au "vous", et donc à la 2e personne du pluriel. Gardez ce principe en mémoire, ainsi que les quelques exemples que nous avons déjà rencontrés ; nous y reviendrons lorsque nous aborderons le subjonctif.

1.3 L'impératif négatif

Il se forme tout simplement en faisant précéder les formes affirmatives par la négation **non**.
Attention toutefois, cette règle compte une exception… À la 2e personne du singulier, on utilise la forme négative de l'infinitif :

Non comprare!	*N'achète pas !*
Non credere!	*Ne crois pas !*
Non venire!	*Ne viens pas !*

1.4 L'impératif et les pronoms

Lorsque l'impératif affirmatif est accompagné d'un des pronoms personnels **lo**, *le* ; **la**, *la* ; **li**, *les* ; **le**, *les* ; **ne**, *en*, ces derniers doivent obligatoirement le suivre et fusionnent avec le verbe : **Compra la!**, *Achète-la !*
Cette règle est facultative pour l'impératif négatif : *Ne la prends pas !*, peut donc se dire **Non prenderla!** ou **Non la prendere!**

2 Les traductions de "il faut"

Pour traduire *il faut*, l'italien utilise les expressions :

– **ci vuole** / **ci vogliono** devant un nom :
Ci vuole un'ora per arrivare a Roma? – No, ci vogliono due ore!, *Il faut une heure pour arriver à Rome ? – Non il faut deux heures !*

– **si deve** / **si devono** devant un verbe :
Si deve comprare il pane? – No, ma si devono comprare i grissini, *Faut-il acheter du pain ? – Non, mais il faut acheter les gressins.*

– **c'é bisogno**, *il y a besoin* (ou *il faut*) indifféremment devant un nom ou un verbe :
Non c'è bisogno di niente, *Il n'y a besoin de rien* ; **Non c'è bisogno di comprare altro**, *Il n'est pas nécessaire d'acheter autre chose.*

– **aver bisogno**, *avoir besoin*, indifféremment devant un nom ou un verbe :
Non ho bisogno di niente, *Je n'ai besoin de rien* ; **Non ho bisogno di comprare altro**, *Je n'ai pas besoin d'acheter autre chose.*

3.1 Les comparatifs

Lorsque l'on procède à des comparaisons, les formules les plus utilisées sont les suivantes :
– **più di**, *plus que* :
La giacca è più cara della gonna.
La veste est plus chère que la jupe.

– **meno di**, *moins que* :
Il pantalone è meno caro della giacca.
Le pantalon est moins cher que la veste.

Notez qu'une phrase telle que **Questa giacca è più comoda che elegante**, *Cette veste est plus confortable qu'élégante*, est parfaitement correcte, mais peu employée. On lui préfèrerait une phrase du genre : **Questa giacca è comoda, ma non molto elegante.**

3.2 Les superlatifs relatifs

Ils s'utilisent presque de la même manière qu'en français. Regardez les exemples ci-dessous, voyez-vous la petite différence ? Alors que le français double l'article défini (*le jouet le plus (...)*), l'italien ne l'utilise qu'une fois (**il giocattolo più (...)**).

– **Il più di**, *le plus... de* :
È il giocattolo più caro di tutti, *C'est le jouet le plus cher de tous.*

– **Il meno di**, *le moins... de* :
Sono le valigie meno pesanti di tutte, *Ce sont les valises les moins lourdes de toutes.*

4 Les pronoms et adjectifs indéfinis

4.1 *Nessuno, niente*

Tous deux sont des pronoms que l'on utilise dans des phrases telles que :
Nessuno è venuto, *Personne n'est venu.*
Niente è impossibile, *Rien n'est impossible.*

Notez qu'il est possible de placer **nessuno** et **niente** à la fois en début de phrase, comme dans les exemples précédents, et en fin de phrase : **Non è venuto nessuno**, *Personne n'est venu*. Dans ce cas, il faut faire précéder le verbe de la négation **non**.

Observez enfin que **nessuno** peut avoir également une fonction d'adjectif, comme dans la phrase : **Non avrai nessun giocattolo**, *Tu n'auras aucun jouet.*

4.2 *Qualche*

Attention, l'indéfini **qualche**, *quelques*, adjectif uniquement, est invariable et impose que le nom qui le suit soit au singulier : **qualche giacca**, *quelques vestes* ; **qualche giacattolo**, *quelques jouets.*

Notez bien que **qualche** ne se traduit jamais par *quelque*, au singulier.

5 Les interrogatifs

5.1 *quale*, *quali*, pronoms interrogatifs

Vous savez déjà que **quale**, *lequel, laquelle ?* et son pluriel **quali**, *lesquels, lesquelles ?* font partie des pronoms interrogatifs les plus utilisés en italien :
Quale desidera?, *Lequel/Laquelle désirez-vous ?*
Quali desidera?, *Lesquels/Lesquelles désirez-vous ?*

5.2 *quale*, *quali*, adjectifs interrogatifs

Vous savez également que **quale**, *quels, quelles*, et **quali**, *quels, quelles*, peuvent avoir une fonction d'adjectif : **Quale gonna desidera?**, *Quelle jupe désirez-vous ?*

La nouveauté (rencontrée en leçon 50), réside dans le fait d'apprendre que, dans la langue parlée, on remplace volontiers ces adjectifs par **che** :
Che gonna desidera?, *Quelle jupe désirez-vous ?*
Che giocattoli desidera?, *Quels jouets désirez-vous ?*

La formation des adverbes italiens ne présente aucune difficulté. On construit un adverbe en ajoutant le suffixe **-mente** au féminin singulier de l'adjectif correspondant. Par exemple, le féminin de **vero**, *vrai*, est **vera**, *vraie* ; l'adverbe correspondant à **vero** est donc : **vera** + **mente** = **veramente**, *vraiment*.

Dialogo di revisione

1 – Vorrei misurare quella gonna blu, per cortesia, taglia quaranta.

2 – Mi dispiace, mi è rimasta solo in rosso,

3 ma secondo me è molto più carina della blu! La provi!

4 Guardi, le sta benissimo, si deve solo accorciare un pochino!

5 – Mi sa dire dove posso trovare il reparto giocattoli?

6 – Prenda la scala mobile e salga al terzo piano, Signora.

7 – Marco, non toccare i giocattoli e guarda dove metti i piedi!

8 Con questi bambini ci vuole una pazienza infinita!

9 Ah, il mio cellulare (...) ciao Rita, (...) sì, prendete la Salaria e seguitela sempre!

10 (...) Cosa dici? (...) Luisa ha versato del caffè sui sedili di pelle della super macchina di Claudio!?

Entraînez-vous à retrouver le sens de ces phrases… Cherchez bien,
elles se trouvent toutes au sein des six leçons précédentes !

Vorrei misurare quella gonna!
Ho bisogno di un bicchiere d'acqua!
Ci vuole molta pazienza!
Luca, smetti di fare storie!
Coraggio, ce l'avete fatta!

Traduction

1 Je voudrais essayer cette jupe bleue, s'il vous plaît, [en]
taille quarante. **2** Je suis désolée, il ne m'en reste qu'en rouge
(elle ne m'est restée qu'en rouge), **3** mais, d'après moi, elle
est beaucoup plus jolie que la bleue. Essayez-la ! **4** Regardez,
elle vous va très bien, il faut seulement la raccourcir un peu !
5 Pouvez-vous me dire où je peux trouver le rayon jouets ?
6 Prenez l'escalier mécanique et montez jusqu'au troisième étage,
Madame ! **7** Marco, ne touche pas aux jouets, et regarde où tu
mets les pieds ! **8** Avec ces enfants, il faut une patience infinie !
9 Ah, mon portable ! (…) Salut, Rita, (…) Oui, prenez la Salaria,
et suivez-la toujours ! **10** (…) Qu'est-ce que tu dis ? (…) Luisa
a renversé du café sur les sièges en cuir de la super voiture de
Claudio !?

Deuxième vague : 7ᵉ leçon

57 Cinquantasettesima lezione

Io non ho progetti per le vacanze!

1 – E voi che progetti avete per le vacanze?
2 – Siamo ancora un po' incerti.
3 – Come al solito decideremo ① all'ultimo
  minuto.
4 – A volte mi piace ② pensare che andremo ③
  semplicemente al mare;
5 – altre volte, invece, che partiremo ④ per un
  paese lontanissimo,
6 – che scopriremo un altro continente…
7 – Se capisco bene, i programmi troppo precisi
  non ti piacciono molto.
8 – No, per niente. Ho sempre bisogno di
  sognare.
9 – Se penso che partirò tra un mese
  esattamente,
10 – che avrò già prenotato ⑤ tutto,

Notes

① **decideremo**, *nous déciderons*, est la 1ʳᵉ personne du pluriel du
  futur du verbe **decidere**, *décider*. Aux 1ᵉʳ et 2ᵉ groupes, le futur
  se construit avec le radical de l'infinitif et les terminaisons **erò,
  erai, erà, eremo, erete, eranno**.

② Observez qu'il n'y a pas de préposition après **mi piace** ; **mi
  piace sognare**, *il me plaît de/j'aime rêver*. Observez aussi que
  nous disons **mi piace partire**, et non **amo partire**. En effet,
  l'italien n'utilise le verbe **amare** que pour exprimer un sentiment amoureux. Nous y reviendrons.

Je n'ai pas [de] projets pour les vacances !

1 – Et vous, quels projets avez-vous pour les
      vacances ?
2 – Nous sommes encore un peu indécis.
3   Comme d'habitude, nous déciderons à la
      dernière minute.
4   Parfois j'aime *(il me plaît de)* penser que nous
      irons simplement à la mer ;
5   d'autres fois, en revanche, que nous partirons
      pour un pays *(très)* lointain,
6   que nous découvrirons un autre continent…
7 – Si je comprends bien, les programmes trop
      précis ne te plaisent pas beaucoup.
8 – Non, [ils ne me plaisent] pas du tout. J'ai
      toujours besoin de rêver.
9   Si je sais *(pense)* que je partirai dans un mois
      exactement,
10   qu'[alors] j'aurai déjà tout réservé,

▶ ③ **andremo**, *nous irons* : de nombreux verbes irréguliers au pré-
     sent de l'indicatif le sont également au futur. C'est le cas de
     andare, *aller*, dont vous trouverez la conjugaison complète au
     sein de l'appendice grammatical.

④ **partiremo**, *nous partirons*, vient du verbe **partire**, *partir*, et
   scopriremo, *nous découvrirons* (phrase 6), du verbe **scoprire**,
   découvrir. Les terminaisons des verbes du 3e groupe sont **irò**,
   irai, **irà**, **iremo**, **irete**, **iranno**.

⑤ **avrò prenotato**, *j'aurai réservé* : le futur antérieur se forme
   et s'utilise exactement comme en français. Le futur de l'auxiliaire **avere** ou **essere** est suivi du participe passé du verbe.

11 che vedrò ⑥ solo quello che prevedono le
guide,

12 mi sento soffocare già da adesso. ☐

Note

⑥ **vedrò**, *je verrai*, est le futur du verbe **vedere**, *voir*. Ici aussi,
vous pouvez constater une petite irrégularité. Si vous êtes ▸

***

Esercizio 1 – Traducete

❶ E tu, che progetti hai per domani? ❷ Non so. I
programmi troppo precisi non mi piacciono per
niente. ❸ Andranno al mare la settimana prossima.
❹ Vedranno solo quello che prevede la loro guida.
❺ Scoprirò un continente lontano.

Esercizio 2 – Completate

❶ J'aime savoir *(Il me plaît de penser)* que j'ai déjà réservé la
chambre.

.. .. che ho già .... la
camera.

❷ Nous partirons dans un mois.

.... un mese.

❸ Je n'ai aucun projet pour la semaine prochaine.

Non ho .... per la settimana
....

❹ Ces guides ne me plaisent pas du tout.

Queste guide ... .
....

❺ Il a toujours besoin de rêver.

.. sempre .... di ....

11   [et] que je ne verrai que ce que prévoient les
       guides,
12   j'étouffe déjà *(je me sens déjà étouffer par ça)*.

▸ curieux de découvrir les conjugaisons des verbes irréguliers
  au futur, rendez-vous vite à l'appendice grammatical.

***

Corrigé de l'exercice 1

❶ Et toi, quels projets as-tu pour demain ? ❷ Je ne sais pas. Les
programmes trop précis ne me plaisent pas du tout. ❸ Ils iront à la
mer la semaine prochaine. ❹ Ils ne verront que ce que prévoit leur
guide. ❺ Je découvrirai un continent lointain.

Corrigé de l'exercice 2

❶ Mi piace pensare – prenotato – ❷ Partiremo tra – ❸ – nessun
progetto – prossima ❹ – non mi piacciono per niente ❺ Ha –
bisogno – sognare

SCOPRIRÒ UN CONTINENTE LONTANO.

Deuxième vague : 8ᵉ leçon

58 Cinquantottesima lezione

Un'organizzazione perfetta

1 – Io sono tutto il contrario di Carla,
2 mi piace programmare i miei spostamenti
fin nei minimi ① dettagli:
3 dove sarò ②, che cosa farò, quando
tornerò ③…
4 – Allora sai già quando partirai e che cosa
farai?
5 – Certamente ④! E anche quando partiranno i
bambini e che cosa faranno!
6 – E allora?
7 – Passeranno due settimane dagli zii, con i
loro cugini ⑤.
8 Lisa scoprirà la barca a vela e Antonio
l'equitazione.
9 Naturalmente avranno anche dei corsi di
nuoto.

Notes

① **i minimi**, *les plus petits*, vous ne tarderez pas à le constater,
l'italien possède de nombreux superlatifs absolus irréguliers.
Ici, au lieu de **i minimi dettagli**, nous aurions pu écrire **i più
piccoli dettagli**, sans modifier le sens de la phrase.

② L'infinitif de **sarò**, *je serai*, est **essere**, *être*, celui de **farò**, *je
ferai* est **fare**, *faire*, et celui de **avranno**, *ils auront* (phrase
9), est **avere**, *avoir*. Vous trouverez les formes des futurs des
auxiliaires en leçon de révision et celles de **fare** au sein de
l'appendice grammatical. ▸

Une organisation parfaite

1 – Je suis tout le contraire de Carla,

2 J'aime bien programmer mes déplacements jusque dans les moindres *(plus petits)* détails :

3 où je serai, ce que je ferai, quand je rentrerai *(reviendrai)*…

4 – Alors tu sais déjà quand tu partiras et ce que tu feras ?

5 – Bien sûr *(Certainement)* ! Et aussi quand partiront les enfants et ce qu'ils feront !

6 – Et alors ?

7 – Ils passeront deux semaines chez leurs *(les)* oncles, avec leurs cousins.

8 Lisa découvrira le bateau à voiles et Antonio, l'équitation.

9 Naturellement, ils prendront *(auront)* aussi des cours de natation.

▶ ③ **tornerò** est le futur de **tornare**, *revenir*. Observez qu'au futur, les terminaisons des verbes réguliers du 1er groupe prennent un **e** en lieu et place du **a** de l'infinitif.

④ **certamente** et **certo** (phrase 12) sont parfaitement synonymes.

⑤ **i loro cugini**, *leurs cousins* : vous souvenez-vous de la règle de l'utilisation des adjectifs possessifs avec les noms de famille (leçons 10 et 14) ?

10 Invece per Piero e per me ho previsto un corso di alta cucina e uno di enologia.

11 – E poi partirete tutti insieme?

12 – Certo, passeremo due settimane in montagna, e ci ho iscritti ad una ⑥ corale. □

Note

⑥ **ad una**, *à une* : rappelez-vous que lorsque le **a** ou le **e** précèdent un mot commençant par une voyelle, on leur ajoute généralement un **d** pour rendre la prononciation plus facile. **Parlo ad Aldo**, *Je parle à Aldo* ; **Paolo ed Aldo**, *Paolo et Aldo*.

***

Esercizio 1 – Traducete

❶ Stupendo! Sappiamo già dove saremo per le vacanze! ❷ E sapete anche quando partirete e quando tornerete? ❸ Carla programma i minimi dettagli, i minimi spostamenti. ❹ L'anno prossimo farò un corso di cucina e uno di enologia. ❺ Marco passerà due settimane in montagna, con i suoi cugini.

10 En revanche, pour Piero et pour moi, j'ai prévu un stage de grande cuisine *(cours de haute cuisine)* et un d'œnologie.

11 – Et ensuite, vous partirez tous ensemble ?

12 – Bien sûr, nous passerons deux semaines à la *(en)* montagne, et je nous ai inscrits à une chorale.

STUPENDO ! SAPPIAMO GIÀ DOVE SAREMO PER LE VACANZE !

***

Corrigé de l'exercice 1

❶ Fantastique ! Nous savons déjà où nous serons pendant les vacances ! ❷ Et vous savez aussi quand vous partirez et quand vous reviendrez ? ❸ Carla programme les moindres détails, les moindres déplacements. ❹ L'an prochain, je suivrai un stage de cuisine et un d'œnologie. ❺ Marco passera deux semaines à la montagne, avec ses cousins.

58 Esercizio 2 – Completate

❶ Je suis le contraire de Giovanna, je ne programme jamais rien.

Sono . . . . di Giovanna, non programmo . . . .

❷ J'aime beaucoup passer mes vacances à la mer.

. . . . molto passare le vacanze . . . .

❸ Paolo aura un stage de natation dans deux semaines.

Paolo . . . . un corso di . . . . . tra due . . . .

❹ Demain je serai à la montagne, chez mes oncles.

Domani . . . . , dai . . . .

❺ Nous découvrirons la voile et Lisa, l'équitation.

. . . . la vela e Lisa . . . .

L'abondance de superlatifs irréguliers en italien s'explique par l'histoire de la langue. En effet, pendant six siècles environ, du XIIe au XIXe siècle, elle n'a été utilisée que dans les écrits littéraires. Au quotidien, on utilisait des dialectes différents selon les régions et le latin continuait à être utilisé dans l'enseignement, les traités scientifiques, les écrits religieux, etc. En 1870, date de l'unification

❶ – il contrario – mai niente ❷ Mi piace – al mare ❸ – avrà – nuoto – settimane ❹ – sarò in montagna – miei zii ❺ Scopriremo – l'equitazione

politique de l'Italie, le pays s'est acheminé vers une langue commune à tout le territoire, une langue qui a assimilé de nombreuses variantes régionales et beaucoup de mots latins à peine italianisés ; c'est le cas de **minimo***, que nous rencontrons ici et d'***ottimo** *et* **pessimo** *que nous avons déjà croisés (leçon 38).*

Deuxième vague : 9ᵉ leçon

59 Cinquantanovesima lezione

Un vecchio sogno

1 – Sono in uno stato di eccitazione incredibile,
2   sto per realizzare ① un sogno che ho da
    anni:
3   sono riuscito ② ad ottenere una borsa di
    studio
4   e potrò ③ passare un intero anno sabbatico
    in India.
5   Sono anni che lavoro sulla storia e sulle
    religioni di questo paese,
6   non mi sembra vero che finalmente vi ④
    farò un soggiorno così lungo!
7 – È un vero piacere vedere il tuo entusiasmo!
8   Non voglio raffreddarti,
9   ma non ti fa paura ⑤ l'idea di tuffarti in un
    ambiente così diverso dal tuo?
10 – No, per niente! Anzi ⑥ mi esalta!   □

Notes

① **sto per realizzare**, *je vais réaliser* ; cette tournure, **stare** +
per + verbe à l'infinitif, correspond à notre *être sur le point de*
et traduit un futur proche : **sta per partire**, *il va partir.*

② **sono riuscito**, *j'ai réussi* ; ici, vous constatez qu'il y a parfois
des différences dans le choix des auxiliaires entre les temps
composés italiens et français. Ainsi, **essere**, vous le savez, se
conjugue avec l'auxiliaire **essere** ; **riuscire**, *réussir*, également ! **Carlo è riuscito a partire**, *Carlo a réussi à partir.*

③ **potrò**, *je pourrai* est un autre futur irrégulier, celui du verbe
potere, *pouvoir* (voir l'appendice grammatical).   ▶

Un vieux rêve

1 – Je suis dans un état d'excitation incroyable,
2 je vais réaliser un rêve que j'ai depuis [des] années :
3 j'ai réussi à avoir une bourse d'étude[s],
4 et je pourrai passer toute une *(entière)* année sabbatique en Inde.
5 Ça fait *(sont)* des années que je travaille sur l'histoire et *(sur)* les religions de ce pays,
6 je n'arrive pas à croire *(il ne me semble pas vrai)* que j'y ferai enfin un séjour aussi long !
7 – C'est un vrai plaisir [que de] voir ton enthousiasme !
8 Je ne veux pas te refroidir,
9 mais l'idée de te plonger dans un milieu si différent du tien ne te fait pas peur ?
10 – Non, pas le moins du monde *(pour rien)* ! Au contraire, ça m'enthousiasme !

▶ ④ **vi**, *y*, est un synonyme de **ci**, mais il est adapté à des contextes plutôt formels.

⑤ En suivant le modèle de cette phrase : **Non ti fa paura l'idea di questo lungo viaggio?**, *L'idée de ce long voyage ne te fait pas peur ?* ; – **No, non mi spaventa per niente!**, – *Non, cela ne m'effraie pas le moins du monde !*, vous pouvez vous amuser à intervertir les verbes **far paura** et **spaventare**, car ils sont tous deux synonymes !

⑥ Mémorisez bien cette phrase et le sens du mot **anzi**, qui signifie ici *au contraire*. Il peut avoir d'autres sens, que nous découvrirons prochainement.

59 **Esercizio 1 – Traducete**

❶ Stiamo per ottenere una eccellente borsa di studio. ❷ Maria è riuscita a realizzare un sogno che aveva da tre anni. ❸ L'idea di passare il pomeriggio con loro non mi piace per niente. ❹ No, non mi fa paura! Anzi, mi piace! ❺ È un vero piacere conoscere l'India, la sua storia, le sue religioni!

Esercizio 2 – Completate

❶ Ils sont sur le point de partir pour une année sabbatique en Italie.

. . . . per un . . . .
. . . . in Italia.

❷ Nous avons réussi à nous inscrire à un cours d'œnologie.

. . . . a iscriverci ad un corso di
. . . .

❸ Nous voulons nous plonger dans un milieu très différent du nôtre.

. . . . in un ambiente molto
diverso . . . .

❹ Ils iront en France et ils y resteront trois semaines.

. . . . in Francia e . . . . tre
settimane.

❺ Nous ne sommes pas fatigués du tout, au contraire, nous sommes prêts à partir.

Non siamo stanchi . . . . siamo
pronti a partire.

❶ Nous sommes sur le point d'obtenir une excellente bourse d'études. ❷ Maria a réussi à réaliser un rêve qu'elle avait depuis trois ans. ❸ L'idée de passer la soirée avec eux ne me plaît pas du tout. ❹ Non, ça ne me fait pas peur ! Au contraire, ça me plaît ! ❺ C'est un vrai plaisir de connaître l'Inde, son histoire, ses religions !

Corrigé de l'exercice 2

❶ Stanno per partire – anno sabbatico – ❷ Siamo riusciti – enologia ❸ Vogliamo tuffarci – dal nostro ❹ Andranno – vi resteranno – ❺ – per niente anzi –

Deuxième vague : 10ᵉ leçon

60   Sessantesima lezione

Un paesaggio straordinario

1 – Guarda la meraviglia che ho appena
     comprato ①!
2   È uno degli ultimi modelli di apparecchi
     fotografici,
3   ed è commercializzato da una settimana
     solamente.
4   Ha un obiettivo superpotente ②,
     ipersensibile!
5   Farò delle foto grandiose.
6 – Credo che state ③ per partire per gli Stati
     Uniti!
7 – Sì, faremo la mitica traversata, da "costa a
     costa".
8   Lì, la natura è veramente straordinaria!

Notes

① **Mario è appena partito**, *Mario vient de partir* : l'adverbe
appena accompagné d'un verbe au passé composé, traduit la
tournure *je viens de*. N'oubliez pas que **appena** doit être placé
entre l'auxiliaire et le participe passé. Dans d'autres contextes,
il signifie *à peine* : **Mario, lo conosco appena**, *Mario, je le
connais à peine*.

② **super...**, **iper...** : encore des superlatifs ! mais cette fois-ci
beaucoup plus récents. En effet, à partir des années 60/70,
dans la langue parlée, dans les publicités et les journaux, ces
nouveaux préfixes superlatifs **super**, **iper**, **stra**, etc., se sont
multipliés. Cela donne des mots tels que : **strapotente**, *tout-
puissant* ; **iperinteressante**, *hyperintéressant* ; **superfacile**,
superfacile.   ▶

Un paysage extraordinaire

1 – Regarde la merveille que je viens d'acheter *(j'ai à-peine acheté)* !
2   C'est un des derniers modèles d'appareils photo,
3   et il n'est commercialisé que depuis une semaine.
4   Il a un objectif superpuissant, hypersensible !
5   Je ferai des photos grandioses.
6 – Je crois que vous allez partir pour les États-Unis !
7 – Oui, nous ferons la traversée légendaire *(mythique)* de "côte à côte".
8   Là[-bas] la nature est vraiment extraordinaire !

▶ ③ **state**, *vous êtes* : on utilise ici l'indicatif pour restituer le caractère informel de la conversation. Un registre plus soutenu aurait exigé le subjonctif : **stiate**. Nous y reviendrons.

9 Mi occorreva ④ un apparecchio all'altezza di tanta bellezza!

10 A dire il vero, avevo pensato di ⑤ comprare una cinepresa,

11 ma trovo che le foto mi riescono meglio! ☐

Notes

④ **mi occoreva**, *il me fallait*, est synonyme, dans un registre plus soutenu, de **avevo bisogno**. Le verbe **occorrere** ne s'emploie qu'à la troisième personne du singulier et du pluriel : **mi occorre un po' d'acqua**, *il me faut un peu d'eau* ; **mi occorrono due bicchieri**, *il me faut deux verres.* ▶

***

Esercizio 1 – Traducete

❶ Guardate la cinepresa che ho appena comprato, è straordinaria! ❷ Gli occorre una nuova macchina fotografica e deve essere superpotente. ❸ Con questo obiettivo ipersensibile faremo delle foto meravigliose! ❹ Sono appena tornati dalla mitica traversata "da costa a costa". ❺ È l'ultimo modello di macchina fotografica, è una meraviglia!

***

Esercizio 2 – Completate

❶ Nous venons de rencontrer Piero.

. . . . incontrato Piero.

❷ Il lui fallait une veste rouge.

. . . . una . . . . . . rossa.

❸ C'est un appareil photo hypersensible !

È una . . . . !

9 Il me fallait un appareil à la hauteur d'une telle **60**
   (de tant de) beauté !

10 À vrai dire, j'avais pensé *(de)* acheter une
   caméra,

11 mais je trouve que les photos me réussissent
   mieux !

▶ ⑤ **avevo pensato di** (litt. "j'avais pensé de"), vous le voyez,
lorque le verbe **pensare**, *penser*, est suivi d'un autre verbe à
l'infinitif il est indispensable d'intercaler entre les deux la préposition **di** : **Penso di andare a Roma**, *Je pense aller à Rome*.

***

Corrigé de l'exercice 1

❶ Regardez la caméra que je viens d'acheter, elle est
extraordinaire ! ❷ Il lui faut un nouvel appareil photo et il doit être
hyperpuissant. ❸ Avec cet objectif hypersensible, nous ferons des
photos merveilleuses ! ❹ Ils viennent de rentrer de la traversée
légendaire "de côte à côte". ❺ C'est le dernier modèle d'appareil
photo, c'est une merveille !

***

❹ À vrai dire, je pensais partir demain.

. . . . pensavo . . . .
domani.

❺ Je viens de le rencontrer, et je n'avais aucun projet pour la
soirée !

L' . . . . incontrato e non avevo . . . . . .
. . . . per la serata!

Corrigé de l'exercice 2

❶ Abbiamo appena – ❷ Gli occorreva – giacca – ❸ – macchina
fotografica ipersensibile ❹ A dire il vero – di partire – ❺ – ho
appena – nessun progetto –

Deuxième vague : 11ᵉ leçon

61 Sessantunesima lezione

Zainetto o valigione?

1 – Ho appena sentito ① Silvia, ti saluta molto.
2 – Grazie, e cosa racconta? Stanno per partire?
3 – Ipersportivi come al solito,
4 stanno per partire con zaino e sacco a pelo
5 per un trekking sulle cime del Monte Bianco.
6 Dormiranno nei rifugi e nei campeggi alpini.
7 – Beati loro ②, avranno delle emozioni intensissime.
8 A volte li invidio.
9 Hanno sempre una forma fisica perfetta,
10 e sanno partire con uno zainetto,
11 piuttosto che con un valigione ③ pieno di cose inutili.

Notes

① Il est très courant d'utiliser le verbe **sentire**, *entendre*, pour traduire *avoir quelqu'un au téléphone*, qu'il s'agisse de *passer un coup de fil à quelqu'un* ou de *recevoir un coup de fil de quelqu'un*, dans les conversations informelles.

② **Beato te!**, *Tu as de la chance !* ; **Beati voi!**, *Vous en avez, de la chance !*, etc. L'utilisation du mot **beato**, *béat*, peut sembler un ▶

[Un] petit sac à dos ou [une] grosse valise ?

1 – Je viens d'avoir *(d'entendre)* Silvia au
téléphone, elle te salue *(beaucoup)*.
2 – Merci, et que raconte-t-elle ? Ils sont sur le
point de partir ?
3 – Hypersportifs comme d'habitude,
4   ils vont partir avec un sac à dos et un sac de
couchage,
5   pour un trekking sur les sommets du mont
Blanc.
6   Ils dormiront dans les refuges et les campings
alpins.
7 – Quelle chance [ils ont] *(heureux eux)*, ils auront
des émotions très intenses.
8   Parfois je les envie.
9   Ils ont toujours une forme physique parfaite,
10   et ils savent partir avec un petit sac à dos,
11   plutôt qu'avec une grosse valise pleine de
choses inutiles.

▸ peu étrange, mais cette tournure fait partie du langage de tous
les jours.

③ **una valigia**, *une valise* ; **un valigione**, *une grosse valise* ;
una donna, *une femme* ; **un donnone**, *une grosse femme*,
etc. Comme vous le constatez, l'augmentatif **-one** entraîne un
changement de genre pour les mots féminins.

61 Esercizio 1 – Traducete

❶ Questo valigione per tre giorni? – Sì, ma ho anche uno zainetto! ❷ Il trekking ci darà una forma fisica perfetta. ❸ Hai sentito Silvia? – No, sono due settimane che non la sento. ❹ Ho appena parlato con lui e ho già dimenticato tutto. ❺ Beato lui! Veramente, lo invidio!

Esercizio 2 – Completate

❶ Vous allez partir avec un sac de couchage et vous dormirez dans des refuges !

. . . . partire con un . . . . e
. . . . nei rifugi!

❷ Nous venons d'avoir Silvia et Mario au téléphone, ils vous saluent.

Abbiamo . . . . Silvia e Mario, vi
. . . . !

❸ Une semaine sur les sommets du mont Blanc ! Quelle chance elle a *(heureuse elle)* !

Una settimana . . . . del Monte Bianco!
. . . . !

❹ Tu ne peux pas prendre cette immense valise !

Non . . . . prendere questo . . . . !

❺ Voilà mon petit sac à dos, plein de choses très utiles !

Ecco il mio . . . . cose
. . . . !

❶ Cette grosse valise pour trois jours ? – Oui, mais j'ai aussi un petit sac à dos ! ❷ Le trekking nous donnera une forme physique parfaite. ❸ Tu as eu Silvia au téléphone ? – Non, ça fait deux semaines que je n'ai pas [eu] de ses nouvelles ! ❹ Je viens de parler avec lui et j'ai déjà tout oublié. ❺ Il a de la chance ! Vraiment, je l'envie !

Corrigé de l'exercice 2

❶ State per – sacco a pelo – dormirete – ❷ – appena sentito – salutano ❸ – sulle cime – Beata lei ❹ – puoi – valigione ❺ – zainetto pieno di – utilissime

Deuxième vague : 12ᵉ leçon

62 Sessantaduesima lezione

Dove sarà Claudio?

1 – Ma dove sarà finito ① Claudio?
2 Aveva detto che faceva un salto al porto,
3 per vedere l'arrivo delle barche ② da pesca,
4 ma sono quasi due ore che è uscito e ancora non si vede!
5 – Avrà deciso ③ di imbarcarsi come clandestino su una nave per l'America!
6 Scherzo! Secondo me, in vacanze ④ bisogna rispettare il ritmo di ognuno.
7 Passiamo tutto l'anno a guardare l'orologio,
8 a sentirci colpevoli di essere in ritardo!
9 Almeno qui, lasciamoci ⑤ andare!… ah, eccolo!
10 – Ragazzi, guardate la spigola che vi porto per la cena,
11 e queste stelle marine, questi ippocampi… □

Notes

① **Dove sarà finito?**, *Où est-il [donc] passé ?* : voici une utilisation du futur qui n'exprime pas le temps, mais plutôt un questionnement ou un doute : **Che ora è? – Sarà tardi!**, *Quelle heure est-il ? – Il doit être tard !*

② **barche**, *bateaux* ; au mot *bateau* correspondent deux mots en italien, **barca** pour les *petites embarcations*, et **nave** pour les *navires* ou les *paquebots*.

③ **Avrà deciso di imbarcarsi**, *Il a dû décider de s'embarquer* : encore un emploi du futur qui n'a aucune relation avec le temps, il exprime ici la probabilité. ▶

Où pourrait bien être *(sera)* Claudio ?

1 –   Mais où est passé *(sera fini)* Claudio ?
2   Il avait dit qu'il ferait *(faisait)* un saut au port,
3   pour voir l'arrivée des bateaux de pêche,
4   mais ça fait *(sont)* presque deux heures qu'il est parti, et on ne l'a toujours pas vu *(ne le voit pas encore)* !
5 –   Il a dû décider *(aura décidé)* de s'embarquer comme clandestin sur un bateau pour l'Amérique !
6   Je plaisante ! À mon avis, en vacances, il faut respecter le rythme de chacun.
7   Nous passons toute l'année à regarder notre *(la)* montre,
8   à nous sentir coupables d'être en retard !
9   Au moins ici, laissons-nous aller ! … ah, le voilà !
10 – Les amis, regardez le bar que je vous apporte pour le dîner,
11   et ces étoiles de mer, [et] ces hippocampes…

▸ ④ La forme **in vacanze**, *en vacances*, est assez fréquente dans les conversations italiennes : elle renvoie aux **vacanze scolastiche**, *les vacances scolaires*. La forme **in vacanza** existe également, on l'utilise comme synonyme de **in villeggiatura**, *en villégiature*.

⑤ **lasciamoci**, *laissons-nous* ; l'impératif italien, nous l'avons vu, exprime en général un ordre ou une exigence, mais également, nous le découvrons, une invitation ou une exhortation. Cela ne devrait pas trop vous dépayser par rapport à ce que vous connaissez en français !

Esercizio 1 – Traducete

❶ Avranno deciso di fare un salto al porto. ❷ Ma sì, lasciatevi andare, siete in vacanza! ❸ È sempre in ritardo e non si sente mai colpevole. ❹ Ma dove saranno finiti i bambini? È un'ora che non li sento. ❺ Prendi quella spigola per la cena.

Esercizio 2 – Completate

❶ Il dit qu'il veut s'embarquer sur un bateau ! – Mais non, il plaisante !

.... che ..... imbarcarsi su ... .! – Ma no, ...!

❷ Mais où est passé mon passeport ? Je n'arrive plus à le trouver !

Ma dove .... il mio ....?
Non ...... più a ....!

❸ Ne vous sentez pas coupable d'être en retard !

Non .... colpevoli di essere ..
....

❹ Demain il faut [aller] voir l'arrivée des bateaux de pêche !

Domani .... vedere .... delle
...... da .....!

❺ Les enfants, regardez les étoiles de mer, mais ne les touchez pas !

Bambini, ... le ...., ma
non ....!

Le bar *– également appelé* loup *en Méditerranée, se nomme* **spigola** *en Italie du Sud, et* **branzino** *en Italie du Nord ; un petit pain sera un* **panino** *au sud et* **una michetta** *au nord ; quant au mot* **broccoli**, brocoli, *il s'applique à des légumes différents selon les régions… Le vocabulaire italien comporte ainsi de nombreuses spécificités régionales, notamment en ce qui concerne la gastronomie et les*

❶ Ils ont dû décider de faire un saut au port. ❷ Mais oui, laissez-vous aller, vous êtes en vacances. ❸ Il est toujours en retard et il ne se sent jamais coupable. ❹ Mais où ont bien pu passer les enfants ? Ça fait une heure que je ne les entends pas ! ❺ Prends ce bar pour le dîner !

Corrigé de l'exercice 2

❶ Dice – vuole – una nave – scherza ❷ – sarà finito – passaporto – riesco – trovarlo ❸ – sentitevi – in ritardo ❹ – bisogna – l'arrivo – barche – pesca ❺ – guardate – stelle marine – toccatele

noms d'aliments. Cela s'explique, encore une fois, par l'histoire de la langue italienne, qui, depuis le début du xxᵉ siècle, ne cesse d'assembler dans une langue commune de nombreuses variantes lexicales régionales.

Deuxième vague : 13ᵉ leçon

63   Sessantatreesima lezione

Revisione – Révision

1 Le futur simple

1.1 Emploi

Comme son homologue français, le futur italien désigne un événement à venir. Cependant, il peut avoir une autre valeur, celle du doute ou de la probabilité :
Saranno già partiti?, *Est-ce qu'ils seraient déjà partis ?*
Sarà stanco dopo questo viaggio, *Il doit être fatigué après ce voyage.*

1.2 Formation

• Les verbes réguliers

La règle de formation du futur italien des verbes réguliers, sans difficulté particulière, est la suivante :
Radical de l'infinitif + les terminaisons **-erò**, **-erai**, **-erà**, **-eremo**, **-erete**, **-eranno** pour les verbes des 1er et 2e groupes,
Radical de l'infinitif + les terminaisons **-irò**, **-irai**, **-irà**, **-iremo**, **-irete**, **-iranno** pour les verbes du 3e groupe.
Vous le constatez, certaines formes portent un accent sur la dernière voyelle : si vous souhaitez vous faire comprendre, travaillez bien votre intonation.

– 1er groupe : **tornare**, **revenir**

io torn-erò	*je reviendrai*
tu torn-erai	*tu reviendras*
lui/lei torn-erà	*il/elle reviendra*
noi torn-eremo	*nous reviendrons*
voi torn-erete	*vous reviendrez*
loro torn-eranno	*ils/elles reviendront*

– 2ᵉ groupe : **decidere**, *décider*

io decid-erò	*je déciderai*
tu decid-erai	*tu décideras*
lui/lei decid-erà	*il/elle décidera*
noi decid-eremo	*nous déciderons*
voi decid-erete	*vous déciderez*
loro decid-eranno	*ils/elles décideront*

– 3ᵉ groupe : **partire**, *partir*

io part-irò	*je partirai*
tu part-irai	*tu partiras*
lui/lei part-irà	*il/elle partira*
noi part-iremo	*nous partirons*
voi part-irete	*vous partirez*
loro part-iranno	*ils/elles partiront*

• **Les verbes irréguliers**

Ils sont assez peu nombreux au futur. On compte parmi eux les auxiliaires **avere** et **essere**, dont nous vous proposons la conjugaison ici, et quelques autres verbes dont vous trouverez la conjugaison en vous reportant à l'appendice grammatical.

– **avere**, *avoir*

io avrò	*j'aurai*
tu avrai	*tu auras*
lui/lei avrà	*il/elle aura*
noi avremo	*nous aurons*
voi avrete	*vous aurez*
loro avranno	*ils/elles auront*

io **sarò**	*je serai*
tu **sarai**	*tu seras*
lui/lei **sarà**	*il/elle sera*
noi **saremo**	*nous serons*
voi **sarete**	*vous serez*
loro **saranno**	*ils/elles seront*

2 D'autres manières d'exprimer le futur

2.1 Le futur proche

Dans la langue parlée, le français utilise bien plus fréquemment le futur proche (*je vais* + infinitif) que le futur simple. L'italien fonctionne différemment.

Ainsi, pour dire *Je vais partir dans quelques jours*, il a recours ou au présent, **Parto tra qualche giorno**, ou au futur simple, **Partirò tra qualche giorno**.

2.2 Le futur immédiat

Deux tournures idiomatiques traduisent notre *je suis sur le point de*. La première pourrait être traduite par un futur proche en français mais désigne toujours un événement imminent, la seconde a exactement les mêmes usages que son homologue français :

– **stare** + **per** + infinitif : **Sto per partire**, *Je suis sur le point de partir*, *Je vais partir*.

– **essere** + **sul punto di** + infinitif : **Sono sul punto di partire**, *Je suis sur le point de partir*.

3 Le "passé récent"

Le passé récent a exactement les mêmes emplois en italien qu'en français. Sa construction est assez simple à retenir :

Auxiliaire **essere** ou **avere** + **appena** + participe passé

Le verbe conjugué l'est donc au passé composé et l'adverbe
appena se glisse entre l'auxiliaire et le participe passé du verbe.
Ainsi, on a :
Sono appena tornato/a, *Je viens de rentrer.*
L'ho appena fatto, *Je viens de le faire.*

4 Les autres valeurs de l'impératif

Aux emplois de l'impératif que nous avons étudiés en leçon 56,
vient s'en ajouter un autre. L'impératif peut en effet s'utiliser dans
le cadre d'une invitation ou d'une proposition :
Su, venite con noi!, *Allez, venez avec nous !*
Ma sì, lasciatevi andare!, *Mais oui, laissez-vous aller !*

5 Les expressions impersonnelles

5.1 *Mi piace / Mi piacciono*

– L'objet est singulier : **Mi piace il mare**, *J'aime* (litt. "me plaît")
la mer.
– L'objet est au pluriel : **Mi piacciono i viaggi**, *J'aime* (litt. "me
plaisent") *les voyages.*

Attention, lorsque **mi piace** est suivi d'un verbe, il n'y a jamais de
préposition entre les deux : **Mi piace sognare**, *J'aime* (litt. "il me
plaît"[de]) *rêver.*

5.2 *Occorre*

Ce verbe, réservé aux contextes un peu formels et toujours utilisé
à la 3e personne (singulier et pluriel), peut remplacer :
– **ho bisogno**, *j'ai besoin, il me faut* :
Mi occorrono due valigie, *J'ai besoin de deux valises.*
Mi occorre tempo, *J'ai besoin de temps.*
– **bisogna**, *il faut* :
Occorre sbrigarsi, *Il faut se dépêcher.*

Observez bien comment se conjugue le verbe **occorre** en fonction
des phrases dans lesquelles il apparaît.

Cet augmentatif entraîne le changement du genre des noms féminins qu'il accompagne.

Ainsi **valigia**, *valise*, féminin, accompagné de l'augmentatif **-one** devient masculin : **un valigione**, *une grosse valise*. Il en est de même par exemple pour **donna**, féminin qui devient **un donnone**, qui désigne *une grosse femme*, pour **una palla**, *une balle* qui devient **un pallone**, *un ballon* ou encore pour **una forchetta**, *une fourchette* qui se transforme en **un forchettone**, *une grosse fourchette*, etc.

Attention cependant aux surprises ! Le mot **un cannone**, *un canon*, par exemple, est complètement indépendant et n'a rien à voir avec **una canna**, *un roseau*… Ne vous y trompez pas !

7 Les nouvelles formes de superlatifs

Comme nous l'avons brièvement vu, l'italien contemporain s'est enrichi de nouveaux préfixes superlatifs, tels que :
super, *super* → **una supermacchina**, *une super voiture*
iper, *hyper* → **ipersimpatico**, *hypersympa*
stra, *extra* → **strapotente**, *tout-puissant*

8 Quelques phrases à retenir

Nous vous proposons de bien retenir les quelques expressions suivantes un peu plus longues et plus complexes que celles des leçons de révisions précédentes… Regardez bien, elles comportent quelques difficultés grammaticales que vous maîtrisez désormais parfaitement !
Sto per realizzare un progetto meraviglioso!
Non mi spaventa per niente, anzi mi esalta!
Ho appena sentito Marco, ti saluta!
Ma dove saranno finiti i bambini?

1 – Sai che mi piace molto fare progetti per le vacanze!
2   Ho deciso che quest'anno andremo al mare, e
    faremo barca a vela,
3   che Piero avrà un corso di nuoto e Lisa uno di
    equitazione.
4 – Beati voi! Io invece passerò quattro settimane in
    montagna!
5 – Ieri ho sentito Piero,
6   dice che sta per partire per un anno sabbatico in
    India,
7   e non è per niente spaventato, anzi è piuttosto
    esaltato!
8 – Elena invece è appena tornata da un trekking sul
    monte Bianco.
9 – Sai   com'è,   le   occorrono   sempre   vacanze
    ipersportive.
10 È tutto il contrario di Claudio che vuole solo
    lasciarsi andare e guardare l'arrivo delle barche
    da pesca.

Traduction

1 Tu sais que j'aime beaucoup faire des projets de vacances !
2 J'ai décidé que cette année nous irons à la mer, et que nous ferons
du bateau à voiles, 3 que Piero fera *(aura)* un stage de natation et
Lisa, un [stage] d'équitation. 4 Vous avez de la chance ! Moi, par
contre, je passerai quatre semaines à la montagne ! 5 Hier j'ai eu des
nouvelles de *(entendu)* Piero, 6 il dit qu'il est sur le point de partir
pour une année sabbatique en Inde. 7 Et il n'est pas du tout effrayé,
au contraire il est plutôt enthousiaste ! 8 Elena, en revanche, est à
peine revenue d'un trekking sur le mont Blanc. 9 Tu sais comme
elle est, il lui faut toujours des vacances hypersportives. 10 C'est
tout le contraire de Claudio, qui veut seulement se laisser aller et
regarder l'arrivée des bateaux de pêche.

Deuxième vague : 14ᵉ leçon

Quanta posta ①!

1 – Guarda la posta che abbiamo ricevuto,
   Luisa! Dopo due settimane di vacanze,
2 la cassetta delle lettere era piena fino
   all'orlo!
3 – Fammi ② vedere chi ci ha scritto!
4 Mi piace da pazzi ③ ricevere ④ lettere!
5 – Piano ⑤! Mi fai cadere tutto di mano!
6 – Scusami, sono troppo impaziente!
7 Prendi la mia borsa, per favore,
8 e dammi tutto il pacchetto…
9 Lasciami scoprire chi ha pensato a noi!
10 Dunque… una lettera della banca, la
   bolletta ⑥ del telefono,

Notes

① Comme la traduction l'indique, le mot **posta** traduit le mot
   courrier. Mais ne soyez pas étonné d'entendre quelqu'un vous
   dire "**Devo andare alla posta**", car, en effet, **posta** signifie
   également *bureau de poste*.

② **fammi vedere**, *fais-moi voir* : lorsque la 2e personne du singulier de l'impératif des verbes **fare**, *faire* ; **dare**, *donner* ; **dire**,
   dire ; **andare**, *aller* ; **stare**, *être*, *rester*, etc., est suivie d'un des
   pronoms **mi**, *moi* ; **ti**, *toi* ; **le**, *lui* ; **ci**, *nous* ou de **ne**, *en*, ou de
   ci, *y*, ces derniers sont rattachés au verbe et leur consonne est
   doublée : **da**, *donne* + **le**, *lui* → **dalle**, *donne-lui* ; **di'**, *dis* + **mi**,
   moi → **dimmi**, *dis-moi* ; **fa'**, *fais* + **ti**, *toi* → **fatti**, *fais-toi* ; **va'**,
   va + **ci**, *y* → **vacci**, *vas-y*, etc.

③ **da pazzi** (litt. "de fous"), est une expression très courante dans
   la langue parlée. On trouve d'ailleurs souvent son équivalent, *à* ▶

Que de *(combien)* courrier !

1 – Regarde le courrier que nous avons reçu,
Luisa ! Après deux semaines de vacances,
2 la boîte aux *(des)* lettres était pleine à ras bord !
3 – Fais-moi voir qui nous a écrit !
4 Je raffole *(me plaît de fous)* de recevoir des
lettres !
5 – Doucement ! Tu me fais tout tomber des mains
(de main) !
6 – Excuse-moi, je suis trop impatiente !
7 Prends mon sac, s'il te plaît,
8 et donne-moi tout le paquet…
9 Laisse-moi découvrir qui a pensé à nous !
10 Voyons *(donc)*… une lettre de la banque, la
facture du téléphone,

▸ *la folie,* en français. On aurait pu utiliser également **un sacco**
(litt. "un tas", leçon 30), ou **immensamente,** *énormément.*

④ Observez encore une fois l'absence de partitif : la phrase **Mi
piace ricevere delle lettere**, *J'aime recevoir des lettres*, est
parfaitement correcte, mais on lui préfère généralement **Mi
piace ricevere lettere**, comme ici.

⑤ **piano**, *lentement, doucement.* Attention, encore une fois aux
faux amis ! Ici, **piano** prend le sens de *doucement*, car le mot
dolcemente, *doucement*, peut être utilisé seulement dans des
phrases telles que : **La accarezzava dolcemente**, *Il la caressait avec douceur.*

⑥ Le mot **fattura**, *facture*, est employé uniquement pour les factures destinées à être produites devant le fisc. Pour toutes les
charges courantes, téléphone, électricité, etc., on utilise le mot
bolletta.

11 una pubblicità, la bolletta del condominio, le tasse…

12 Ma che posta è questa! Queste lettere non mi piacciono per niente!

***

Esercizio 1 – Traducete

❶ Dalle la sua borsa e prendile il suo cappotto.
❷ Nella mia cassetta delle lettere non c'era niente.
❸ Fammi una cortesia, telefonami domani sera.
❹ Le bollette non mi piacciono per niente. ❺ Non riempirgli il bicchiere fino all'orlo!

Esercizio 2 – Completate

❶ Doucement ! Ne le fais pas tomber !
. . . . . ! Non . . . . . cadere!

❷ Donne-moi toutes les lettres, laisse-moi voir !
. . . . . tutte le lettere, ... vedere!

❸ J'ai reçu les impôts et la facture de la copropriété.
Ho ricevuto . . . . . . e la . . . . del condominio.

❹ Fais-lui *(à elle)* voir les photos de son anniversaire !
. . . . . vedere le . . . . del suo . . . . !

❺ Dis-nous tout ce que vous avez fait en Italie !
. . . . quello . . . . in Italia!

11 une publicité, les charges *(la facture)* de la copropriété, les impôts…

12 Mais qu'est-ce que c'est que ce courrier *(Mais quelle courrier est celui-ci)* ! Ces lettres ne me plaisent pas du tout !

***

Corrigé de l'exercice 1

❶ Donne-lui son sac et prends son manteau. ❷ Dans ma boîte aux lettres, il n'y avait rien. ❸ Fais-moi plaisir, appelle-moi demain soir. ❹ Les factures ne me plaisent pas du tout. ❺ Ne remplis pas son verre à ras bord !

Corrigé de l'exercice 2

❶ Piano – farlo – ❷ Dammi – lasciami – ❸ – le tasse – bolletta – ❹ Falle – foto – compleanno ❺ Dicci tutto – che avete fatto –

Deuxième vague : 15ᵉ leçon

Vediamo, vediamo…

1 – Oh, finalmente… ecco una cartolina di Elena:
2 "Carissimi saluti ① da Positano"
3 – e Aldo aggiunge:
4 "Un abbraccio affettuoso".
5 – Questa, invece, è una cartolina che abbiamo ricevuto da Pietro:
6 "Inondati ② di sole, perduti nella bellezza della natura,
7 impazienti di raccontarvi. A prestissimo."
8 – E qui c'è un avviso del condominio del nostro palazzo ③:
9 "Si informano ④ i Signori condomini che dal 10 al 30 agosto,
10 l'acqua mancherà dalle ore otto alle ore dodici,
11 a causa dei lavori di rinnovo dell'impianto di riscaldamento".

Notes

① **Carissimi saluti**, *Meilleures salutations* ; voici une formule passe-partout que vous aurez sans doute envie d'utiliser pour envoyer des cartes à vos amis italiens.

② Observez cette utilisation un peu littéraire des participes passés absolus (**participi passati assoluti**) tels que **inondati** et **perduti**. Vous en retrouverez de nombreux exemples dans les romans que vous serez bientôt en mesure de lire, et dans la prose administrative. ▸

Voyons, voyons…

1 – Oh, enfin…voilà une carte d'Elena :
2   "Meilleures *(très chères)* salutations de Po-
    sitano"
3 – et Aldo ajoute :
4   "Je vous embrasse *(une accolade affectueuse)*
    affectueusement."
5 – Celle-ci, en revanche, est une carte que nous
    avons reçue de Pietro :
6   "Inondés de soleil, perdus dans la beauté de la
    nature,
7   impatients de vous raconter. À très bientôt."
8 – Et ici, il y a un avis de la copropriété de notre
    immeuble :
9   "On informe [mesdames et] *(les)* messieurs
    [les] copropriétaires que du 10 au 30 août,
10 l'eau sera coupée *(l'eau manquera)* de huit
    heures à douze heures,
11 en raison des travaux de rénovation de
    l'installation du chauffage".

▸ ③ Le **palazzo**, qui peut être un *palais*, est également un *immeuble* !

④ Lorsqu'un verbe est à la forme impersonnelle, il faut l'accorder (au singulier ou au pluriel) avec son complément d'objet. Ce qui donne : **Si informa la gentile clientela…**, *Notre aimable clientèle est informée*, mais, **Si informano i signori pas-seggeri…**, *[Mesdames et] Messieurs [les] passagers sont informés…* Faites le bon choix !

12 – Ci mancava pure questa ⑤ ! Oh, finalmente, una lettera di Gianna… □

Note

⑤ **Ci mancava pure questa**, *Il ne manquait plus que ça* ; attention, dans cette expression, le **ci** ne veut pas dire *nous*, mais *y*. ▸

***

Esercizio 1 – Traducete

❶ Ecco la lettera di Carla. Dice che è impaziente di vederci. ❷ Hai visto l'avviso del condominio? Pare che domani mancherà l'acqua tutto il giorno. ❸ Tra una settimana cominciano i lavori per il riscaldamento. ❹ Luca, scrivi qualcosa sulla cartolina per il nonno! ❺ Ecco, mamma, ho scritto: "Un abbraccio affettuosissimo!".

Esercizio 2 – Completate

❶ Perdus dans la beauté de cette ville, nous pensons beaucoup à vous !

. . . . nella . . . . di . . . . . . città, ... molto a voi!

❷ Enfin une carte de Paola !

. . . . una . . . . di Paola!

❸ Moi, j'ai reçu seulement des factures !

. . . . solamente . . . . !

❹ Lis ça *(ici)* : "Nous informons *(On informe)* mesdames et messieurs les copropriétaires qu'une fête sera organisée *(qu'il y aura une fête)* dans *(de)* l'immeuble !"

. . . . . qui: " . . . . i signori . . . . che ci . . . . una festa del . . . . ! "

❺ Il ne manquait que *(aussi)* la fête de Gianna !

. . . . la festa di Gianna!

12 – Il ne *(y)* manquait *(aussi)* [plus que] ça ! Oh,
        enfin, une lettre de Gianna…

▶ **Pure** aurait pu être remplacé par **anche**, qui a strictement le même sens ici.

∗∗∗

Corrigé de l'exercice 1

❶ Voici la lettre de Carla. Elle dit qu'elle est impatiente de nous voir. ❷ Tu as vu l'avis de la copropriété ? Il paraît que demain l'eau sera coupée toute la journée. ❸ Dans une semaine commencent les travaux pour le chauffage. ❹ Luca, écris quelque chose sur la carte pour grand-père ! ❺ Voilà, maman, j'ai écrit : "Un baiser *(une accolade)* très affectueux !".

Corrigé de l'exercice 2

❶ Perduti – bellezza – questa – pensiamo – ❷ Finalmente – cartolina – ❸ Io ho ricevuto – bollette ❹ Leggi – Si informano – condomini – sarà – palazzo ❺ Ci mancava pure –

Deuxième vague : 16ᵉ leçon

66 Sessantaseiesima lezione

Grazie di tutto

1 "Carissimi,
2 Siamo appena rientrati da un viaggio piacevolissimo,
3 cominciato nel migliore dei modi grazie alla vostra cortesia.
4 Come ci avevate consigliato ①, una volta partiti ② da Venezia,
5 ci siamo diretti verso le ville palladiane, per poi raggiungere Verona.
6 È stato splendido, anche se abbiamo avuto un piccolo incidente.
7 Eravamo partiti da una mezz'ora,
8 quando improvvisamente l'auto si è fermata.
9 Siamo dovuti scendere ③ per cercare di capire cosa stava succedendo ④,
10 ma non c'è stato niente da fare, abbiamo dovuto chiamare il carro attrezzi.
11 Ancora mille grazie,

Notes

① **avevate consigliato**, *vous l'aviez conseillé* : voilà un nouvel exemple de **trapassato prossimo**, *plus-que-parfait* (leçon 46). Rappelez-vous : sa formation et son emploi sont des plus simples, car tout se passe exactement comme en français.

② **partiti**, *partis* ; vous retrouvez ici un participe passé absolu car ce petit mot de remerciement est rédigé dans un style un peu formel (leçon 65). ▶

Merci pour *(de)* tout

1 "Chers amis *(Très chers)*,

2 Nous venons de rentrer d'un voyage très agréable,

3 [qui a très bien] commencé *(dans la meilleure des façons)* grâce à votre gentillesse *(courtoisie)*.

4 Comme vous nous [l']aviez conseillé, lorsque nous avons quitté *(une fois partis de)* Venise,

5 nous nous sommes dirigés vers les villas palladiennes, pour rejoindre ensuite Vérone.

6 Ça a été splendide, bien que nous ayons eu un petit accident.

7 Nous étions partis depuis une demi-heure,

8 quand tout à coup la voiture s'est arrêtée.

9 Nous avons dû descendre pour essayer de comprendre ce qui se passait *(était en train de se passer)*,

10 mais il n'y a rien eu à faire, nous avons dû appeler la dépanneuse *(le char à outils)*.

11 Encore mille fois merci,

▶ ③ Les verbes **dovere**, *devoir* ; **potere**, *pouvoir* et **volere**, *vouloir*, prennent toujours l'auxiliaire du verbe qui les suit, contrairement à ce qui se passe en français. Cela nous oblige à dire, par exemple, **Sono dovuta andare**, *J'ai dû aller* (**essere** étant l'auxiliaire utilisé avec **andare**).

④ Nous sommes sûrs que vous vous souvenez parfaitement de cet emploi du verbe **stare** + gérondif, que l'on traduit ici par *être en train de…* Voyez la leçon 44 : rien ne vaut un petit rappel de temps en temps !

12 e, nella speranza di potere ricambiare appena possibile la vostra ospitalità,

13 un saluto affettuosissimo ⑤. Enza e Ludovico"

Note

⑤ Cette leçon et la précédente vous présentent des formules de politesse à glisser à la fin d'une correspondance. Elles sont extrêmement simples : **Affettuosi/Cari/Carissimi saluti,** ▸

***

Esercizio 1 – Traducete

❶ Arrivederci, carissimi, e grazie di tutto. ❷ Mille grazie per la vostra splendida ospitalità. ❸ Un saluto affettuosissimo per i miei zii preferiti. ❹ Speriamo di potervi incontrare appena possibile. ❺ Grazie alla vostra cortesia e alla vostra ospitalità il nostro viaggio è stato piacevolissimo.

Esercizio 2 – Completate

❶ Je viens de rentrer de Vérone.

. . . . da Verona.

❷ J'ai visité tout ce que tu m'avais conseillé.

Ho visitato tutto . . . . mi . . . . .

. . . .

❸ Mon frère a dû aller chez Carla.

Mio fratello . . . . da Carla.

❹ Je voulais savoir ce qu'il était en train de regarder.

. . . . . . sapere che cosa . . . .

❺ Il n'y a rien à faire, il faut appeler la dépanneuse.

Non c'è . . . . chiamare il . . . .

263 • **duecentosessantatre**

12 et, dans l'espoir de pouvoir vous rendre
(rechanger) dès que possible votre hospitalité,
13 nous vous embrassons très affectueusement (un
salut très affectueux). Enza et Ludovico"

> *Affectueuses/Chaleureuses salutations*, et peuvent être utilisées pour vos relations amicales. **Distinti saluti**, *Salutations distinguées*, en revanche, est la formule à privilégier dans vos courriers professionnels.

***

Corrigé de l'exercice 1

❶ Au revoir, chers amis, et merci pour tout. ❷ Mille mercis pour votre merveilleuse hospitalité. ❸ Un salut très affectueux à mes oncles préférés. ❹ Nous espérons pouvoir vous rencontrer dès que possible. ❺ Grâce à votre gentillesse et à votre hospitalité, notre voyage a été très agréable.

Corrigé de l'exercice 2

❶ Sono appena tornato – ❷ – quello che – avevi consigliato ❸ – è dovuto andare – ❹ Volevo – stava guardando ❺ – niente da fare bisogna – carro attrezzi

On peut dénombrer, le long des rivières de la Vénétie, plus de 2 000 villas ! Si elles n'étaient au Moyen Âge que de simples maisons au milieu d'exploitations agricoles, elles ont commencé, à partir de la Renaissance (découverte du raffinement des civilisations romaine et grecque), à se transformer en demeures de plus en plus luxueuses et raffinées. Ce n'est toutefois qu'au cours des XVIe et XVIIe siècles que les villas les plus somptueuses ont été construites, grâce à l'œuvre d'éminents architectes comme Sanmicheli et Scamozzi, mais surtout Andrea Palladio. Ce dernier a dessiné ses villas en

67 Sessantasettesima lezione

Passione: natura

1 – Sai, caro, ho sentito Pietro,
2 verrà ① a cena da noi stasera,
3 e finalmente berremo il famoso Pinot di cui ci ha tanto parlato!
4 – Penso che vedremo anche le centinaia ② di foto che fa di solito!
5 – A quanto pare ha visitato vari ③ parchi naturali;

Notes

① **verrà** est le futur du verbe **venire**, *venir* ; **berremo** (phrase 3) vient de **bere**, *boire*, et **vedremo** (phrase 4), de **vedere**, *voir*. Comme vous le constatez, ces futurs sont irréguliers ; vous les assimilerez progressivement, grâce à la pratique. Les conjugaisons complètes de ces verbes se trouvent par ailleurs dans l'appendice grammatical. ▶

tenant compte de plusieurs critères : permettre à leur propriétaire de surveiller leur domaine, de recevoir à la hauteur de leur rang, de se consacrer à l'étude et de se promener dans un cadre agréable. Ces demeures étaient presque toutes entourées de superbes jardins, parfois animés de jeux d'eau. La décoration intérieure était souvent confiée à des peintres de renom : Véronèse, Zelotti, Gualtiero… Lieux d'un luxe inouï, elles s'ouvraient périodiquement aux amis et aux visiteurs pour des fêtes, des bals et des spectacles.

Deuxième vague : 17ᵉ leçon

Leçon soixante-sept   67

Passion : nature

1 – Tu sais, chéri, j'ai eu *(j'ai entendu)* Pietro au téléphone,

2   il viendra dîner à la maison *(chez nous)* ce soir,

3   et nous boirons enfin le fameux Pinot dont il nous a tant parlé !

4 – Je pense que nous verrons aussi les centaines de photos qu'il fait d'habitude !

5 – Apparemment *(à ce-que paraît)*, il a visité plusieurs *(variés)* parcs naturels ;

▸ ② **un centinaio**, *une centaine*, est masculin au singulier mais féminin (donc irrégulier) au pluriel : **delle centinaia**, *des centaines*.

③ Observez, ici et en phrase 6, les adjectifs indéfinis ; notez que **vari**, **parecchi**, et **un certo numero**, signifient *plusieurs* et sont toujours pluriels. **Ogni**, en revanche, signifie *chaque* et s'accorde au singulier.

6 sono sicura che ha fotografato ogni
   animale, ogni fiore e ogni albero che ha
   incontrato!

7 – Ma non mi avevi detto che era cambiato ④,

8 che aveva deciso di buttar via ⑤ tutti gli
   album di foto che accumula da anni,

9 e di cui non fa mai niente?

10 – Figurati ⑥! Non ci riuscirà mai!

11 Prepariamoci ad una conferenza sulla
   natura lunga e appassionata!

12 – Meno male che porta anche il Pinot! □

Notes

④ **cambiare**, *changer*, prend l'auxiliaire **essere** lorsqu'il n'est pas suivi d'un complément d'objet : **Carla è molto cambiata**, *Carla a beaucoup changé*. Lorsqu'il est suivi d'un complément d'objet, il prend l'auxiliaire **avere** : **Ho cambiato il pantalone che avevo comprato**, *J'ai changé le pantalon que j'avais acheté…* Soyez bien attentif !

⑤ De nombreux verbes italiens peuvent être utilisés seuls ou être suivis d'un adverbe qui modifie, précise ou intensifie leur sens : c'est le cas ici de **buttar via**, *jeter* (*loin*). Nous y reviendrons.

⑥ **Figurati!**, *Penses-tu !* : vous souvenez-vous de cette expression ? Vous l'avez rencontrée en leçon 46 et vous risquez de la ▶

***

Esercizio 1 – Traducete

❶ Figurati! Non berrò mai quel vino! ❷ Meno male che ci sarà una conferenza e centinaia di foto da vedere! ❸ È un parco naturale molto conosciuto! ❹ Ti farò vedere tutti i miei album di foto. ❺ Mi aveva detto che Pietro era cambiato, ma non ci riuscirà mai!

6 je suis sûre qu'il a photographié chaque animal, chaque fleur et chaque arbre qu'il a rencontrés !

7 – Mais tu ne m'avais pas dit qu'il avait *(était)* changé,

8 qu'il avait décidé de jeter *(loin)* tous les albums de photos qu'il accumule depuis des années,

9 et dont il ne fait jamais rien ?

10 – Penses-tu ! Il n'y arrivera jamais !

11 Préparons-nous à une conférence sur la nature, longue et passionnée !

12 – Heureusement qu'il apporte aussi le Pinot !

▸ croiser encore bien des fois… Elle est en effet très utilisée en italien !

***

Corrigé de l'exercice 1

❶ Penses-tu ! Je ne boirai jamais ce vin ! ❷ Heureusement qu'il y aura une conférence et des centaines de photos à voir ! ❸ C'est un parc naturel très connu ! ❹ Je te montrerai tous mes albums de photos. ❺ Il m'avait dit que Pietro avait changé, mais il n'y arrivera jamais !

❶ J'ai envie de jeter toutes ces vieilles photos !

Ho voglia di . . . . tutte . . . . . .
vecchie . . . . !

❷ Il a fait des centaines de voyages et il en fera encore.

Ha fatto . . . . di viaggi e ne . . . .
. . . .

❸ Heureusement il y aura du vin !

. . . . che ci . . . . del . . . . !

❹ Elle n'a pas changé, elle ne changera jamais !

Non . . . . , non . . . . mai!

❺ Je viendrai chez toi demain, et je verrai enfin ton jardin !

. . . . . da te domani, e il
tuo giardino.

Saviez-vous que les Enotri, avant même les Romains, avaient découvert l'art de fabriquer et de conserver le vin ? Installés dans le sud de l'Italie, dans la région qui porte aujourd'hui le nom de Basilicata, les Enotri subirent, à partir du Ve siècle avant J.-C., l'occupation des Grecs, suivie de celle des Romains. Il leur fut impossible de résister face à la puissance de ces envahisseurs, mais ils léguèrent à leurs successeurs les secrets d'un art qui n'a cessé de se perfectionner depuis lors. Les Romains furent rapidement en mesure de produire plus de 200 types de vins différents et ils importèrent la culture des vignobles dans toutes les régions de l'Empire. Aujourd'hui, l'Italie est un des plus grands importateurs de vin au monde, avec plus de 3 000 vins aux caractères bien définis,

Corrigé de l'exercice 2

❶ – buttar via – queste – foto **❷** – centinaia – farà ancora **❸** Meno male – sarà – vino **❹** – è cambiata – cambierà – **❺** Verrò – vedrò finalmente –

provenant de toutes les régions du pays, et toujours en évolution. Pour leurs appellations, on distingue les vins **DOCG (Denominazione d'Origine Controllata e Garantita**, Appellation d'Origine Contrôlée et Garantie*), parmi lesquels on classe les crus les plus prestigieux, les vins* **DOC (Denominazione d'Origine Controllata**, Appellation d'Origine Contrôlée*), qui désignent plutôt la région d'origine que les crus, et les* **IGT (Indicazione Geografica Tipica**, Indication Géographique Garantie*), qui n'indiquent que le lieu de provenance, et correspondent aux vins de pays français. Nous avons, pour finir,* **i vini da tavola**, *les vins de table, qui ne répondent pas aux critères établis pour les autres catégories, mais parmi lesquels on peut avoir d'agréables surprises.*

Deuxième vague : 18ᵉ leçon

68 Sessantottesima lezione

Proteggete la natura!

1 – Sono indignato! Sono fuori di me!
2 Ma com'è possibile ① maltrattare a tal
   punto la natura?
3 Fiumi inquinati dagli ② scarichi industriali,
4 spiagge sporche, piene di mozziconi di
   sigarette e di resti di picnic,
5 foreste bruciate per sventatezza,
6 specie di animali e di piante che spariscono
   per la stupidità della gente ③!
7 – Dai, Pietro, non esagerare!
8 La situazione non è così drammatica! Ci
   sono un sacco di posti ancora intatti,
9 e mi pare ④ che l'interesse per i problemi
   dell'ambiente è sempre più diffuso!
10 Oramai molti gruppi, sia politici che
   spontanei,
11 militano per la salvaguardia del patrimonio
   naturale!

Notes

① **è possibile**, *il est possible de* : toutes les expressions impersonnelles de ce genre (**è impossibile**, *il est impossible de* ; **è
facile**, *il est facile de*, etc.) ne sont jamais suivies d'une préposition en italien. Nous vous suggérons de bien mémoriser ces
exemples pour pouvoir les réemployer facilement et à propos.

② Remarquez cet emploi de la préposition **da** qui, dans ce type
de contexte, introduit le complément d'agent et traduit la préposition *par*.

▶

Protégez la nature !

1 – Je suis indigné ! Je suis hors de moi !
2 Mais comment est-il possible [de] maltraiter à
ce *(tel)* point la nature !
3 [Des] fleuves pollués par les décharges
industrielles,
4 [des] plages sales, pleines de mégots de
cigarettes et de restes de pique-niques,
5 [des] forêts brûlées par étourderie,
6 [des] espèces d'animaux et de plantes qui
disparaissent à cause de *(pour)* la stupidité des
gens !
7 – Allez *(Donne)*, Pietro, n'exagère pas !
8 La situation n'est pas si dramatique ! Il y a
beaucoup *(un tas)* d'endroits encore intacts,
9 et il me semble que l'intérêt pour les problèmes
de l'environnement est de plus en plus *(toujours plus)* répandu !
10 Désormais beaucoup de groupes, aussi bien
politiques que spontanés,
11 militent pour la sauvegarde du patrimoine
naturel !

▶ ③ Petit rappel, le mot **gente**, *gens*, est toujours singulier en italien : **Ho conosciuto della gente simpatica**, *J'ai connu des
gens sympathiques* (leçon 45).

④ **mi pare**, *il me semble* : observez encore une fois (ici et en
phrase 12) l'utilisation des formes faibles et fortes des pronoms personnels. Si votre mémoire flanche un peu à ce sujet,
reportez-vous aux leçons 34 et 41.

68 **12 –** Sarà ⑤! A me sembra che il malcostume
          aumenta ogni giorno!   □

Note

⑤ **Sarà!**, *Peut-être bien !*, nous retrouvons ici un emploi du futur
    un peu particulier (découvert en leçon 62).

***

Esercizio 1 – Traducete

❶ Dai, non esagerare, la spiaggia non è così sporca!
❷ Sono fuori di me! Ho trovato la casa piena di
mozziconi di sigarette! ❸ È un gruppo politico che
ha un grande interesse per i problemi ambientali.
❹ Pietro ha sempre militato per la salvaguardia
della natura. ❺ Sarà! Ma a noi sembra che i mari e
i fiumi sono molto inquinati.

Esercizio 2 – Completate

❶ Les gens qui ne protègent pas la nature sont vraiment stupides !
 .. .. che non .... la natura .
 veramente ....!

❷ Comment est-il possible d'oublier toujours ses rendez-vous ?
 Com'è .... sempre i
 propri ....?

❸ Il est trop tard désormais !
 È troppo ....., ...!

❹ N'exagère pas, Marco, ne mets pas tes jouets partout !
 Non ...., Marco, non .... i tuoi
 giocattoli ....!

❺ Il me semble qu'il maltraite sa voiture.
 .. .. che .... la sua auto.

12 – Peut-être bien *(sera)* ! [Mais] il me semble **68**
que les mauvaises manières gagnent du terrain
(augmentent) chaque jour !

***

Corrigé de l'exercice 1

❶ Allez, n'exagère pas, la plage n'est pas si sale ! ❷ Je suis hors de moi ! J'ai trouvé la maison pleine de mégots de cigarettes ! ❸ C'est un groupe politique qui s'intéresse beaucoup aux problèmes d'environnement. ❹ Pietro a toujours milité pour la sauvegarde de la nature. ❺ Peut-être ! Mais il nous semble que les mers et les fleuves sont très pollués.

Corrigé de l'exercice 2

❶ La gente – protegge – è – stupida ❷ – possibile dimenticare – appuntamenti ❸ – tardi, oramai ❹ – esagerare – mettere – dappertutto ❺ Mi sembra – maltratta –

DAI, NON ESAGERARE, LA SPIAGGIA NON È COSÌ SPORCA !

Deuxième vague : 19ᵉ leçon

69 Sessantanovesima lezione

Un itinerario di sogno!

1 – Insomma, Pietro, ti sei molto arrabbiato per la mancanza di rispetto verso la natura;

2 ma hai fatto qualcos'altro ① durante il tuo viaggio?

3 – Carla ed io volevamo attraversare tutta l'Italia in macchina,

4 quindi siamo andati in aereo fino a Milano,

5 e lì abbiamo noleggiato ② una macchina.

6 Durante il viaggio abbiamo potuto vedere innumerevoli ③ paesaggi sfilare attraverso i finestrini ④!

7 Erano tutti diversissimi tra di loro, ma tutti meravigliosi:

8 i laghi lombardi, le splendide città storiche del nord, Bergamo, Mantova, Padova…

Notes

① **qualcos'altro**, *autre chose*, s'écrit souvent à la place de **qualcosa altro** ; tout comme **nient'altro**, *rien d'autre*, s'écrit à la place de **niente altro**. Les quatre formes sont parfaitement correctes, mais on préfère utiliser la forme avec apostrophe afin de faciliter la prononciation de ces expressions.

② Au verbe français *louer* correspondent deux verbes en italien : **noleggiare**, s'il s'agit d'une voiture, d'un vélo, etc., et **affittare**, s'il s'agit d'un appartement ou d'une villa. Toutefois la langue courante a tendance à utiliser presque toujours **affittare** au détriment de **noleggiare**, qui sert surtout dans la langue écrite ou adminitrative. ▸

Un itinéraire de rêve !

1 – En somme, Pietro, tu t'es beaucoup mis en
colère à cause du *(pour le)* manque de respect
envers la nature,
2 mais as-tu fait autre chose pendant ton voyage ?
3 – Carla et moi voulions traverser toute l'Italie en
voiture ;
4 nous sommes donc allés en avion jusqu'à
Milano,
5 Et là nous avons loué une voiture.
6 Pendant le voyage, nous avons pu voir
d'innombrables paysages défiler par les
fenêtres !
7 Ils étaient tous très différents les uns des autres
(entre eux), mais tous merveilleux :
8 les lacs lombards, les splendides villes
historiques du Nord, Bergame, Mantoue,
Padoue…

▶ ③ **innumerevoli**, *innombrables*, est un mot assez formel. À sa
place, nous pourrions utiliser **numerosi**, *nombreux*, un peu
moins formel, ou **molti**, *beaucoup*, moins formel encore, ou
un sacco di, *un tas de*, carrément familier.

④ Attention, dans ce contexte, **finestrino** ne désigne pas une
petite fenêtre, mais bien une *vitre de voiture*. Notez que les
faux diminutifs sont nombreux ; ainsi, **un canino** n'est pas un
petit chien, mais une dent (*une canine*), **un orecchino** n'est pas
une petite oreille, mais *une boucle d'oreille*, etc.

9 Poi abbiamo incontrato l'indescrivibile
dolcezza della campagna toscana e umbra,

10 le chiese medievali di marmo ⑤ bianco e
rosa…

11 Poi siamo scesi più giù ⑥, più al sud, ed è
stata la volta dei musei etruschi,

12 dei siti archeologici romani e greci, di
Pompei e di Pestum…

13 – Mio Dio, Pietro, smettila, mi fai girare la
testa!
□

Notes

⑤ **di marmo**, *en marbre* : vous souvenez-vous de cet emploi de
di préposition introduisant un complément de matière ? Nous
l'avons vu au sujet des **sedili di pelle**, *des sièges en cuir*, en
leçon 54 !

⑥ Observez ce **giù**, *en bas*, si fréquent dans les conversations italiennes. Ici, comme nous le disions en leçon 67 à propos de **via**
(**buttar via**), il vient renforcer le sens de **scendere**, *descendre*.

***

Esercizio 1 – Traducete

❶ Mi sono arrabbiata con Pietro perché non
mi ha mandato neppure una cartolina. ❷ Ho
noleggiato una super macchina fino a domenica
prossima. ❸ Ho visitato innumerevoli chiese e siti
archeologici. ❹ Siamo scesi giù in macchina, fino
al sud dell'Italia. ❺ Smettetela, ragazzi, mi fate
girare la testa!

9 Ensuite nous avons rencontré l'indescriptible douceur de la campagne toscane et ombrienne,

10 les églises médiévales en marbre blanc et rose…

11 Puis nous sommes descendus davantage *(plus en bas)*, plus au sud, et ça a été le tour *(la fois)* des musées étrusques,

12 des sites archéologiques romains et grecs, de Pompéi et de Paestum…

13 – Mon Dieu, Pietro, arrête*(-la)*, tu me fais tourner la tête !

***

Corrigé de l'exercice 1

❶ Je me suis fâchée avec Pietro parce qu'il ne m'a même pas envoyé de carte. ❷ J'ai loué une super voiture jusqu'à dimanche prochain. ❸ J'ai visité d'innombrables églises et sites archéologiques. ❹ Nous sommes descendus en voiture, jusqu'au sud de l'Italie. ❺ Arrêtez, les enfants, vous me faites tourner la tête !

Esercizio 2 – Completate

❶ Quelles villes avez-vous visitées pendant votre voyage ?

. . . . avete visitato . . . .
. . . . . . viaggio?

❷ Marco, peux-tu ouvrir la fenêtre s'il te plaît ?

Marco, ... aprire . . . .
. . . . . . ?

❸ Luca est descendu *(en bas)* dans le jardin, il voulait jouer avec son *(le)* ballon.

Luca . . . . in giardino, ...
giocare con il . . . .

❹ Tu sais que Ida a fait tourner la tête à Claudio !

. . . che Ida . . . . a
Claudio!

❺ Les villes médiévales du nord me plaisent plus que les sites archéologiques du sud.

Le città . . . . del nord mi piacciono . . .
. . . siti . . . . del sud.

❶ Quali città – durante il vostro – ❷ – puoi – il finestrino per favore ❸ – è sceso giù – voleva – pallone ❹ Sai – ha fatto girare la testa – ❺ – edievali – più dei – archeologici –

Deuxième vague : 20e leçon

70 Settantesima lezione

Revisione – Révision

1 L'impératif de *fare*, *dire*, *dare*, *stare*, *andare* et les pronoms

Comme nous l'avons vu en leçon 64, lorsque, à la 2ᵉ personne du singulier, l'impératif des verbes **fare**, *faire* ; **dire**, *dire* ; **dare**, *donner* ; **stare**, *être*, *rester* ; **andare**, *aller*, est suivi de l'un de ces pronoms **mi**, *moi* ; **ti**, *toi* ; **lo**, *le* ; **la**, *la* ; **li**, *les* ; **le**, *le* ; **le**, *lui* ; **ci**, *nous* ; **ne**, *en*, ces derniers sont rattachés au verbe, et leur consonne est doublée :
– **Luca, danne un po' a Luisa**, *Luca, donnes-en un peu à Luisa.*
– **Dalle quel libro!**, *Donne-lui ce livre !*

2 Les formes impersonnelles

2.1 Accord des formes impersonnelles

Nous l'avons déjà évoqué, la forme impersonnelle implique un accord entre le verbe et son complément d'objet direct (COD) :
Si informa la gentile clientela, *Nous informons/On informe notre (l')aimable clientèle.*
→ L'italien accorde le verbe **informare** avec le COD **la gentile clientela** (sing.).

Mais : **Si informano i Signori condomini**, *Nous informons/On informe Mesdames et Messieurs les copropriétaires.*
→ L'italien accorde le verbe **informare** avec le COD **i Signori condomini** (plur.).

2.2 Formes impersonnelles et prépositions

Les formes impersonnelles telles que **è possibile**, *il est possible de* ; **è impossibile**, *il est impossible de* ; **è facile**, *il est facile de*, etc. ne sont jamais suivies d'une préposition en italien.
Cette règle vous semble simple et vous la connaissez déjà depuis

la leçon 68 ? Vous avez raison… mais nous insistons ! Il est important que vous reteniez ces expressions car elles sont beaucoup utilisées et que l'on a tendance à les calquer sur le français : **Attenzione! È possibile sbagliarsi!**

3 Choisir le bon auxiliaire aux temps composés

3.1 Les verbes *potere*, *dovere*, *volere*

Lorsqu'ils sont suivis d'un autre verbe à l'infinitif, les verbes **potere**, *pouvoir* ; **dovere**, *devoir* et **volere**, *vouloir*, prennent l'auxiliaire du verbe qui les suit :
Sono **dovuta andare a Napoli**, *J'ai dû aller à Naples.*

<u>Mais</u> : Ho **dovuto chiamare Luisa**, *J'ai dû appeler Luisa.*

3.2 Le verbe *cambiare*

Aux temps composés, le verbe **cambiare**, *changer*, change d'auxiliaire selon qu'il est suivi ou non d'un complément d'objet direct :
– lorsqu'il n'est pas suivi d'un complément d'objet direct, il se conjugue avec l'auxiliaire **essere** : **Carla** è molto **cambiata**, *Carla a beaucoup changé.*

– lorsqu'il est suivi d'un complément d'objet direct, il se conjugue avec l'auxiliaire **avere** : Ho cambiato **il pantalone che avevo comprato**, *J'ai changé le pantalon que j'avais acheté.*

4 L'adverbe en renfort du verbe

L'italien a recours à une construction verbe + adverbe lorsqu'il souhaite renforcer la valeur d'un verbe ou en modifier le sens :
– **buttar via**, *jeter (dehors, loin)* ;
– **scendere giù**, *descendre* (litt. "descendre en bas").
Attention toutefois, cette construction n'est pas possible avec tous les verbes.

Le partitif existe en italien mais son usage est loin d'être systématique. Ainsi, vous avez vu en leçon 64 que l'on peut aussi bien dire
Mi piace ricevere lettere que **Mi piace ricevere delle lettere**,
pour traduire *J'aime recevoir des lettres.*

Dialogo di revisione

1 – Sai che Francesco mi ha mandato una cartolina da
  Venezia?
2   Però diceva solamente "Carissimi saluti"!
3 – Beata te! Io invece ho ricevuto solo bollette:
  banca, condominio, telefono!
4 – Figurati che ieri sera ho visto Pietro a cena dai
  Rossi,
5   era indignato perché dice che non c'è più rispetto
  per la natura,
6   che la gente distrugge il patrimonio naturale…
7   Ci ha fatto vedere centinaia e centinaia di foto:
  piante, fiori, animali di ogni specie.
8   Poi ci ha parlato di tutte le chiese e i musei che ha
  visitato,
9   e di un incidente che ha avuto sull'autostrada
  vicino alle ville palladiane…
10   Per fortuna aveva portato anche un meraviglioso
  Pinot!

De nouveau, nous vous proposons une série d'expressions utiles qui jalonnent les six leçons précédentes… Vous souvenez-vous de leur signification ?

Carissimi saluti!
Ci mancava pure questa!
Mille grazie!
Mi piace da pazzi…!
Piano!
Sono fuori di me!
Un abbraccio affettuoso!

Traduction

1 Tu sais que Francesco m'a envoyé une carte de Venise ? **2** Mais il disait seulement "Cordiales *(très chères)* salutations". **3** Tu as de la chance ! Moi, en revanche, j'ai reçu seulement des factures : la banque, la copropriété, le téléphone ! **4** Figure-toi qu'hier soir, j'ai vu Pietro à [un] dîner chez les Rossi, **5** il était indigné parce qu'il dit qu'il n'y a plus [de] respect pour la nature, **6** que les gens détruisent le patrimoine naturel… **7** Il nous a montré [des] centaines et [des] centaines de photos : [des] plantes, [des] fleurs, [des] animaux de toutes sortes *(chaque espèce)*. **8** Ensuite il nous a parlé de toutes les églises et des musées qu'il a visités, **9** et d'un accident qu'il a eu sur l'autoroute près des villas palladiennes… **10** Heureusement, il avait aussi apporté un merveilleux Pinot !

71   Settantunesima lezione

À partir de cette leçon, nous abordons le conditionnel des verbes, dont nous vous donnerons de nombreux exemples.

Quale facoltà scegliere?

1 – Allora, Alessandra, hai deciso a quale facoltà ti iscrivi?
2 – Che disastro, non riesco a decidere!
3   È un mese che ho la maturità e cambio idea ogni giorno!
4   Un giorno penso che mi piacerebbe ① scegliere una disciplina artistica: storia dell'arte, architettura...
5   Un altro giorno penso che sarebbe ② più utile lavorare come medico o farmacista...
6   In effetti adorerei anche fare degli studi in psicologia e... perché no in legge...
7 – Hai pensato anche alle possibilità di lavoro che avresti?
8 – Certo, ma questo complica ancora di più le cose!

Notes

① **mi piacerebbe**, *j'aimerais* ; voici votre première rencontre avec un conditionnel. Rendez-vous en leçon de révision pour en savoir plus. ▶

Comme d'habitude, essayez de bien mémoriser chaque nouvelle forme que vous rencontrez.

Quelle faculté choisir ?

1 – Alors, Alessandra, tu as décidé à quelle faculté tu t'inscris ?

2 – C'est catastrophique *(Quel désastre)*, je n'arrive pas à me décider !

3   Cela fait un mois que j'ai le baccalauréat *(la maturité)* et je change d'avis *(d'idée)* tous les jours !

4   Un jour, je me dis *(je pense)* que j'aimerais choisir une discipline artistique : histoire de l'art, architecture…

5   Un autre jour, je me dis *(je pense)* qu'il serait plus utile de travailler comme médecin ou comme pharmacienne…

6   En fait, j'adorerais aussi faire des études de *(en)* psychologie… et pourquoi pas de *(en)* droit…

7 – As-tu pensé aussi aux possibilités de travail que tu aurais ?

8 – Bien sûr, mais cela complique encore *(de)* plus les choses !

▶ ② **sarebbe**, *il serait* ; les auxiliaires **essere**, *être* et **avere**, *avoir*, ont un conditionnel irrégulier dont vous découvrirez tous les secrets en leçon de révision.

9 Non è facile prevedere l'evoluzione del mercato del lavoro.

10 Vorrei ③ arrivare almeno fino al Master,

11 ma preferirei veramente fare anche un Dottorato.

12 Nel frattempo il tempo passa, e io devo iscrivermi entro ④ un mese! ☐

Notes

③ **vorrei**, *je voudrais* ; les verbes irréguliers au présent de l'indicatif le sont souvent également au présent du conditionnel. C'est le cas de **volere**, *vouloir* (voir l'appendice grammatical). Attention, toutefois, car il existe un **vol-erei**, mais il s'agit du conditionnel – régulier – du verbe **volare**, *voler* (tel un oiseau).

④ Lorsqu'il se trouve dans un contexte temporel, le mot **entro** signifie *dans* ou *pour*. Toutefois, comme la traduction l'indique, il veut dire également *au plus tard, dernier délai* : **Devo decidere entro il 31 luglio**, *Je dois décider pour le 31 juillet [dernier délai]*.

***

Esercizio 1 – Traducete

❶ Alessandra vorrebbe fare un Master, ma cambia idea ogni giorno. ❷ Adorerebbe essere medico o farmacista, ma non ha ancora la maturità. ❸ Luca si iscriverebbe volentieri in architettura o in storia dell'arte. ❹ Non riesco a prevedere l'evoluzione del mio lavoro. ❺ Non vorrei complicare le cose ancora di più.

9 Il n'est pas facile de prévoir l'évolution du
marché du travail.

10 Je voudrais arriver au moins jusqu'au Master,

11 mais je préférerais vraiment faire aussi un
Doctorat.

12 Pendant ce temps le temps passe, et moi, je dois
m'inscrire dans un mois au plus tard !

***

Corrigé de l'exercice 1

❶ Alessandra voudrait faire un Master, mais elle change d'avis tous les jours. ❷ Elle adorerait être médecin ou pharmacienne, mais elle n'a pas encore son bac. ❸ Luca s'inscrirait volontiers en architecture ou en histoire de l'art. ❹ Je n'arrive pas à prévoir l'évolution de mon travail. ❺ Je ne voudrais pas compliquer les choses davantage.

Esercizio 2 – Completate

❶ Aurais-tu un peu de temps pour venir au cinéma avec moi ?

. . . . un . . . . per venire al
cinema . . . .. ?

❷ Je serais très heureuse de vous avoir à dîner chez moi samedi
prochain.

. . . . . molto . . . . . . di . . . . . . a cena da me
sabato . . . .

❸ Quel désastre, je n'arrive pas à choisir entre ces deux paires de
chaussures !

. . . . , non riesco a . . . . tra
queste due paia di . . . . . . !

---

72 Settantaduesima lezione

Ancora un concorso!

1 – Per cortesia, potrebbe ① dirmi quali
documenti si devono ② presentare,
2 per un'iscrizione in medicina?
3 – Certo! Ci vuole un atto di nascita, un
certificato di residenza,
4 e uno stato di famiglia;
5 più, evidentemente, il diploma di maturità.

Notes

① **potrebbe**, *vous pourriez* ; si vous souhaitez découvrir la conjugaison complète du présent du conditionnel du verbe **potere**,
pouvoir, nous vous renvoyons à l'appendice grammatical. ▶

❹ Quelles possibilités de travail aurait-il en tant que médecin ?

Che possibilità di lavoro . . . .

. . . . . . ?

❺ Je dois décider au plus tard dans trois jours.

. . . . decidere . . . . . tre giorni.

Corrigé de l'exercice 2

❶ Avresti – po' di tempo – con me ❷ Sarei – felice – avervi – prossimo ❸ Che disastro – scegliere – scarpe ❹ – avrebbe come medico ❺ Devo – entro –

Deuxième vague : 22ᵉ leçon

Soixante-douzième leçon   72

Encore un concours !

1 –   S'il vous plaît *(par courtoisie)*, pourriez-vous *(pourrait-Elle)* me dire quels documents il faut présenter,

2   pour une inscription en médecine ?

3 –   Certainement ! Il faut un [extrait d']acte de naissance, un justificatif *(certificat)* de domicile *(résidence)*,

4   et une fiche d'état civil *(un état de famille)* ;

5   plus, évidemment, le diplôme du baccalauréat.

▶ ② **devono presentare**, *il faut présenter...* Aucun doute, vous commencez à bien maîtriser les expressions italiennes signifiant *il faut*. Vous le verrez, elles sont nombreuses dans ce dialogue ! Amusez-vous à les retrouver... et s'il vous en manque quelques-unes, reportez-vous aux leçons 56 et 63.

6 Per tutti i diplomi occorrono gli originali, le fotocopie non sono valide.

7 Comunque Lei sa che nella nostra Università c'è il numero chiuso,

8 ed è ③ quindi necessaria una idoneità.

9 E Le dispiacerebbe dirmi che cosa si deve fare per ottenerla?

10 – Per il momento deve fare una semplice domanda sul formulario verde che potrà prendere allo sportello n° 6.

11 E poi bisogna superare il concorso di ammissione…

Note

③ Vous souvenez-vous de la règle abordée en leçons 5 et 58 ? Eh oui, lorsque le **a** ou le **e** précèdent un mot commençant par une voyelle, on leur ajoute généralement un petit **d**, que l'on appelle **d** euphonique, afin de faciliter la prononciation.

***

Esercizio 1 – Traducete

❶ Potresti dirmi quali documenti ci vogliono per avere il passaporto? ❷ Per iscriversi in medicina bisogna superare un concorso di ammissione. ❸ Potrei avere uno stato di famiglia e un certificato di residenza? ❹ Ci dispiacerebbe molto perdere questa occasione di conoscere i tuoi amici. ❺ Non occorre nessun concorso.

6 Pour tous les diplômes, il faut les originaux, les photocopies ne sont pas valables.

7 De toute façon, vous savez *(sait)* que dans notre université, il y a le "numerus clausus",

8 et il vous faut donc [un certificat d']aptitude *(une admissibilité est donc nécessaire)*.

9 Et cela vous ennuierait de me dire ce qu'il faut faire pour l'obtenir ?

10 – Pour l'instant, vous devez *(doit)* faire une simple demande, sur l'imprimé vert que vous pourrez *(pourra)* prendre au guichet n° 6.

11 Et puis il faut réussir *(surmonter)* le concours d'admission…

***

Corrigé de l'exercice 1

❶ Pourrais-tu me dire quels documents il faut pour avoir le passeport ? ❷ Pour s'inscrire en médecine, il faut passer un concours d'admission. ❸ Pourrais-je avoir une fiche d'état civil et un justificatif de domicile ? ❹ Nous serions vraiment désolés de rater cette occasion de connaître tes amis. ❺ Il ne faut aucun concours.

Esercizio 2 – Completate

❶ Il me plairait beaucoup d'avoir tous ces documents au plus tard demain.

.. .. molto avere tutti questi

.... domani.

❷ Tu peux prendre cet imprimé au guichet n° 3.

.... prendere questo .... allo

.... n° 3.

❸ Je suis désolé, j'ai oublié la fiche d'état civil, mais j'ai l'extrait d'acte de naissance.

.. .., ho dimenticato lo ....

........, ma ho l' ....•

---

73 Settantatreesima lezione

Roma, 9 ottobre 2004 ①

1 Spettabile ② Olietti,
2 Gradiremmo ③ ricevere una confezione della vostra "offerta promozionale",

Notes

① 2004 se dit **duemilaquattro**... Retenez bien la manière dont on forme les dates en italien, cela pourrait vous être utile !

② **Spettabile** (litt. "respectable"), peut être suivi aussi bien par le nom d'une entreprise que par celui d'un particulier : **Spettabile Ingegner Reddi**, *Monsieur Reddi*. Pour les noms propres, il est possible d'utiliser également l'adjectif **gentile** (litt. "gentil"), un peu plus chaleureux : **Gentile Professore**, *Monsieur le Professeur* (litt. "Gentil Professeur"). ▶

❹ Pour l'instant je n'ai aucune information sur les admissions.

. . . . non ho . . . .

informazione sulle . . . .

❺ Il ne faut jamais perdre *(la)* patience.

. . . . mai perdere la . . . .

Corrigé de l'exercice 2

❶ Mi piacerebbe – documenti entro – **❷** Puoi – formulario – sportello – **❸** Mi dispiace – stato di famiglia – atto di nascita **❹** Per il momento – nessuna – ammissioni **❺** Non bisogna – pazienza

Deuxième vague : 23e leçon

Soixante-treizième leçon   73

Roma, [le] 9 octobre 2004

1   Messieurs *(respectable Olietti)*,
2   Nous aimerions recevoir un carton de votre "offre promotionnelle",

▶ ③ **gradiremmo**, *nous aimerions* : vous avez sans doute remarqué que la 1re personne du pluriel du futur et celle du présent du conditionnel ne diffèrent que par la présence d'une simple consonne : **gradiremo** ≠ **gradiremmo**. Voilà un bon exemple de l'importance d'une bonne prononciation des doubles consonnes italiennes : entraînez-vous en répétant plusieurs fois des groupes de mots tels que **saremo** / **saremmo**, **potremo** / **potremmo**, etc. Cela vous évitera tout malentendu lié à une prononciation bancale.

3 contenente ④ sei bottiglie di olio di oliva,

4 e un assortimento dei vostri prodotti
   sott'olio.

5 Desidereremmo ugualmente ricevere il
   vostro nuovo catalogo,

6 e delle informazioni più precise sulle
   modalità di pagamento.

7 Potremo pagare con carta di credito,

8 o, preferibilmente, con un assegno alla
   consegna.

9 In caso di nostra assenza, vi preghiamo di
   lasciare la merce al portiere del palazzo.

10 Il nostro recapito ⑤ completo è : Via
   Paisiello, 5 ; scala C, terzo piano, interno
   C 25.

11 Il codice del citofono è 4579 (quattro
   cinque sette nove).

12 Ringraziandovi della vostra attenzione, e
   nella speranza di una consegna rapida,

13 Distinti saluti ⑥.   □

Notes

④ **contenente**, *contenant* : le participe présent se forme, comme
tous les autres temps, à partir de l'infinitif (ici **contenere**). À
sa racine, on ajoute **-ante**, pour les verbes du 1er groupe, et
-ente, pour ceux des 2e et 3e groupes : **cant-are**, *chanter* →
cant-ante, *chantant* ; **offr-ire**, *offrir* → **offr-ente**, *offrant*.
Son utilisation, assez rare en italien, est surtout limitée à des
contextes formels ou au langage administratif.

⑤ **recapito** est un synonyme de **indirizzo**, *adresse*, mais il n'est
utilisé que dans le langage administratif.

⑥ **Distinti saluti** est la formule finale adaptée à tout courrier professionnel ou personnel où le vouvoiement a été employé.

3	contenant six bouteilles d'huile d'olive,
4	et un assortiment de vos produits à *(sous)* l'huile.
5	Nous souhaiterions également recevoir votre nouveau catalogue,
6	et des renseignements plus précis sur les modalités de paiement.
7	Nous pourrons payer par *(avec)* carte *(de crédit)*,
8	ou, de préférence *(préférablement)*, par *(avec)* chèque à la livraison.
9	En cas d'absence *(de notre absence)*, nous vous prions de laisser la marchandise au gardien de l'immeuble.
10	Notre adresse exacte *(complète)* est Via Paisiello, 5 ; escalier C, troisième étage, porte *(intérieur)* C 25.
11	Le code de l'interphone est 4579.
12	En vous remerciant de votre attention, et dans l'espoir d'une livraison rapide,
13	Cordiales *(distinguées)* salutations.

Esercizio 1 – Traducete

❶ Alla Olietti c'è una interessante offerta promozionale di prodotti sott'olio. ❷ Potrei pagare con la carta di credito, ma l'ho dimenticata. ❸ Non ho preso il codice del citofono di Carla! – Eccolo, l'ho preso io! ❹ Spettabile Rossi, gradirei ricevere delle informazioni sui vostri nuovi prodotti. ❺ Ringraziando La della Sua attenzione e delle Sue informazioni, Distinti saluti.

Esercizio 2 – Completate

❶ Mon adresse est : 9, rue Angelo Emo, escalier G, porte 39.

Il mio . . . . è . . . Angelo Emo, 9, ...
G, ... 39.

❷ Tu pourrais laisser mon guide de Rome au gardien de mon immeuble.

. . . . lasciare . . . . di Roma al
. . . . del mio . . . .

❸ Nous pourrons payer la marchandise à la livraison seulement.

. . . . pagare la . . . . . solamente . . . .
. . . .

❹ Monsieur et Madame Verdi souhaiteraient avoir plus d'informations.

I . . . . Verdi . . . . avere più
. . . .

❺ En espérant vous revoir très prochainement, [recevez mes plus] cordiales salutations.

. . . . di . . . . molto rapidamente,
. . . .

Corrigé de l'exercice 1

❶ Chez Olietti, il y a une offre promotionnelle intéressante de produits à l'huile. ❷ Je pourrais payer avec la carte de crédit, mais je l'ai oubliée. ❸ Je n'ai pas pris le code de l'interphone de Carla ! – Le voici, moi, je l'ai pris ! ❹ Messieurs, je souhaiterais recevoir des informations sur vos nouveaux produits. ❺ En vous remerciant de votre attention et de vos informations, [je vous prie d'agréer mes] salutations distinguées.

Corrigé de l'exercice 2

❶ – recapito – via – scala – interno – ❷ Potresti – la mia guida – portiere – palazzo ❸ Potremo – merce – alla consegna ❹ – Signori – desidererebbero – informazioni ❺ Sperando – rivedervi – Cordiali saluti

Deuxième vague : 24e leçon

Faccio un salto in farmacia

1 – Per cortesia, potrebbe darmi qualcosa
   contro il mal ① di testa?

2   Sono raffreddato e ho anche un po' di
   febbre.

3 – Potrei darLe delle compresse effervescenti,
   se vuole.

4 – Sì, va benissimo, grazie. Quante ne devo
   prendere?

5 – Ne prenda tre al giorno,

6   ma si ricordi che vanno prese ② sempre a
   stomaco pieno.

7 – A proposito, mi darebbe anche un
   dentifricio e una scatola di cerotti?

8 – Ecco a Lei. Le occorre altro?

9 – No, grazie. Ah sì, mi scusi, ho bisogno
   anche di un disinfettante,

10   e di una crema contro le zanzare.

11   Mi sembra che non dimentico niente ③…

Notes

① Le mot *mal* est traduit en italien par **male**. Toutefois, lorsqu'il
   est utilisé dans des expressions très courantes, telles que **mal
   di testa**, *mal de tête*, *migraine* ; **mal di stomaco**, *mal à l'estomac*, etc., le **e** final tombe, pour en faciliter la prononciation.

② **vanno prese**, *elles doivent être prises* (comprimé est féminin
   en italien : **una compressa**), remplace la forme **devono essere
   prese**, donnant à la phrase une formulation plus rapide, plus ▶

Je fais un saut à la *(en)* pharmacie

1 – S'il vous plaît, pourriez-vous *(pourrait)* me donner quelque chose contre le mal de tête ?

2 Je suis enrhumé *(refroidi)* et j'ai aussi un peu de fièvre.

3 – Je pourrais vous *(Lui)* donner des comprimés effervescents, si vous voulez *(si veut)*.

4 – Oui, ça va très bien, merci. Combien dois-je en prendre ?

5 – Prenez-en *(en prenne)* trois par jour,

6 mais rappelez-vous *(que se rappelle)* qu'ils doivent toujours être pris après les repas *(à estomac plein)*.

7 – À propos, pourriez-vous me donner *(me donnerait)* aussi un [tube de] dentifrice et une boîte de sparadraps ?

8 – Voilà *(à Elle)* ! Vous avez *(a)* besoin d'autre chose ?

9 – Non, merci ! Ah si, excusez-moi *(que m'excuse)*, j'ai besoin aussi d'un désinfectant,

10 et d'une crème contre les moustiques.

11 Il me semble que je n'oublie rien…

▸ légère. Nous pouvons dire également : **È così che va fatto il caffé**, *C'est comme cela que le café doit être fait*, etc. Il suffit donc de conjuguer le verbe **andare** et de le faire suivre du participe passé du verbe voulu.

③ Vous souvenez-vous de la règle concernant l'emploi de **niente**, *rien*, et de **nessuno**, *personne*, dans des phrases négatives ? Si vous souhaitez la revoir, rendez-vous en leçon 56.

12 – Faccia con comodo ④, non c'è fretta!

Note

④ **fare con comodo** est une expression idiomatique très courante dans le registre soutenu. N'hésitez pas à l'utiliser si vous ▸

Esercizio 1 – Traducete

❶ Luca è raffreddato! Che cosa potrei dargli? ❷ Devi prendere queste compresse due volte al giorno, sempre a stomaco pieno. ❸ Per cortesia, mi occorrerebbe una scatola di cerotti e una crema contro le zanzare. ❹ Lo sapevo, nessuno ha comprato il dentifricio! ❺ Perfetto! Non abbiamo dimenticato niente: il passaporto, il biglietto dell'aereo, i numeri di telefono degli amici...

Esercizio 2 – Completate

❶ Au fait, saurais-tu me conseiller un bon spectacle de théâtre ?

. . . ., ... consigliarmi un
. . . . di teatro?

❷ Nous avons le temps *(Il n'y a pas de hâte)* Francesco, finis tranquillement ton cappuccino.

. . . ., Francesco, ...
tranquillamente il tuo cappuccino.

❸ Voici vos fraises, Mademoiselle. Avez-vous besoin d'autre chose ?

. . . . fragole, Signorina. . . . .
di . . . . . ?

❹ J'ai eu de la fièvre et mal à la tête tout le week-end. Je n'en pouvais plus !

Ho avuto la . . . . . . e . . . . tutto il
week-end. . . . . più!

12 – Prenez votre temps *(Fasse avec aise)*, rien ne
presse *(il n'y a pas hâte)* !

▸ souhaitez mettre quelqu'un à l'aise, en l'invitant à prendre son
temps.

Corrigé de l'exercice 1

❶ Luca est enrhumé ! Que pourrais-je lui donner ? ❷ Tu dois
prendre ces comprimés tous les deux jours, toujours après le repas.
❸ S'il vous plaît, il me faudrait une boîte de sparadraps et une
crème contre les moustiques. ❹ Je le savais, personne n'a acheté le
dentifrice ! ❺ Parfait ! Nous n'avons rien oublié : le passeport, le
billet d'avion, les numéros de téléphone des amis...

❺ Vous n'avez rien oublié, Madame ? Prenez vos aises *(Fasse
avec aise)* !

Non .. dimenticato ...... Signora? ......
... .!

LUCA È RAFFREDDATO!

Corrigé de l'exercice 2

❶ A proposito, sapresti – buono spettacolo – ❷ Non c'è fretta –
finisci – ❸ Ecco le sue – Ha bisogno – altro ❹ – febbre – mal di
testa – Non ne potevo – ❺ – ha – niente – Faccia con comodo

Deuxième vague : 25ᵉ leçon

Vorremmo trasferirci

1 – Vorrei proprio sapere quando si
   decideranno a rispondermi!
2 – Di che cosa stai parlando, Paola?
3 – Oggi è già venerdì ①,
4   e non ho ancora ricevuto le informazioni
   che avevo chiesto ② !
5   E pensare che ho telefonato alla banca
   lunedì scorso!
6   Sai che a Filippo piacerebbe ③ vivere
   vicino al mare,
7   e quindi vorrebbe vendere questa casa e
   comprarne un'altra.
8   Ho chiesto alla banca di mandarmi delle
   informazioni sui prestiti…
9 – Non credi che vi annoiereste, tutto l'anno
   lontani dalla città?
10 – Secondo me saremmo molto più riposati e
   di migliore umore.
11 – E pensi che i ragazzi vi seguirebbero?
12 – Penso di no ④, ma sono grandi oramai,
   hanno già venti anni!   □

Notes

① **oggi è già vernedì** renvoie aux expressions françaises *aujourd'hui c'est vendredi, on est vendredi, nous sommes vendredi.* Ces deux dernières ne peuvent en aucun cas être traduites littéralement en italien.

② Souvenez-vous qu'il ne faut pas accorder le participe passé qui suit le pronom **che**, *qui* (leçon 47).   ▶

Nous voudrions déménager

1 – Je voudrais vraiment savoir quand ils se
décideront à me répondre !

2 – De quoi es-tu en train de parler, Paola ?

3 – Aujourd'hui nous sommes *(est)* déjà vendredi,

4 et je n'ai pas encore reçu les informations que
j'avais demandées !

5 Quand je pense *(Et penser)* que j'ai téléphoné à
la banque lundi dernier !

6 Tu sais que Filippo aimerait *(à Filippo plairait)*
vivre au bord *(près)* de la mer,

7 *(et)* donc il voudrait vendre cet appartement et
en acheter un autre.

8 J'ai demandé à la banque de m'envoyer des
informations sur les prêts…

9 – Tu ne crois pas que vous vous ennuieriez, toute
l'année loin de la ville ?

10 – D'après moi, nous serions beaucoup plus
reposés et de meilleure humeur.

11 – Et penses-tu que les enfants vous suivraient ?

12 – Je pense que non, mais ils sont grands
désormais, ils ont déjà vingt ans !

▶ ③ **gli piacerebbe**, *il aimerait* : dans ce type de contexte, mieux
vaut éviter d'utiliser le verbe **amare**, *aimer*, généralement
réservé aux messages d'amour.

④ **Penso di no**, *Je pense que non* ; **Credo di sì**, *Je crois que si*, etc.
Répétez plusieurs fois ces phrases, jusqu'à les connaître parfaitement. La présence de la préposition **di** est indispensable
aussi lorsque des verbes comme **pensare**, *penser* ; **sperare**,
espérer ; **temere**, *craindre*, etc., sont suivis d'un verbe à l'infinitif (voir aussi leçon 60).

Esercizio 1 – Traducete

❶ Vorremmo comprare una casa vicino al mare.
❷ Le piacerebbe vendere la sua auto e vorrebbe comprarne una molto più potente. ❸ Marco oggi mi sembra di migliore umore. ❹ Non mi piacerebbe per niente vivere in montagna. ❺ Lunedì ho chiesto alla banca delle informazioni sui prestiti.

Esercizio 2 – Completate

❶ Quel jour sommes-nous ? – Aujourd'hui nous sommes samedi.

. . . giorno è? – . . . . è sabato.

❷ Qu'est-ce que tu es en train de regarder, Luca ?

Che . . . . , Luca?

❸ Ce sont les informations que j'avais demandées mercredi à la banque.

. . . . le informazioni che . . . .
mercoledì . . . . banca.

❹ Crois-tu que nous nous ennuierons dans cette ville ? – Non, je crois que non !

Credi che . . . . in questa città?
– . . , credo . . . . !

❺ Je viens de rencontrer Ida, et elle m'a dit que la semaine dernière elle est allée en Turquie.

. . . . Ida, e mi . . . .
che la settimana . . . . in
Turchia.

Corrigé de l'exercice 1

❶ Nous voudrions acheter une maison près de la mer. ❷ Elle aimerait vendre sa voiture et voudrait s'en acheter une beaucoup plus puissante. ❸ Marco, aujourd'hui, me semble de meilleure humeur. ❹ Je n'aimerais pas du tout vivre à la montagne. ❺ Lundi, j'ai demandé à la banque des informations sur les prêts.

Corrigé de l'exercice 2

❶ Che – Oggi – ❷ – cosa stai guardando – ❸ Sono – avevo chiesto – alla – ❹ – ci annoieremo – No – di no ❺ Ho appena incontrato – ha detto – scorsa è andata –

Deuxième vague : 26e leçon

Animali domestici

1 – Mamma, me lo compreresti un leoncino ①
se quest'anno ho la media dell'otto?

2 – Questa poi ②! Ma sarai impazzito?

3 – Così potrei provare a tutti i miei compagni
che sono più forte di un leone!

4 – Ma va là ③ !

5 – E per un cane, un bel bull-dog, saresti
d'accordo?

6 – Così giocheresti a chi abbaia meglio?

7 – Non mi prendere in giro ④, mamma! Io un
animale lo vorrei davvero!

8 – Lo so, hai ragione. Ma l'abbiamo già detto
molte volte:

9 gli animali soffrono nelle case ⑤.

10 – Ma Luigi ha due gatti e un cagnolino,

11 Lucia ha tre uccelli. Solo io non ho niente!

12 – Basta, Riccardo, per favore! È inutile
insistere con queste storie di animali! ☐

Notes

① Voici un diminutif irrégulier car **leoncino**, *lionceau*, vient de
leone, *lion*. Voyez aussi phrase 10 **cagnolino**, *chiot*, de **cane**,
chien.

② **Questa poi!**, *Ça alors !* ; retenez bien cette expression idiomatique, en faisant particulièrement attention au féminin
questa... Vous impressionnerez vos amis italiens avec ces
tournures "à l'italienne" !   ▶

Animaux domestiques

1 –   Maman, tu m'achèterais *(me le)* un petit lion, si cette année j'ai seize de moyenne *(la moyenne du huit)* ?

2 –   Ça, alors ! Mais tu es *(seras-tu)* devenu fou ?

3 –   Comme ça, je pourrais prouver à tous mes camarades que je suis plus fort qu'un lion !

4 –   Allons donc *(Mais va là)* !

5 –   Et pour un chien, un beau bull-dog, tu serais d'accord ?

6 –   Comme ça, tu jouerais à [celui] qui aboie [le] mieux ?

7 –   Ne te moque pas de moi, maman ! Moi, je *(le)* voudrais vraiment un animal !

8 –   Je *(le)* sais, tu as raison. Mais nous l'avons déjà souvent dit :

9   les animaux souffrent dans les appartements.

10 –   Mais Luigi a [bien] deux chats et un petit chien,

11   Lucia a trois oiseaux. Il n'y a que moi *(Moi seulement)* qui n'ai rien !

12 –   Ça suffit, Riccardo, s'il te plaît ! Il est inutile d'insister avec ces histoires d'animaux !

▶ ③ **Ma va là!**, *Allons donc !* : il s'agit là d'une autre expression idiomatique très utilisée, mais adaptée à la langue parlée seulement !

④ **prendere in giro** est la traduction la plus juste et la plus répandue pour *se moquer de*. Il existe aussi le verbe **burlarsi**, mais il est un peu désuet et peu utilisé.

⑤ Qu'il s'agisse d'un *appartement* ou d'une *maison*, les Italiens diront toujours **casa**, comme nous vous le signalions en leçon 40.

Esercizio 1 – Traducete

❶ Figurati che Riccardo vorrebbe avere un leoncino! – Questa poi! ❷ Sono più forte di mio fratello perché ho avuto la media dell'otto. ❸ Mamma dice che non vuole, ma io vorrei un cagnolino! ❹ Basta Luca! Hai chiamato a casa di Marco già cinque volte. ❺ Ma va là! Non ci credo affatto alle tue storie!

Esercizio 2 – Completate

❶ Luca disait à tous ses camarades qu'il était plus fort qu'un lion.
Luca . . . . . . a tutti i . . . . compagni che . . . più forte . . . .

❷ Les enfants, ça suffit ! Il est inutile de crier !
Bambini, ... ! È . . . . !

❸ Ça alors ! Ils se sont moqués de lui toute la journée !
. . . . ! Lo hanno . . . . tutto il . . . . . . !

❹ Luisa, serais-tu d'accord pour acheter un chien ? – Je préfèrerais un chat.
Luisa, ... per comprare un . . . . ? – . . . . un . . . . . .

❺ Marco quitte son travail et part en Inde avec un sac à dos ! – Il est devenu fou ?
Marco lascia il . . . . e . . . . . per l'India con . . . . ! – . . . . impazzito?

Corrigé de l'exercice 1

❶ Figure-toi que Riccardo voudrait avoir un lionceau ! – Ça alors ! **❷** Je suis plus fort que mon frère, car j'ai seize de moyenne. **❸** Maman dit qu'elle ne veut pas, mais [moi] je voudrais un chiot ! **❹** Ça suffit, Luca ! Tu as appelé chez Marco déjà cinq fois. **❺** Mais enfin ! Je ne crois pas du tout à tes histoires !

Corrigé de l'exercice 2

❶ – diceva – suoi – era – di un leone **❷** – basta – inutile gridare **❸** Questa poi – preso in giro – giorno **❹** – saresti d'accordo – cane – Preferirei – gatto **❺** – suo lavoro – parte – uno zaino – Sarà –

Tout enfant de nationalité italienne se doit de fréquenter l'école de six à quatorze ans. Il débute sa scolarité à la **Scuola Elementare**, École élémentaire, *et il y reste cinq années. À la fin de ce premier cycle d'études, il intègre la* **Scuola Media**, l'École moyenne, *qui a une durée de trois ans. Avec son diplôme de* **Scuola Media**, *il pourra s'inscrire au lycée, le* **Liceo Classico**, Lycée classique, *ou le* **Liceo Scientifico**, Lycée scientifique, *dont l'issue classique est depuis toujours l'Université. Il peut également intégrer des filières offrant une insertion plus rapide sur le marché du travail, tels que les* **Istituti Tecnici**, Instituts techniques. *Le cycle universitaire propose, quant à lui, trois degrés : la* **Laurea breve**, Licence, *qui nécessite trois ans d'études, le* **Master**, Master, *qui nécessite deux ans d'études, et le* **Dottorato**, Doctorat, *qui se fait sur trois ans. La notation est sur trente à l'Université, et sur dix dans tous les autres cycles.*

Deuxième vague : 27ᵉ leçon

Revisione – Révision

1 Le conditionnel

1.1 Emploi

L'utilisation du conditionnel italien ne présente pas de difficulté particulière pour un apprenant francophone. On y recourt pour exprimer un souhait, un doute, une hypothèse, pour formuler une demande polie, etc.

1.2 Les conjugaisons régulières

Le conditionnel présent des verbes réguliers s'obtient en ajoutant au radical de l'infinitif les terminaisons **-erei, -eresti, -erebbe, -eremmo, -ereste, -erebbero**, pour les verbes des 1er et 2e groupes et **-irei, -iresti, -irebbe, -iremmo, -ireste, -irebbero**, pour les verbes du 3e groupe.

Remarquez que le conditionnel présent italien, contrairement à son homologue français, n'est jamais utilisé pour exprimer un "futur dans le passé" dans des phrases du type *J'imaginais déjà où nous irions déjeuner.* Nous y reviendrons.

– 1er groupe, **desiderare**, *désirer*

io desider-erei	*je désirerais*
tu desider-eresti	*tu désirerais*
lui/lei desider-erebbe	*il/elle désirerait*
noi desider-eremmo	*nous désirerions*
voi desider-ereste	*vous désireriez*
loro desider-erebbero	*ils/elles désireraient*

– 2e groupe, **decidere**, *décider*

io decid-erei	*je déciderais*
tu decid-eresti	*tu déciderais*

lui/lei decid-erebbe	*il/elle déciderait*
noi decid-eremmo	*nous déciderions*
voi decid-ereste	*vous décideriez*
loro decid-erebbero	*ils/elles décideraient*

– 3ᵉ groupe, **partire**, *partir*

io part-irei	*je partirais*
tu part-iresti	*tu partirais*
lui/lei part-irebbe	*il/elle partirait*
noi part-iremmo	*nous partirions*
voi part-ireste	*vous partiriez*
loro part-irebbero	*ils/elles partiraient*

1.3 Les verbes *avere* et *essere*

– **avere**

io avrei	*j'aurais*
tu avresti	*tu aurais*
lui/lei avrebbe	*il/elle aurait*
noi avremmo	*nous aurions*
voi avreste	*vous auriez*
loro avrebbero	*ils/elles auraient*

– **essere**

io sarei	*je serais*
tu saresti	*tu serais*
lui/lei sarebbe	*il/elle serait*
noi saremmo	*nous serions*
voi sareste	*vous seriez*
loro sarebbero	*ils/elles seraient*

Les conjugaisons irrégulières sont relativement nombreuses au présent du conditionnel. De manière générale les verbes qui sont irréguliers au présent de l'indicatif le sont aussi au présent du conditionnel. Consultez-les dans l'appendice grammatical, apprenez à les reconnaître mais ne vous inquiétez pas : à force de les entendre, vous les retiendrez sans même vous en rendre compte !

2 Le participe présent

2.1 Emploi

L'emploi du participe présent est plutôt rare dans la langue contemporaine : il est limité à des contextes très formels ou littéraires. Les participes présents utilisés comme substantifs ou adjectifs sont en revanche assez fréquents (**studente**, *étudiant* ; **insegnante**, *enseignant* ; **cantante**, *chanteur, chantant* ; **languente**, *languissant*, etc.).

2.2 Formation

Le participe présent des verbes réguliers se forme à partir de la racine de l'infinitif, à laquelle on ajoute **-ante**, pour le 1er groupe et **-ente** pour les 2e et 3e groupes :
– **parl-are**, *parler* → **parl-ante**, *parlant*
– **scriv-ere**, *écrire* → **scriv-ente**, *écrivant*
– **fin-ire**, *finir* → **fin-ente**, *finissant*

3 La forme passive

Vous l'avez vu en leçon 74, dans l'italien contemporain, à la forme passive classique, obtenue avec l'auxiliaire **essere** (leçon 49), s'est ajoutée une forme passive formée à l'aide du verbe **andare**, *aller*, où le verbe **andare** a le sens de *devoir être* : **Le compresse vanno prese due volte al giorno**, *Les comprimés doivent être pris deux fois par jour.*

Vous en avez désormais l'habitude, quelques expressions-clés de vocabulaire vous sont proposées ici. À vous d'en retrouver le sens dans les six leçons précédentes et de vous amuser à les utiliser en contexte !

Spettabile Olietti
Ma va là!
Distinti saluti
Faccia con comodo!
Questa poi!
Non c'è fretta!
Oggi è sabato, non domenica!

1 – Alessandra vorrebbe iscriversi in psicologia, ma non sa che possibilità di lavoro avrebbe.

2 – Potrebbe iscriversi anche in medicina, ma dovrebbe fare un concorso.

3 – Si è già informata per i documenti che deve presentare: ci vuole un atto di nascita e un certificato di residenza.

4 – Ah, sai che ho ordinato un sacco di prodotti sott'olio,

5 – e che potremo pagare alla consegna con un assegno?

6 – Io invece ho dimenticato di comprare il dentifricio e le compresse per il mal di testa!

7 – Non c'è fretta, ne abbiamo ancora.

8 – A proposito, ho sentito Paola, dice che a Filippo piacerebbe vivere al mare.

---

78   Settantottesima lezione

Après 77 leçons, vous connaissez tous les modes des verbes italiens, à l'exception du subjonctif. Ce mode vous inquiète car vous vous imaginez des formes compliquées et difficiles à retenir ? Rassurez-vous ! C'est loin d'être le cas : vous retiendrez toutes les formes du subjonctif sans le moindre effort. Et, bien que ce mode ait ten-

Un progetto interessante

1 – Che cosa ne pensi, Giulio, del progetto della nostra nuova sede?

9 Vorrebbero vendere la loro casa e comprarne una vicino al mare!

10 – Tutto l'anno lontano dalla città! Ma saranno impazziti!

Traduction

1 Alessandra voudrait s'inscrire en psychologie, mais elle ne sait pas quelles possibilités de travail elle aurait. **2** Elle pourrait s'inscrire en médecine aussi, mais elle devrait passer *(faire)* un concours. **3** Elle s'est déjà renseignée sur les documents qu'elle doit présenter : il [lui] faut un [extrait d']acte de naissance et un justificatif de domicile. **4** Ah, sais-tu que j'ai commandé plein de produits à l'huile, **5** et que nous pourrons payer par *(avec)* chèque à la livraison ? **6** Moi, en revanche, j'ai oublié d'acheter le dentifrice et les comprimés pour le mal de tête ! **7** Nous avons le temps, nous en avons encore ! **8** Au fait, j'ai eu Paola au téléphone ; elle dit que Filippo aimerait vivre à la mer. **9** Ils voudraient vendre leur appartement et voudraient en acheter un au bord de la mer. **10** Toute l'année loin de la ville ? Mais ils doivent être devenus fous !

Deuxième vague : 28e leçon

Soixante-dix-huitième leçon   78

dance à disparaître de la langue parlée, cela vous sera utile voire indispensable dans des conversations un peu formelles, en milieu professionnel par exemple, ou à l'écrit. Courage, donc, c'est le dernier effort de mémoire que vous avez à fournir, et, comme toujours, nous serons à vos côtés pour vous accompagner pas à pas.

Un projet intéressant

1 – Qu'en penses-tu, Giulio, du projet de notre nouveau siège ?

2 – Mi pare che sia ① abbastanza buono,

3   anche se ho potuto guardarlo ② solo molto rapidamente.

4   Ieri sera non avevo molto tempo, ma oggi dovrei averne di più.

5 – A me sembra che abbia ③ parecchi aspetti interessanti:

6   prima di tutto è molto funzionale, grazie alla buona ripartizione degli spazi.

7   In secondo luogo è molto centrale, il quartiere è vivace,

8   e c'è una fermata della metropolitana a dieci metri.

9   Vi arrivano anche parecchie linee di autobus,

10   e, soprattutto, c'è un grande parcheggio sotterraneo a cinquanta metri.

11   In terzo luogo sembra incredibilmente poco caro!

12 – Credo che quest'ultimo punto debba ④ essere esaminato molto attentamente!   □

Notes

① Comme la traduction l'indique, **sia**, *[qu'il] soit*, est la 3e personne du singulier du présent du subjonctif du verbe **essere**, *être*. Son utilisation est nécessaire ici parce que tous les verbes qui expriment une opinion – tels **mi pare che**, *il me semble que* ; **credo che**, *je crois que* ; **temo che**, *je crains que*, etc. – sont suivis du subjonctif. Sachez toutefois que la langue parlée ignore souvent cette règle et que vous risquez d'y entendre plus souvent l'indicatif que le subjonctif.

② Lorsqu'un des verbes **potere**, *pouvoir* ; **volere**, *vouloir* ; **dovere**, *devoir*, précède un verbe à l'infinitif (ex. : **ho potuto guardare**), lui-même accompagné d'un pronom personnel ▸

2 – Il me semble qu'il est *(soit)* assez bon,
3 même si je n'ai pu le regarder que très rapidement.
4 Hier soir je n'avais pas beaucoup de temps, mais aujourd'hui je devrais en avoir davantage.
5 – Il me semble qu'il a *(ait)* plusieurs aspects intéressants :
6 tout d'abord *(avant de tout)* il est très fonctionnel, grâce à la bonne répartition des espaces.
7 Deuxièmement *(en deuxième lieu)* il est très central, le quartier est vivant,
8 et il y a une station *(un arrêt)* de métro à dix mètres.
9 Il est desservi *(y arrivent)* aussi par plusieurs lignes d'autobus,
10 et, surtout, il y a un grand parking souterrain à cinquante mètres.
11 Troisièmement *(en troisième lieu)* il semble incroyablement peu cher !
12 – Je crois que ce dernier point doit *(doive)* être examiné très attentivement !

▸ complément direct ou indirect (**mi**, *moi*, *me* ; **ti**, *toi*, *te* ; **lo**, *le* ; **la**, *la* ; **gli**, lui ; **ci**, *nous* ; **vi**, *vous* ; **li**, *les* ; **le**, *les*), ce dernier peut être placé soit après l'infinitif : **ho potuto guardarlo**, soit avant le premier verbe : **l'ho potuto guardare**, *j'ai pu le regarder*. À vous de choisir !

③ **abbia**, *[qu'il] ait*, est la 3e personne du singulier au présent du subjonctif du verbe **avere**, *avoir*, dont voici la conjugaison complète : **abbia**, **abbia**, **abbia**, **abbiamo**, **abbiate**, **abbiano**.

④ **debba**, *[qu'il] doive* ; la conjugaison complète du présent du subjonctif du verbe **dovere**, *devoir*, vous est proposée en fin d'ouvrage, au sein de l'appendice grammatical.

78

Esercizio 1 – Traducete

❶ Credo che il progetto della nuova sede debba essere studiato molto attentamente. ❷ Mi sembra che ci siano molti aspetti positivi. ❸ È molto centrale, è molto funzionale, e c'è una fermata della metropolitana a qualche metro. ❹ Pare che ci sia anche un grande parcheggio sotterraneo. ❺ Perché è così poco caro?

Esercizio 2 – Completate

❶ As-tu présenté ton nouveau projet à ton chef ?
Hai presentato .. .. progetto ..
... . ?

❷ Oui, mais il n'a pas pu le regarder, il n'a pas eu le temps.
Sì, ma ... ., non ..
..... il tempo.

❸ Il paraît qu'on doit déménager dans six mois.
Pare che .. .. traslocare ... ... •

❹ Je crois qu'ils ont *(aient)* acheté un appartement dans un quartier très central.
Credo che .... comprato ... . in un quartiere .... •

❺ Que *(Qu'en)* penses-tu des prix qu'ils m'ont donnés ? Ils me semblent très peu chers.
... . dei prezzi che mi .....
.... ? Mi sembrano .... •

Corrigé de l'exercice 1

❶ Je crois que le projet du nouveau siège doit être étudié très attentivement. ❷ Il me semble qu'il y a de nombreux aspects positifs. ❸ Il est très central, il est très fonctionnel et il y a une station de métro à quelques mètres. ❹ Il paraît qu'il y a aussi un grand parking souterrain. ❺ Pourquoi est-il si peu cher ?

Corrigé de l'exercice 2

❶ – il tuo nuovo – al tuo capo ❷ – non ha potuto guardarlo – ha avuto – ❸ – si debba – tra sei mesi ❹ – abbiano – una casa – molto centrale ❺ Che ne pensi – hanno dato – molto poco cari

Deuxième vague : 29ᵉ leçon

79 Settantanovesima lezione

Bisogna che riflettiamo ancora

1 – Sai, Antonio, ho riflettuto parecchio sul progetto di cui abbiamo parlato ieri.

2 Mi chiedo se ① presenti ② davvero tanti lati positivi,

3 e se non richieda ③ invece una riflessione più accurata.

4 La mia diffidenza è stata risvegliata innanzitutto dal costo, eccessivamente basso:

5 bisogna ④ che si chiarisca ⑤ al più presto questo punto.

6 Sarò eccessivamente prudente,

7 ma temo che ci siano brutte sorprese in vista.

Notes

① Après des questions au style indirect telles que **Mi domando se**, **Mi chiedo se**, *Je me demande si*, etc., le bon usage exige le subjonctif. Mais dans les conversations informelles, comme nous l'avons vu également après des verbes exprimant une opinion, l'indicatif prend souvent la place du subjonctif.

② **presenti** (litt. "qu'il présente"), est le subjonctif présent du verbe **presentare**, *présenter*, du 1er groupe. Les terminaisons des verbes du 1er groupe au présent du subjonctif sont : **-i, -i, -i, -iamo, -iate, -ino**.

③ **richieda**, *qu'il requière* est le subjonctif présent du verbe du 2e groupe, **richiedere**, *requérir*. Les terminaisons des verbes du ▸

Il faut que nous réfléchissions davantage
(encore)

1 – Tu sais, Antonio, j'ai beaucoup réfléchi au projet dont nous avons parlé hier.

2 Je me demande s'il présente réellement tant d'aspects *(côtés)* positifs,

3 et s'il ne requiert *(requière)* pas, contrairement [à ce que je pensais], une réflexion plus approfondie *(soignée)*.

4 C'est le prix excessivement bas qui a tout d'abord éveillé ma méfiance *(Ma méfiance a été éveillée tout d'abord par le prix excessivement bas)* :

5 il faut qu'on éclaircisse ce point au plus vite.

6 Je suis peut-être *(Serai)* excessivement prudent,

7 mais je crains que de mauvaises surprises nous attendent *(qu'il y ait de mauvaises surprises en vue)*.

▶ 2ᵉ groupe au présent du subjonctif sont : **-a**, **-a**, **-a**, **-iamo**, **-iate**, **-ano**.

④ Nous avons déjà rencontré **bisogna**, *il faut*, suivi d'un verbe à l'infinitif (leçon 72, note 2). Le voici dans un autre contexte, accompagné d'un verbe au subjonctif. Retenez bien cette règle : **bisogna** peut être suivi d'un verbe à l'infinitif ou au subjonctif, jamais d'un verbe à l'indicatif.

⑤ **chiarisca**, *qu'on éclaircisse*, est le subjonctif présent du verbe du 3ᵉ groupe **chiarire**, *éclaircir*. Les terminaisons des verbes du 3ᵉ groupe au présent du subjonctif sont : **-a**, **-a**, **-a**, **-iamo**, **-iate**, **-ano**.

8   Sono un po' perplesso anche rispetto alla
posizione:

9   sai, non sono convinto che gli uffici
debbano sempre essere in centro,

10   perché l'accesso in macchina è
estremamente complesso.

11   Sono invece totalmente d'accordo con te:

12   questo edificio è veramente molto
funzionale!   ☐

***

Esercizio 1 – Traducete

❶ Mi chiedo se non ci siano brutte sorprese in vista. ❷ Non sono d'accordo con Lei, questo edificio non mi pare così funzionale. ❸ Bisogna che tu chiarisca questi punti. ❹ Mi pare che Giulio sia eccessivamente prudente. ❺ Mi chiedo quali siano gli aspetti del progetto che risvegliano la sua diffidenza.

8 Je suis un peu perplexe aussi quant à sa *(la)* situation *(position)* [géographique] :

9 tu sais, je ne suis pas persuadé que les bureaux doivent toujours se trouver *(être)* au centre[-ville],

10 parce que l'accès [y] est extrêmement difficile en voiture.

11 Je suis, en revanche, totalement d'accord avec toi :

12 cet immeuble est vraiment d'une grande fonctionnalité !

***

Corrigé de l'exercice 1

❶ Je me demande s'il n'y a pas de mauvaises surprises en vue. ❷ Je ne suis pas d'accord avec vous, ce bâtiment ne me semble pas si fonctionnel. ❸ Il faut que tu éclaircisses ces points. ❹ Il me semble que Giulio est excessivement prudent. ❺ Je me demande quels sont les aspects du projet qui éveillent sa méfiance.

Esercizio 2 – Completate

❶ C'est la dame dont je t'ai parlé hier. Il me semble qu'elle est *(soit)* très sympathique.

. la signora .. ... ti .. .. ieri. Mi
sembra che ... . •

❷ Il faut que tu finisses ce travail d'ici demain matin.

.... che tu ...... questo lavoro .....
domani mattina.

❸ Il semblerait que l'accès au centre[-ville] soit très difficile en voiture.

.... che l'accesso .. ..
molto difficile in macchina.

---

80 Ottantesima lezione

È ora di discutere

1 – Giulio è convinto che io sia la persona più
       sbadata dell'universo,
2   che non pensi mai a quello che può
       succedere…
3   Non ho ancora firmato per l'acquisto della
       mia nuova macchina,
4   e già mi ha detto che avrei dovuto ①
       riflettere di più, scegliere meglio…

Note

① **avrei dovuto**, *j'aurais dû* : tout comme en français, le conditionnel a deux temps en italien, le présent et le passé, que vous ▸

4 Il me semble qu'ils n'ont *(n'aient)* pas envie de venir au cinéma 80
avec nous.

Mi sembra che ... ... di
venire al cinema ... .

5 Je ne sais pas pourquoi ils n'ont pas encore signé le contrat. Il
paraît qu'ils réfléchissent encore.

... .. perché non ....
il contratto. Pare che .... ancora.

Corrigé de l'exercice 2

1 È – di cui – ho parlato – sia molto simpatica **2** Bisogna – finisca
– entro – **3** Sembrerebbe – in centro sia – **4** – non abbiano voglia
– con noi **5** Non so – hanno ancora firmato – riflettano –

Deuxième vague : 30ᵉ leçon

Quatre-vingtième leçon   80

Il est temps *(c'est l'heure)* de discuter

1 – Giulio est convaincu que je suis *(je sois)* la
personne la plus étourdie de l'univers,

2 que je ne pense jamais à ce qui peut arriver…

3 Je n'ai pas encore signé pour l'achat de ma
nouvelle voiture,

4 et déjà il m'a dit que j'aurais dû réfléchir
davantage, choisir mieux…

▸ découvrez ici. Il se forme avec le présent du conditionnel de
l'auxiliaire, que l'on fait suivre du participe passé du verbe en
question : **sarei venuto**, *je serais venu.*

5 Mi fa veramente innervosire!

6 – Forse pensava che tu avessi ② troppa fretta.

7 – Dovrei dirgli che ho avuto troppa fretta quando ho accettato di sposarlo!

8 – Mi sembri proprio di cattivo umore!

9 – Le sue critiche sono così ingiuste! Non le sopporto!

10 Potrei criticarlo anch'io a lungo, se volessi ③…

11 – Forse è ora che ④ discutiate un po' tutti e due… □

Notes

② **che tu avessi**, *que tu eusses*, est l'imparfait du subjonctif du verbe **avere**, *avoir* (voyez la leçon de révision pour en savoir plus sur la formation de ce temps). Il est indispensable ici car la phrase principale comporte un verbe exprimant une opinion, conjugué au passé (imparfait). Toutefois, comme nous le soulignions plus tôt, dans le langage familier, vous entendrez assez couramment **avevi** (imparfait de l'indicatif). ▸

***

Esercizio 1 – Traducete

❶ Riccardo mi ha detto che avrebbe voluto un cane, ma sua madre gli ha detto di no. ❷ Se tu riflettessi di più, Riccardo, prima di fare delle sciocchezze! ❸ È ora che parliamo un po', non credi, Giulio? ❹ Oggi i bambini sono stati terribili, mi hanno fatto proprio innervosire. ❺ Carlo crede che io sia sbadatissima. Ma non è vero!

5 Il m'énerve *(il me fait énerver)* vraiment !

6 – Il pensait peut-être que tu étais *(que tu eusses trop de hâte)* trop pressée.

7 – Je devrais lui dire que j'ai été trop pressée *(que j'ai eu trop de hâte)* quand j'ai accepté de l'épouser !

8 – Tu m'as l'air *(me sembles)* vraiment de mauvaise humeur !

9 – Ses critiques sont tellement injustes ! Je ne les supporte pas !

10 Je pourrais le critiquer moi aussi longuement, si je voulais *(si je voulusse)*…

11 – Il est peut-être temps *(c'est l'heure)* que vous discutiez un peu, tous les deux…

③ Voici un autre cas de figure où la grammaire italienne impose l'emploi de l'imparfait du subjonctif : dans les phrases hypothétiques (c'est-à-dire commençant par **se**, *si*) dépendant d'une phrase dont le verbe principal est au conditionnel : **Partirei subito, se potessi**, *Je partirais tout de suite, si je pouvais* (litt. "je pusse").

④ L'emploi du subjonctif est nécessaire également après un certain nombre d'expressions, comme **è ora che**, *il est temps que*. Nous en verrons d'autres au cours des prochaines leçons.

***

Corrigé de l'exercice 1

❶ Riccardo m'a dit qu'il aurait voulu un chien, mais sa mère lui a dit non. ❷ Si tu réfléchissais davantage, Riccardo, avant de faire des bêtises ! ❸ Il est temps de parler un peu, tu ne crois pas, Giulio ? ❹ Aujourd'hui les enfants ont été terribles, ils m'ont bien énervé(e). ❺ Carlo croit que je suis très étourdie. Mais ce n'est pas vrai !

Esercizio 2 – Completate

❶ Je viens d'acheter une nouvelle voiture et je me demande si je n'aurais pas dû attendre davantage.

. . . . una nuova macchina e mi chiedo se . . . . di più.

❷ Tu devrais lui *(à Maria)* dire que nous ne sommes pas pressés *(nous n'avons pas de hâte)*.

. . . . che non . . . .

❸ Giulio est très prudent. Il dit qu'on ne sait jamais ce qui peut arriver.

Giulio è molto . . . . Dice che . . . . mai . . . .

❹ Si tu voulais, Riccardo, tu pourrais faire bien davantage.

. . . ., Riccardo, ... molto di più.

---

81 Ottantunesima lezione

Resti in linea!

1 – Pronto!
2 – Buongiorno, sono il Dottor Balbi,
3 vorrei parlare con la Dottoressa ① D'Amico, per favore.

Note

① Le féminin de certains titres se forme en ajoutant le suffixe **-essa** au mot masculin. Les plus répandus sont assurément **Dottoressa**, *Madame (le Docteur)*, et **Professoressa**, *Madame (le Professeur)*. En français, les deux termes se traduiraient par ▸

⑤ Aujourd'hui Paolo me semble vraiment de mauvaise humeur. Ne le critique pas !

    . . . . Paolo mi sembra . . . . di . . . .
    . . . . . . Non . . . . !

È ORA DI DISCUTERE.

Corrigé de l'exercice 2

❶ Ho appena comprato – non avrei dovuto aspettare – **❷** Dovresti dirle – abbiamo fretta **❸** – prudente – non si sa – quello che può succedere **❹** Se tu volessi – potresti fare – **❺** Oggi – proprio – cattivo umore – lo criticare

Deuxième vague : 31e leçon

Quatre-vingt-unième leçon   81

Ne quittez pas *(Qu'elle reste en ligne)* !

1 –   Allô !
2 –   Bonjour, Monsieur *(je suis le docteur)* Balbi [au téléphone].
3   Je voudrais parler avec Madame *(la doctoresse)* D'Amico, s'il vous plaît.

▸   *Madame.* Cependant, n'oubliez pas qu'en Italie, toute personne ayant un titre universitaire a le droit d'être appelée Docteur. Si vous deviez vous adresser à une femme possédant un titre d'architecte, d'ingénieur, d'avocat ou autre, **Dottoressa** serait donc de mise.

trecentotrenta • 330

4 – Mi dispiace, la Dottoressa è appena andata via ②.

5 – Ah, e saprebbe ③ dirmi quando posso trovarla?

6 – Provi a richiamare tra un'ora,

7 mi ha detto che sarebbe tornata ④ per le due.

8 – La ringrazio, a più tardi! (…)

9 – Buongiorno, sono di nuovo il Dottor Balbi.

10 – Ah, sì, mi dispiace molto, ma la Dottoressa non è ancora rientrata dal pranzo.

11 – Purtroppo sono costretto ad assentarmi anche io,

12 non credo che potrò richiamarla nel pomeriggio. Posso lasciarLe un messaggio?

13 – Certo, dica pure ⑤… Ah, eccola, resti in linea, glieLa passo!

☐

Notes

② **andar via** traduit le verbe français *partir*, mais uniquement dans le sens de *s'éloigner*, *sortir*. Le verbe **partire** ne peut être utilisé que lorsqu'il s'agit d'un départ en voyage : **Paolo è partito per l'Inghilterra**, *Paolo est parti pour l'Angleterre*. Dans tous les autres cas, il faudra utiliser **uscire**, **andar via**, **andare** ; *Elle est partie faire des achats* : **È andata a fare delle spese**, ou **È uscita per fare delle spese**.

③ **saprebbe**, *elle saurait* : le présent du conditionnel du verbe **sapere**, *savoir*, présente l'irrégularité de perdre le **e** du suffixe (**saprebbe** au lieu de *saperebbe, voir l'appendice grammatical). ▶

4 – Je suis désolée, Madame *(la doctoresse)* [d'Amico] vient de partir.

5 – Ah, et pourriez-vous *(saurait-elle)* me dire quand je peux la joindre *(trouver)* ?

6 – Essayez *(Essaye)* de rappeler dans une heure,

7 – elle m'a dit qu'elle rentrerait *(qu'elle serait rentrée)* pour *(les)* deux heures.

8 – Je vous remercie, à plus tard ! (…)

9 – Bonjour, c'est à nouveau Monsieur Balbi.

10 – Ah, oui, je suis vraiment désolée, mais Madame *(la doctoresse)* [d'Amico] n'est pas encore rentrée de *(du)* déjeuner.

11 – Malheureusement je suis obligé de m'absenter moi aussi,

12 – je ne crois pas que je pourrai la rappeler dans l'après-midi. Puis-je lui laisser un message ?

13 – Certainement, dites-moi *(qu'elle dise aussi)*… Ah, la voilà, ne quittez pas, je vous la passe !

▶ ④ Voici une des rarissimes discordances entre la concordance des temps en italien et en français. Lorsqu'on parle au passé, et que l'on mentionne un événement qui ne s'est pas encore produit, on recourt obligatoirement au passé du conditionnel, et non au présent comme en français : **Ieri Carlo mi diceva che sarebbero partiti tra una settimana**, *Hier Carlo me disait qu'ils partiraient* (litt. "seraient partis") *dans une semaine*.

⑤ **dica pure**, *dites-moi* ; **pure**, qui a habituellement le sens de **aussi** donne ici à la phrase une intonation courtoise. Cet emploi particulier de **pure** se rencontre dans beaucoup d'autres expressions, telles que **entri pure**, *entrez (donc)* ; **vada pure**, *allez, (je vous en prie)* ; **si accomodi pure**, *installez-vous, (je vous en prie)*, etc.

Esercizio 1 – Traducete

❶ Pronto, buongiorno, vorrei parlare col Dottor Balbi, per favore. ❷ Glielo passo subito, resti in linea. ❸ Saprebbe dirmi quando posso trovare Suo marito? ❹ La Dottoressa Balbi non è in ufficio in questo momento. ❺ Le dica, per favore, che proverò a richiamarla domani mattina.

Esercizio 2 – Completate

❶ Madame *(la doctoresse)* D'Amico vient de partir, mais elle sera dans son bureau cet après-midi.

.. .. D'Amico è ....

..., ma .... in ufficio questo ....

❷ Pouvez-vous dire à Monsieur *(le docteur)* Balbi que je suis obligé de m'absenter toute la matinée ?

... . al ...... Balbi che ....

.... ad .... tutta la mattinata.

❸ Paolo m'a dit qu'ils rentreraient ce soir seulement.

Paolo .. .. che ....

solamente stasera.

❹ Ils auraient pu nous le dire avant.

.... potuto .... prima.

❺ J'étais sûre que tu lui raconterais tout !

... sicura che le .... tutto!

Corrigé de l'exercice 1

❶ Allô, bonjour, je voudrais parler à Monsieur Balbi, s'il vous plaît. ❷ Je vous le passe tout de suite, ne quittez pas. ❸ Pourriez-vous me dire quand je peux joindre votre mari ? ❹ Madame Balbi n'est pas dans son bureau en ce moment. ❺ Dites-lui, s'il vous plaît, que j'essaierai de la rappeler demain matin.

Corrigé de l'exercice 2

❶ La Dottoressa – appena andata via – sarà – pomeriggio ❷ Può dire – Dottor – sono costretto – assentarmi – ❸ – mi ha detto – sarebbero tornati – ❹ Avrebbero – dircelo – ❺ Ero – avresti raccontato –

Deuxième vague : 32ᵉ leçon

Mi faresti un favore ①?

1 – Amore ② mi faresti una grandissima
   cortesia?
2 – Ma certo, tesoro, se me lo domandi così!
3   Cosa posso fare per te?
4 – Mi compreresti "La Repubblica"
   tornando ③ dall'ufficio?
5 – Come no! Solo questo?
6 – Se non ti secca, potresti comprare anche un
   giornalino ④ per i bambini?
7   E se, per caso, ti trovassi ⑤ in un momento
   di gentilezza estrema,
8   potresti comprare anche una rivista per tua
   suocera?
9 – Ma certo, cara, non c'è nessun problema!

Notes

① **favore**, *faveur*, et **cortesia**, *courtoisie*, sont parfaitement
   interchangeables dans ce type d'expression. Ils n'impliquent
   aucune différence de sens ou de style.

② Observez l'absence de l'adjectif possessif dans les expressions
   de tendresse : **amore**, *[mon] amour* ; **cara**, *[ma] chérie*, etc.

③ À la place de **tornando**, *en rentrant*, nous aurions pu dire
   quando torni dall'ufficio, *quand tu rentres du bureau*.
   Comme en français, le gérondif peut être utilisé dans des ▶

Tu pourrais me rendre un service
(Me ferais-tu une faveur) ?

1 – Mon amour, me rendrais-tu un très grand
service *(ferais-tu une très grande courtoisie)* ?

2 – Mais bien sûr, mon trésor, si tu me le demandes
comme ça !

3   Que puis-je faire pour toi ?

4 – M'achèterais-tu "La Repubblica" en rentrant du
bureau ?

5 – Mais certainement *(comment non)* ! C'est tout
(Seulement ceci) ?

6 – Si cela ne t'ennuie pas, pourrais-tu acheter aussi
un journal pour les enfants ?

7   Et si, par hasard, tu te trouvais *(que te
trouvasses)* dans un moment de gentillesse
extrême,

8   pourrais-tu acheter aussi une revue pour ta
belle-mère ?

9 – Mais certainement, ma chérie, il n'y a aucun
problème !

▶ phrases temporelles. Attention, toutefois, aucune préposition
ne précède le gérondif en italien.

④ **un giornalino** n'est pas un "petit journal", mais *une publi-
cation pour enfants*... vous voilà donc face à un nouveau
diminutif très particulier !

⑤ **trovassi** (litt. "que trouvasses") ; voici encore un imparfait du
subjonctif, issu du verbe **trovare**, *trouver*, verbe du 1er groupe
(sa conjugaison complète se trouve en leçon de révision).

10 E potrei anche aggiungere un fascio di fiori
per il mio angelo adorato!

11 – Dai, Carlo, è inutile portarla per le
lunghe ⑥!

12 Che cosa vuoi chiedermi in cambio? ☐

Note

⑥ **portarla per le lunghe** est une expression idiomatique qui traduit parfaitement *tourner autour du pot*. Attention, n'essayez pas de traduire mot à mot "tourner autour du pot" en italien... on ne vous comprendrait pas!

***

Esercizio 1 – Traducete

❶ Prego, Signora, dica pure, che cosa posso fare per Lei? ❷ Tornando dall'ufficio potresti comprare il pane, per favore? ❸ Se non vi secca, potreste lasciare la finestra aperta per cortesia? ❹ Papà, non mi hai ancora comprato i miei giornalini di questa settimana! ❺ Dimmi, amore, cosa posso fare per far piacere a mia suocera?

10   Et je pourrais même ajouter un bouquet de   82
         fleurs pour mon ange adoré !

11 – Allez, Carlo, il est inutile de tourner autour du
         pot *(l'amener pour les longues)* !

12   Que veux-tu me demander en échange ?

***

Corrigé de l'exercice 1

❶ Je vous en prie, Madame, dites-moi, que puis-je faire pour vous ? **❷** En rentrant du bureau, pourrais-tu acheter le pain, s'il te plaît ? **❸** Si cela ne vous ennuie pas, pourriez-vous laisser la fenêtre ouverte, s'il vous plaît ? **❹** Papa, tu ne m'as pas encore acheté mes journaux de cette semaine ! **❺** Dis-moi, mon amour, que puis-je faire pour faire plaisir à ma belle-mère ?

Esercizio 2 – Completate

1 Ils ont eu un petit accident sur l'autoroute, en rentrant de Milan.

. . . . un piccolo incidente

. . . . , ... da Milano.

2 Ma chérie, pourrais-tu me montrer le dernier numéro de la revue de psychologie ?

. . . . , potresti . . . . l'ultimo numero

. . . . di psicologia?

3 Allez, Luca, inutile de tourner autour du pot ! Qu'as-tu fait encore ?

. . . Luca, è inutile . . . .

. . . . . . ! Che . . . . ancora?

4 Il n'y a aucun problème, Madame ! Nous pourrons faire tout ce que vous demandez !

. . . . , Signora!

. . . . fare tutto quello che Lei . . . . !

La Repubblica *est un des quotidiens les plus vendus en Italie. Parmi les plus anciens,* **Il Messaggero** *de Rome était déjà très populaire autour de 1880 et vendait le chiffre extraordinaire de 20 000 exemplaires par jour. Cet exploit n'était possible qu'au prix d'un langage et d'un contenu très simple, quasi enfantins. Les autres journaux de l'époque étaient, en effet, des publications concernant des domaines très particuliers de la vie culturelle, notamment la politique et la littérature ; ils étaient très spécialisés et, de ce fait, étaient destinés à un public très averti et très restreint. Dès les premières années du* XX*ᵉ siècle, toutefois, la situation économique et*

⑤ Luca m'a donné son ballon et il m'a demandé en échange mon maillot de la Roma.

Luca .. .. suo pallone, e .. ..
.... la maglietta .....
Roma.

Corrigé de l'exercice 2

❶ Hanno avuto – sull'autostrada, tornando – ❷ Cara – mostrarmi – della rivista – ❸ Dai – portarla per le lunghe – hai fatto – ❹ Non c'è nessun problema – Potremo – domanda ❺ – mi ha dato il – mi ha chiesto in cambio – della –

sociale de l'Italie commence à s'améliorer, le niveau de vie s'élève considérablement, et permet à un nombre grandissant d'Italiens, un accès à l'école et à la culture. Au cours de cette même période, naissent les grands journaux d'aujourd'hui, parmi lesquels **La Stampa** *(litt. "la Presse"), de Turin, et* **Il Corriere della Sera** *de Milan. Signalons également* **Il Sole 24 Ore**, *journal de référence en matière d'économie. Parmi les hebdomadaires les plus diffusés,* **L'Espresso** *et* **Panorama**.

Deuxième vague : 33ᵉ leçon

I capricci del tempo

1 – Se sabato ci fosse ① un po' di sole,
potremmo andare al mare,

2 che ne dici, Giorgio?

3 – Volentieri, ma non ci conterei molto, sono
tre giorni che non smette di piovere!

4 – Proprio per questo! Sarebbe ora che la
finisse ②!

5 – Comunque a me basta che non faccia
freddo e che non ci sia troppo vento,

6 anche se il cielo è un po' grigio, non
importa.

7 – Sono d'accordo. Ti ricordi la crociera nel
mediterraneo di tre anni fa?

Notes

① **se sabato ci fosse un po' di sole**, *si samedi il y avait un peu
de soleil* ; dans toute phrase hypothétique commençant par **se**,
si, là où le français emploie un imparfait de l'indicatif, l'italien
exige un imparfait du subjonctif. S'il est vrai que le présent
du subjonctif peut être remplacé dans la langue parlée par le
présent de l'indicatif, il n'en est pas de même pour l'imparfait :
celui-ci tient bon. Courage donc, et rendez-vous en leçon de
révision pour explorer davantage la conjugaison de l'imparfait
du subjonctif de **essere**, *être*.

② **che finisse**, *qu'il s'arrête* ; dans ce type de contexte, nous
pouvons employer indifféremment **finire**, ou **smettere** avec
le sens de *arrêter*. Retrouvez la conjugaison de l'imparfait du
subjonctif des verbes du 3e groupe en leçon de révision.

Les caprices du temps

1 – Si samedi il y avait *(y fût)* un peu de soleil, nous pourrions aller à la mer,

2   qu'en dis-tu Giorgio ?

3 – Volontiers, mais je n'y compterais pas trop *(beaucoup)*, cela fait *(sont)* trois jours qu'il ne cesse de pleuvoir.

4 – C'est bien *(Exactement)* pour cela ! Il serait temps *(heure)* que ça s'arrête *(l'arrêtât)* !

5 – De toute façon, [moi], il me suffit qu'il ne fasse pas froid et qu'il n'y ait pas trop de vent,

6   même si le ciel est un peu gris, ça n'a pas d'importance *(n'importe)* !

7 – Je suis d'accord avec toi. Tu te souviens de la croisière en Méditerranée d'il y a trois ans ?

I CAPRICCI DEL TEMPO

8 Eravamo sicuri che avremmo avuto ③ un caldo terribile,

9 che avremmo dovuto utilizzare chili di creme solari,

10 e invece abbiamo avuto freddo tutta la settimana.

11 – E ci siamo anche bagnati tutta la settimana!

12 – E invece l'anno successivo, in montagna, c'era un sole che spaccava le pietre ④! ☐

Notes

③ **eravamo sicuri che avremmo avuto,** *nous étions sûrs d'avoir* (litt. "que nous aurions eu") : nous avons vu en leçon 81 que dans ce type de phrases, impliquant l'idée d'un futur dans le passé, l'utilisation du conditionnel passé est impérative. ▸

***

Esercizio 1 – Traducete

❶ Se mamma fosse d'accordo, prenderei un enorme gelato al cioccolato con la panna. ❷ Pensavamo che sarebbero restati al mare fino alla sera. ❸ L'anno scorso c'era un sole che spaccava le pietre. ❹ Ha fatto freddo e ha piovuto tutto il giorno. ❺ Se avessi tempo, farei una crociera di sei mesi.

8 Nous étions sûrs d'avoir *(que nous aurions eu)* une chaleur terrible,

9 de devoir utiliser *(que nous aurions dû utiliser)* des kilos de crème solaire,

10 *(et)* pourtant, nous avons eu froid toute la semaine.

11 – Et nous nous sommes aussi [fait] mouiller *(mouillés)* toute la semaine !

12 – Et en revanche, l'année suivante, à la *(en)* montagne, il y avait un soleil de plomb *(qui fendait les pierres)* !

▶ ④ **un sole che spaccava le pietre** (litt. "un soleil qui fendait les pierres"), *un soleil de plomb*, est une expression idiomatique fréquemment utilisée en Italie.

***

Corrigé de l'exercice 1

❶ Si maman était d'accord, je prendrais une énorme glace au chocolat avec de la crème. ❷ Nous pensions qu'ils resteraient à la mer jusqu'au soir. ❸ L'année dernière, il y avait un soleil de plomb. ❹ Il a fait froid et il a plu toute la journée. ❺ Si j'avais le temps, je ferais une croisière de six mois.

Esercizio 2 – Completate

❶ Je n'en peux plus ! Il pleut depuis une semaine !

Non .. .. più! .... una settimana!

❷ J'aime le ciel gris, je ne supporte pas la chaleur !

.. .. il cielo ......, non sopporto ..
..... !

❸ Je ne suis pas d'accord avec toi, ce projet pourrait être très intéressant !

Non .... con .., questo
progetto .... molto
.... !

❹ Si j'avais su que Carla était à la fête, je serais certainement venu !

Se .... che Carla ... alla festa,
.... certamente!

---

84 Ottantaquattresima lezione

Revisione – Révision

1 Le subjonctif

1.1 Emploi

• Le subjonctif est le mode de l'irréel et de la subjectivité. On l'utilise :
– après les verbes qui expriment une opinion, tels que **credo che**, *je crois que* ; **penso che**, *je pense que*, etc.
– après une question au style indirect, telle que **mi chiedo se**, *je me demande si*.
– après **bisogna che**, *il faut que, j'ai besoin que*.

❺ Si je n'avais pas peur de grossir, je mangerais des gâteaux tous les jours.

Se non ..... paura di ingrassare, ...
dei .... i giorni.

Corrigé de l'exercice 2

❶ – ne posso – Piove da – **❷** Mi piace – grigio – il caldo **❸** – sono d'accordo – te – potrebbe essere – interessante **❹** – avessi saputo – era – sarei venuto – **❺** – avessi – mangerei – dolci tutti –

Deuxième vague : 34ᵉ leçon

Quatre-vingt-quatrième leçon   84

– après des expressions telles que **è ora che**, *il est temps que* ; **è possibile che**, *il est possible que* ; **è probabile que**, *il est probable que* ; **è inutile che**, *il est inutile que* ; **è utile che**, *il est utile que*, etc.

• Le subjonctif se conjugue au présent, à l'imparfait, au parfait et au plus-que-parfait. Le choix d'un temps plutôt que d'un autre dépend, évidemment, de la phrase dans laquelle les verbes apparaissent et de la concordance des temps que l'on doit y appliquer. Nous y reviendrons très prochainement, et vous aurez l'occasion d'approfondir les usages des temps du subjonctif lorsque vous étudierez le *Perfectionnement Italien*.

• **Les conjugaisons régulières**

Le radical des conjugaisons régulières est le radical de l'infinitif. Quant aux terminaisons, elles sont différentes selon le groupe auquel le verbe appartient, comme vous pouvez le constater :

– 1er groupe, **arrivare**, *arriver*

(che) io arriv-i	*que j'arrive*
(che) tu arriv-i	*que tu arrives*
(che) lui/lei arriv-i	*qu'il/elle arrive*
(che) noi arriv-iamo	*que nous arrivions*
(che) voi arriv-iate	*que vous arriviez*
(che) loro arriv-ino	*qu'ils arrivent*

– 2e groupe, **chiedere**, *demander*

(che) io chied-a	*que je demande*
(che) tu chied-a	*que tu demandes*
(che) lui/ lei chied-a	*qu'il/elle demande*
(che) noi chied-iamo	*que nous demandions*
(che) voi chied-iate	*que vous demandiez*
(che) loro chied-ano	*qu'ils/elles demandent*

– 3e groupe, **partire**, *partir*

(che) io part-a	*que je parte*
(che) tu part-a	*que tu partes*
(che) lui/lei part-a	*qu'il/elle parte*
(che) noi part-iamo	*que nous partions*
(che) voi part-iate	*que vous partiez*
(che) loro part-ano	*qu'ils/elles partent*

• Les auxiliaires

– **avere**, *avoir*

(che) io abbia	*que j'aie*
(che) tu abbia	*que tu aies*
(che) lui/lei abbia	*qu'il/elle ait*
(che) noi abbiamo	*que nous ayons*
(che) voi abbiate	*que vous ayez*
(che) loro abbiano	*qu'ils/elles aient*

– **essere**, *être*

(che) io sia	*que je sois*
(che) tu sia	*que tu sois*
(che) lui/lei sia	*qu'il/elle soit*
(che) noi siamo	*que nous soyons*
(che) voi siate	*que vous soyez*
(che) loro siano	*qu'ils/elles soient*

1.3 Le subjonctif imparfait

• Les conjugaisons régulières

Le radical des verbes réguliers au subjonstif imparfait est le même que celui du subjonctif présent (radical de l'infinitif) ; on y ajoute les terminaisons suivantes :

– 1er groupe, **arrivare**, *arriver*

(che) io arriv-assi	*que j'arrivasse*
(che) tu arriv-assi	*que tu arrivasses*
(che) lui/lei arriv-asse	*qu'il/elle arrivât*
(che) noi arriv-assimo	*que nous arrivassions*
(che) voi arriv-aste	*que vous arrivassiez*
(che) loro arriv-assero	*qu'ils/elles arrivassent*

– 2ᵉ groupe : **chiedere**, *demander*

(che) io chied-essi	*que je demandasse*
(che) tu chied-essi	*que tu demandasses*
(che) lui/lei chied-esse	*qu'il/elle demandât*
(che) noi chied-essimo	*que nous demandassions*
(che) voi chied-este	*que vous demandassiez*
(che) loro chied-essero	*qu'ils/elles demandassent*

– 3ᵉ groupe : **partire**, *partir*

(che) io part-issi	*que je partisse*
(che) tu part-issi	*que tu partisses*
(che) lui/lei part-isse	*qu'il/elle partît*
(che) noi part-issimo	*que nous partissions*
(che) voi part-iste	*que vous partissiez*
(che) loro part-issero	*qu'ils/elles partissent*

• **Les auxiliaires**

– **avere**, *avoir*

(che) io avessi	*que j'eusse*
(che) tu avessi	*que tu eusses*
(che) lui/lei avesse	*qu'il/elle eût*
(che) noi avessimo	*que nous eussions*
(che) voi aveste	*que vous eussiez*
(che) loro avessero	*qu'ils/elles eussent*

– **essere**, *être*

(che) io fossi	*que je fusse*
(che) tu fossi	*que tu fusses*
(che) lui/lei fosse	*qu'il/elle fût*
(che) noi fossimo	*que nous fussions*
(che) voi foste	*que vous fussiez*
(che) loro fossero	*qu'ils/elles fussent*

2.1 Emploi

Nous l'avons vu en leçon 77, à la différence de son équivalent français, le conditionnel présent italien n'est jamais utilisé pour exprimer un "futur dans le passé". La langue de Dante réserve en effet cet emploi au conditionnel passé : **Pensavo che sarebbe venuto**, *Je pensais qu'il viendrait* (litt. "serait venu").

2.2 Formation

Le conditionnel passé se forme donc ainsi :

Auxiliaire **avere** ou **essere**   +   le participe passé du verbe au conditionnel

Ex. : **sarebbe venuto**, *il serait venu*

3 La place des pronoms personnels avec *potere, dovere, volere* et *sapere*

Lorsqu'un des pronoms personnels **mi**, *me* ; **ti**, *te* ; **lo**, *le* ; **la**, *la* ; **gli**, *lui* ; **ci**, *nous* ; **vi**, *vous* ; **li**, *les* ; **le**, *les* ; **ne**, *en*, accompagne les verbes **potere**, *pouvoir* ; **dovere**, *devoir* ; **volere**, *vouloir* ; **sapere**, *savoir*, suivis d'un autre verbe à l'infinitif :
– soit il précède le groupe verbal,
– soit il suit le groupe verbal.

Observez :
Il giornale? Mi dispiace, ma non posso comprarlo/**non** lo **posso comprare**, *Le journal ? Je suis désolé, mais je ne peux pas l'acheter.*
Souvenez-vous bien qu'il ne peut <u>en aucun cas</u> se situer entre les deux verbes.

Et vous voilà de nouveau face aux expressions-clés des six leçons précédentes… Retenez-les bien, elles vous aideront à vous sentir à l'aise dans vos conversations en italien !

Vorrei parlare col Dottor Balbi!
La Dottoressa è appena andata via!
Dica pure!
Non lo sopporto!
Mi fa veramente innervosire!

Dialogo di revisione

1 – Dottor Balbi, a me pare che questo progetto sia molto buono,

2   avremmo una sede vicina ad un parcheggio, ci sono degli autobus e la metropolitana.

3 – Sì, certo, ma mi chiedo se sia veramente così interessante;

4   penso che si debba riflettere molto e bisogna che si chiarisca il problema del costo.

5 – Dottor Balbi, c'è Sua moglie in linea.

6 – Me La passi pure, grazie.

7 – Giulio, ho appena firmato per la mia nuova macchina…

8 – Ma Ida, ti avevo detto che avresti dovuto riflettere ancora e scegliere con più calma.

9 – Non ti sopporto, Giulio, trovi sempre che io abbia troppa fretta.

10 – Ma no, amore, non volevo criticarti…

11   A proposito, ti volevo dire che se sabato ci fosse un po' di sole,

12   potremmo fare un salto al mare!

1 Monsieur Balbi, il me semble que ce projet est *(soit)* très bon, **2** nous aurions un siège près d'un parking, il y a des autobus et le métro. **3** Oui, bien sûr, mais je me demande si c'est *(soit)* vraiment si intéressant ; **4** je pense qu'on doit beaucoup réfléchir, et il faut qu'on éclaircisse le problème du coût. **5** Monsieur Balbi, il y a votre *(sa)* femme en ligne. **6** Passez-la moi, je vous prie, merci ! **7** Giulio, je viens de signer pour ma nouvelle voiture... **8** Mais Ida, je t'avais dit de *(que tu aurais dû)* réfléchir encore, et de choisir avec plus de calme... **9** Je ne te supporte pas, Giulio, tu trouves toujours que je suis trop pressée *(j'aie trop de hâte).* **10** Mais non, mon amour, je ne voulais pas te critiquer... **11** À propos, je voulais te dire que si samedi il y avait *(fût)* un peu de soleil, **12** nous pourrions faire un saut à la mer !

Deuxième vague : 35ᵉ leçon

85 Ottantacinquesima lezione

Vieni alla nostra festa?

1 – Ah, la cugina Ada! Che piacere sentirti
dopo tanto tempo!

2 … mi telefoni perché stai preparando una
sorpresa per i tuoi genitori…

3 … vuoi organizzare un grande pranzo
di famiglia per il loro anniversario di
matrimonio,

4 e quindi inviti tutti: le sorelle, i fratelli, gli
zii, i cugini…

5 Ma è un'idea splendida!

6 Certamente…! Sarò felicissima di essere
con voi!

7 Sarebbe dunque per domenica 27
(ventisette)! Benissimo!

8 Aspetta, però ①, mi sa ② che capita in un
brutto momento!

9 Sai che il termine ultimo per la
dichiarazione delle tasse è il 30 (trenta) di
questo mese,

10 e mi restano ③ da verificare i conti di
almeno quindici clienti… un lavoro enorme!

Notes

① **però**, *mais* : comme nous en parlions déjà en leçon 15, nous
pourrions employer ici **ma** à la place de **però**, à condition de
le mettre en début de phrase : **ma, aspetta...**, *mais, attends...*
Però, en revanche, accepte d'être placé n'importe où dans la ▶

Tu viens à notre fête ?

1 – Ah, *(la)* cousine Ada ! Quel plaisir de t'entendre après tant de temps !

2 … Tu m'appelles parce que tu es en train de préparer une surprise pour tes parents…

3 … Tu veux organiser un grand repas de famille pour fêter leur anniversaire de mariage,

4 et donc tu invites tout le monde : les sœurs, les frères, les oncles [et tantes], les cousins…

5 Mais c'est une idée splendide !

6 Certainement… ! Je serai très heureuse d'être avec vous !

7 Ce serait donc pour dimanche 27 ! Très bien !

8 Mais attends, j'ai l'impression *(il me sait)* que ça tombe à un mauvais moment !

9 Tu sais que le dernier délai pour la déclaration d'impôts *(des impôts)* est le 30 de ce mois,

10 et il me reste à vérifier les comptes d'au moins quinze clients… [c'est] un travail énorme !

▸   phrase, même en dernière position : **Mi sa che capita in un brutto momento però...**, *Mais j'ai l'impression que ça arrive à un mauvais moment...*

②   **mi sa** (litt. "il me sait"), *j'ai l'impression, il me semble*, etc. Cette expression est très courante dans la langue parlée.

③   **mi restano**, *il me reste* (+ pluriel) : vous vous souvenez sans doute que l'expression impersonnelle a deux formes en italien, une pour le singulier, et une pour le pluriel, à choisir en fonction du complément d'objet (leçon 70).

11 Ma ti assicuro che farò del mio meglio e se
riesco ④ a finire entro ⑤ sabato,

12 ti prometto che domenica sarò alla vostra
festa!
□

Notes

④ La concordance des temps pour deux phrases exprimant un futur est très souple : nous pouvons aussi bien dire **se riesco** (présent) **a finire...**, **vengo** (présent) **alla festa**, que **se riesco** (présent) **a finire...**, **verrò** (futur) **alla festa**, et même que **se riuscirò** (futur) **a finire...**, **verrò** (futur) **alla festa**. Ces formes sont parfaitement équivalentes *si je réussis à finir..., je viendrai à la fête* ; utilisez celle qui vous semble la plus facile.

⑤ **entro**, *avant, au plus tard*, voici un nouvel exemple de l'utilisation de **entro**, dont vous avez fait connaissance en leçons 47 et 71.

***

Esercizio 1 – Traducete

❶ Mi sa che ho dimenticato la dichiarazione delle tasse. ❷ Sai quando era il termine ultimo? ❸ Bisogna presentare tutto entro il 15. ❹ Se riesco a non avere una multa, ti offro lo champagne! ❺ Ada sta preparando un grande pranzo di famiglia. Ci andrò certamente.

11 Mais je t'assure que je ferai de mon mieux, et si
j'arrive à finir avant samedi,

12 je te promets que dimanche je serai à votre
fête !

***

Corrigé de l'exercice 1

❶ J'ai l'impression que j'ai oublié la déclaration d'impôts. ❷ Sais-tu quand était le dernier délai ? ❸ Il faut tout présenter avant le 15. ❹ Si j'arrive à ne pas avoir d'amende, je t'offre le champagne ! ❺ Ada est en train de préparer un grand repas de famille. J'irai certainement.

Esercizio 2 – Completate

❶ Elle m'a assuré qu'elle fera de son mieux pour nous rembourser notre chèque avant la fin du mois.

Mi ha assicurato che ....
per rimborsarci .. nostro .... la
fine del mese.

❷ Son anniversaire serait donc dimanche prochain.

Il suo .... dunque

.... •

❸ S'il me téléphone avant cinq heures je t'appellerai immédiatement.

.. .. telefona entro .. .. ti ....
immediatamente.

---

86 Ottantaseiesima lezione

Andiamo a ballare?

1 – Carla, ti iscriveresti con me ad un corso di danza?

2 Guarda questa pubblicità: tango, valzer, rock and roll, danza africana, danza del ventre…

3 Ogni giovedì sera, dalle venti alle ventidue; ci divertiremmo da pazzi!

4 – Ah, se potessi, lo farei ① molto volentieri!

Note

① **se potessi**, **lo farei**, *si je pouvais, je le ferais* ; comme nous vous l'expliquions en leçon 83, en italien, dans toute phrase du type "si je pouvais, je ferais", il faut impérativement utiliser ▶

357 • **trecentocinquantasette**

❹ C'est un mauvais moment, je suis en train de faire ma
déclaration d'impôts.

È un ...., sto .... la
.... delle ......

❺ Tu aurais pu m'en parler hier ! Je ferai ce que je peux !

.... parlarmene ieri! .... quello
che ..... !

Corrigé de l'exercice 2

❶ – farà del suo meglio – il – assegno entro – ❷ – compleanno
sarebbe – domenica prossima ❸ Se mi – le cinque – chiamerò –
❹ – brutto momento – facendo – dichiarazione – tasse ❺ Avresti
potuto – Farò – posso

Deuxième vague : 36ᵉ leçon

Quatre-vingt-sixième leçon   86

Allons-nous danser ?

1 – Carla, tu ne t'inscrirais pas à un cours de danse
avec moi ?
2   Regarde cette publicité : tango, valse, rock'n
roll, danse africaine, danse du ventre…
3   Tous les jeudis soirs, de vingt heures à vingt-
deux heures ; nous nous amuserions comme des
fous !
4 – Ah, si je pouvais, je le ferais très volontiers !

▸ l'imparfait du subjonctif et non l'imparfait de l'indicatif,
comme nous en avons l'habitude en français : **se lo sapesse,
non sarebbe contenta**, *si elle le savait, elle ne serait pas
contente*, etc.

5 – E perché non potresti? Cosa hai da fare?

6 – Lo sai che mi sono iscritta ad un corso di perfezionamento per il mio lavoro.

7 Mi prende tre sere per settimana, più tutto quello che c'è da leggere!

8 Se lo aggiungi al lavoro, non è poco!

9 – A maggior ragione! Ti farebbe benissimo distrarti, muoverti un pochino!

10 Stai seduta ② tutto il giorno!

11 – Sì, ma la sera sono troppo stanca. Ho voglia solo di andare a letto!

12 – Mi deludi!

13 – Mi dispiace, Aldo, non insistere! Veramente non me la sento ③. □

Notes

② Vous savez déjà qu'on emploie le verbe **stare** dans des expressions telles que **Come stai?**, *Comment vas-tu ?* ; **Sto bene grazie!**, *Je vais bien, merci !* (leçon 37), mais aussi **Questa giacca ti sta benissimo**, *Cette veste te va très bien* (leçon 51). Vous savez aussi que le verbe **stare** est indispensable pour traduire la tournure *être en train de* : **sto leggendo**, *je* ▸

***

Esercizio 1 – Traducete

❶ Mi deludi, Ida, avrei proprio voluto vederti! ❷ Sono sicuro che se potesse ti aiuterebbe molto volentieri. ❸ Sono stanchissima, da tre mesi finisco di lavorare ogni giorno alle nove. ❹ Vorrei muovermi di più, sto seduto tutto il giorno. ❺ Balleresti un tango con me? – Con piacere!

5 – Et pourquoi ne pourrais-tu pas ? Qu'est-ce que tu as à faire ?

6 – Tu *(le)* sais que je me suis inscrite à un stage *(cours)* de perfectionnement pour mon travail.

7 Cela me prend trois soirs par semaine, plus tout ce qu'il y a à lire !

8 Si tu l'ajoutes au travail, ce n'est pas rien !

9 – Raison de plus *(À majeure raison)* ! Cela te ferait le plus grand *(très)* bien de te distraire, de bouger un peu !

10 Tu restes assise toute la journée !

11 – Oui, mais le soir je suis trop fatiguée. Je n'ai qu'une envie : aller me coucher *(Ai envie seulement d'aller à lit)* !

12 – Tu me déçois !

13 – Je suis désolée *(Cela me désole)*, Aldo, n'insiste pas ! Je n'ai vraiment pas le courage *(ne me la sens pas)* !

▸ *suis en train de lire* (leçon 66). Voici un 3e emploi où **stare** désigne simplement un état : **stai seduta**, *tu restes* (litt. "tu es") *assise* ; **sto in piedi**, *je suis debout*, etc.

③ **Non me la sento**, *Je n'ai pas le courage*, *Je n'ai pas envie*, est une expression très courante dans la langue parlée. Retenez-la bien, et surtout n'oubliez pas de glisser **la** devant le verbe.

***

Corrigé de l'exercice 1

❶ Tu me déçois, Ida, j'aurais vraiment voulu te voir ! ❷ Je suis sûr que s'il [le] pouvait, il t'aiderait très volontiers. ❸ Je suis très fatiguée, depuis trois mois je finis de travailler tous les jours à neuf heures. ❹ Je voudrais bouger davantage, je reste assis toute la journée. ❺ Tu danserais un tango avec moi ? – Avec plaisir !

Esercizio 2 – Completate

① S'il faisait moins chaud, je sortirais volontiers.

Se .... meno .... volentieri.

② Si je savais danser la valse, je ne m'inscrirais pas à un cours de danse !

Se .... ballare il ...... non ..
.... a un corso di danza.

③ Pourquoi ne viendriez-vous pas avec nous ? Qu'avez-vous à faire ?

Perché non .... con noi? Cosa .....
.. ....?

④ Regarde tout ce que j'ai à lire ! – Sors avec moi, tu as besoin de te distraire !

...... tutto quello che ho .. ..!
.... con me, ... di distrarti!

⑤ J'ai envie de *(me)* bouger un peu, je suis assise depuis ce matin.

Ho voglia di .... un pochino, ...
.... stamattina.

---

87 Ottantasettesima lezione

Fidèles à notre principe pédagogique selon lequel il faut rencontrer plusieurs fois une expression pour bien l'assimiler, nous vous

Se potessi essere con voi...

1 Carissimi zii,
2 sono veramente dispiaciutissima di non poter essere con voi il 27 (ventisette).
3 Come dicevo ad Ada, ho degli impegni di lavoro molto urgenti,

❶ – facesse – caldo uscirei – ❷ – sapessi – valzer – mi iscriverei –
❸ – verreste – avete da fare ❹ Guarda – da leggere – Esci – hai
bisogno – ❺ – muovermi – sto seduta da –

SONO STANCHISSIMA.

Deuxième vague : 37ᵉ leçon

Quatre-vingt-septième leçon   87

*proposons des tournures que vous connaissez déjà en les changeant
de contexte : cela devrait vous permettre de bien les mémoriser.*

Si je pouvais être avec vous…

1   Très chers oncle*(s)* [et tante],
2   Je regrette vraiment beaucoup *(suis vraiment
très désolée)* de ne pas pouvoir être avec vous
le 27.
3   Comme je le disais à Ada, j'ai des engagements
professionnels *(de travail)* très urgents,

4   che **o**ccupano, oram**a**i da un m**e**se, t**u**tte le
     m**i**e ser**a**te.

5   Ho cerc**a**to di trov**a**re un po' di t**e**mpo per
     v**o**i,

6   ma purtr**o**ppo non ce l'ho f**a**tta ①, e mi
     dispi**a**ce molt**i**ssimo.

7   Se pot**e**ssi ②, passer**e**i qu**e**sta giorn**a**ta con
     v**o**i con inf**i**nito piac**e**re.

8   Vi **a**uguro di t**u**tto cu**o**re che la f**e**sta s**i**a
     riuscit**i**ssima,

9   e soprattutto molt**i**ssimi **a**nni di felicit**à**.

10   Vi prom**e**tto che app**e**na ③ avr**ò** un po' di
     t**e**mpo verr**ò** ④ a trov**a**rvi.

11   Sp**e**ro che mi racconter**e**te le meravigli**o**se
     st**o**rie di fam**i**glia,

12   che non mi st**a**nco di ascolt**a**re e **a**ltre
     anc**o**ra.

13   La v**o**stra affezion**a**ta nipote   □

Notes

① Voici une première forme qui vous est familière : **Ce la faccio**, *J'y arrive* ; **Non ce la faccio**, *Je n'y arrive pas* (leçon 54).

② **se potessi**, *que je pusse*, est l'imparfait du subjonctif du verbe **potere**, *pouvoir*. Vous le savez, il faut que vous fassiez l'effort de mémoriser les formes de l'imparfait du subjonctif afin de les utiliser correctement. Rappelez-vous que si vous rencontrez un imparfait de l'indicatif dans ce genre de structures, c'est que l'on s'adresse à vous dans une langue tout à fait informelle.

③ **appena avrò un po' di tempo**, *dès que j'aurai un peu de temps* : nous avons rencontré le mot **appena**, *à peine*, dans des contextes d'utilisation et des sens très différents les uns des autres. En voici un résumé : **Lo conosco appena**, *Je le connais à peine* ; **Carla è appena andata via**, *Carla vient de partir* ; **Gliene parlo appena ritorna**, *Je lui en parle dès qu'il rentre.* ▶

4 qui occupent, depuis un mois maintenant, toutes mes soirées.

5 J'ai essayé de trouver un peu de temps pour vous,

6 mais malheureusement je n'y suis pas arrivée *(je ne l'y ai pas faite)*, et j'en suis vraiment désolée.

7 Si je [le] pouvais, je passerais cette journée avec vous avec un immense *(infini)* plaisir.

8 Je vous souhaite de tout cœur que la fête soit très réussie,

9 et surtout beaucoup d'années de bonheur.

10 Je vous promets que dès que j'aurai un peu de temps, je viendrai vous voir.

11 J'espère que vous me raconterez les merveilleuses histoires de famille,

12 que je ne me lasse pas d'entendre, et d'autres encore.

13 Votre nièce affectionnée

▸ ④ Vous le constatez de nouveau, il est parfaitement correct d'utiliser les deux futurs (**avrò**, *j'aurai* et **verrò**, *je verrai*) dans la concordance des temps.

SE POTESSI ESSERE CON VOI...

Esercizio 1 – Traducete

❶ Carla pensava che avrebbe potuto finire ieri sera. ❷ Sabato prossimo i miei zii festeggiano il loro anniversario di matrimonio. ❸ Mi dispiace, ma non ce la faccio proprio a venire con voi al ristorante. ❹ Se fossero sicuri di vendere la loro casa in città, ne comprerebbero subito una al mare. ❺ Se questo fine settimana ci sarà il sole e un bel cielo blu, partirò sicuramente.

Esercizio 2 – Completate

❶ Nous vous souhaitons de tout cœur de longues années de bonheur.

.. .. di tutto ..... lunghi anni .. ..•

❷ Jusqu'à dimanche, je suis occupée tous les soirs.

.... • .... sono occupata ....•

❸ Mon oncle nous raconta des histoires que je ne me lasse jamais d'écouter.

... . racconta delle storie che ... . di ascoltare.

❹ J'espère que j'aurai bientôt le plaisir de venir vous voir.

..... che .... presto il piacere di ....•

❺ S'ils savaient que tu viens chez nous, ils seraient très heureux.

.. .. che vieni .. .. felicissimi.

Corrigé de l'exercice 1

❶ Carla pensait qu'elle pourrait finir hier soir. ❷ Samedi prochain, mon oncle et ma tante fêtent leur anniversaire de mariage. ❸ Je regrette, mais je n'arriverai vraiment pas à venir avec vous au restaurant. ❹ S'ils étaient sûrs de vendre leur maison en ville, ils en achèteraient tout de suite une à la mer. ❺ Si ce week-end il y a du soleil et un beau ciel bleu, je partirai certainement.

Corrigé de l'exercice 2

❶ Vi auguriamo – cuore – di felicità ❷ Fino a domenica – tutte le sere ❸ Mio zio ci – non mi stanco mai – ❹ Spero – avrò – venire a trovarvi ❺ Se sapessero – da noi sarebbero –

Deuxième vague : 38ᵉ leçon

88 Ottantottesima lezione

Cette leçon vous présente le passé simple. Précisons qu'il s'utilise de moins en moins dans les conversations courantes. Vous le rencontrerez souvent, en revanche, en littérature et dans des écrits formels et administratifs. Nous vous avons toujours conseillé de bien retenir les phrases que nous vous présentions, il en va un peu

Mio nonno nacque...

1 – Zio Andrea, se non ti dispiace, raccontami ancora di tuo padre e di tuo nonno!
2 – Erano altri tempi!
3 Figurati che mio nonno nacque ① a Napoli, nel 1899 (milleottocentonovantanove).
4 Piccolissimo ②, a sei anni, fu ③ mandato a studiare in collegio, dai gesuiti.
5 Sai, a quell'epoca, soprattutto nel sud, le buone scuole erano rare,
6 e chi poteva, mandava i figli in collegio.

Notes

① **nacque**, *il naquit*, est le passé simple irrégulier du verbe du 2e groupe, **nascere**, *naître*.
② Encore de faux amis : **piccolo**, *petit*, ne s'utilise jamais pour désigner la taille, mais l'âge. Pour la taille, on dira **basso**, littéralement "bas".
③ **fu**, *il fut* : les autres formes du passé simple de **essere**, *être*, se trouvent en leçon de révision.

différemment pour le passé simple. En effet, si vous ne parvenez pas à vous souvenir de toutes les formes, ce n'est pas très grave. Pour une initiation à l'italien, la possibilité de reconnaître les formes du passé simple est largement suffisante ; il est tout à fait raisonnable de renvoyer leur maîtrise au niveau "perfectionnement".

Mon grand-père est né *(naquit)*…

1 – Oncle Andrea, si cela ne t'ennuie pas, parle-moi *(raconte-moi)* encore de ton père et de ton grand-père !

2 – C'était une autre époque *(Étaient autres temps)* !

3   Figure-toi que mon grand-père est né à Naples en 1899.

4   Très jeune, à six ans, il fut envoyé *(à)* étudier dans un pensionnat, chez les jésuites.

5   Tu sais, à cette époque-là, surtout dans le sud, les bonnes écoles étaient rares,

6   et, ceux qui [le] pouvaient *(qui pouvait)*, envoyaient leurs *(les)* enfants en pension.

MIA NONNA NACQUE A ROMA, iL 9 LUGLIO 1930

7 Ricevevano un'eccellente formazione, ma la disciplina era severissima.

8 Si considerava che la disciplina formasse ④ il carattere…, non come ora!

9 Ma lasciamo perdere! Finì i suoi studi a ventun anni,

10 e immediatamente il padre lo chiamò presso di sé,

11 perché lo aiutasse ⑤ a dirigere la loro fabbrica.

12 Due anni più tardi gli fu proposta in moglie la nonna Luisa,

13 e a ventiquattro anni ebbe ⑥ il primo figlio, mio padre! □

Notes

④ **formasse** (litt. "qu'elle formât") : pourquoi un subjonctif ici ? Tout simplement parce que dans la phrase principale, il y a un verbe d'opinion (leçon 84). Ce dernier est à l'imparfait, et rend donc nécessaire l'emploi de l'imparfait du subjonctif. ▸

***

Esercizio 1 – Traducete

❶ Mia nonna nacque a Roma, il 9 luglio 1930. ❷ Mia madre ebbe il primo figlio a 35 anni, e mio padre a 40. ❸ Aveva telefonato al suo avvocato perché la aiutasse a risolvere quel difficile problema. ❹ Mio nonno pensava che la disciplina aiutasse a formare il carattere. ❺ In quei tempi non c'erano buone scuole nel sud.

7 Ils recevaient une excellente formation, mais la discipline était très sévère.

8 On estimait que la discipline formait le caractère… pas comme aujourd'hui !

9 Mais laissons tomber *(perdre)* ! Il finit ses études à vingt et un ans,

10 et immédiatement son père l'appela auprès de lui *(soi)*,

11 pour qu'il l'aide *(aidât)* à diriger leur usine.

12 Deux ans plus tard lui fut proposée en mariage *(épouse)* grand-mère Luisa,

13 et à vingt-quatre ans il eut son *(le)* premier enfant, mon père !

▸ ⑤ **perché**, dans le sens de *pour que, afin que*, est une conjonction qui exige le subjonctif. Vous souvenez-vous de **è ora che**, *il est temps que*, que nous avons rencontré en leçon 80 ?

⑥ **ebbe**, *il eut* : la conjugaison complète du passé simple du verbe **avere**, *avoir*, vous est présentée en leçon de révision.

***

Corrigé de l'exercice 1

❶ Ma grand-mère est née *(naquit)* à Rome le 9 juillet 1930.
❷ Ma mère eut son premier enfant à 35 ans, et mon père, à 40.
❸ Elle avait téléphoné à son avocat, pour qu'il l'aide à résoudre ce problème difficile. ❹ Mon grand-père pensait que la discipline aidait à former le caractère. ❺ À cette époque, il n'y avait pas de bonnes écoles dans le sud.

Esercizio 2 – Completate

1 Mon oncle était très jeune quand il fut envoyé en pension.

Mio ... era .... quando ..
mandato .. ..

2 Grand-mère Luisa se maria à 27 ans, et un an plus tard, elle eut son premier enfant.

..... Luisa si sposò ...., e
un anno ... ... il primo figlio.

3 Qui pouvait penser que son voyage serait aussi bref ?

... . pensare che il suo viaggio
.... così breve?

4 Laissons tomber ! Il est inutile de parler de ce que nous aurions pu faire !

....! È .... di
quello che .... fare!

5 J'espérais que la connaissance de la langue russe m'aiderait *(m'aidât)* à trouver un meilleur emploi.

.... che la conoscenza della lingua .....
mi .... a trovare un .... lavoro.

❶ – zio – piccolissimo – fu – in collegio **❷** Nonna – a ventisette anni – più tardi ebbe – **❸** Chi poteva – sarebbe stato – **❹** Lasciamo perdere – avremmo potuto – inutile parlare – **❺** Speravo – russa – aiutasse – migliore –

Affirmer que les bonnes écoles étaient rares en Italie peut sembler étrange. Mais cela a une explication tout à fait cohérente. En effet, au début du xxᵉ siècle, l'Italie était encore un très jeune État. Morcelée en plusieurs petits États pendant des siècles, et victime de dominations étrangères, elle n'atteignit son unité politique qu'en 1870, suite aux guerres du **Risorgimento**. *Ce fut une immense conquête. Toutefois, sur le plan social, tout restait à faire : magistrature, hôpitaux, écoles, mais également sentiment d'unité nationale et, non des moindres, unification de la langue italienne. Toutes ces structures collectives ont vu le jour au cours du siècle dernier ; il n'est donc pas totalement insolite de constater que les bonnes écoles n'ont émergé qu'assez récemment.*

Deuxième vague : 39ᵉ leçon

Che cosa farò?

1 – Se sapessi ① già tutto quello che succederà nella mia vita!

2 Sai, nonno, ho due grandi aspirazioni: viaggiare, e riuscire nel cinema.

3 Se partissi l'anno prossimo, per esempio?

4 O se cominciassi una scuola di recitazione in autunno? Pensi che ce la farei?

5 – Penso che se questi sono i tuoi veri desideri, Alessandra,

6 se ti impegni a fondo, ci riuscirai sicuramente.

7 Non devi mai preoccuparti di quello che dicono gli altri,

8 ma devi riflettere molto, moltissimo su di te!

9 Questo ti eviterà di dire, un giorno:

10 "Ah, se avessi avuto ② prima questa idea!

Notes

① Pour maîtriser la concordance des temps dans les phrases hypothétiques, il faut bien distinguer les phrases où l'on exprime des certitudes, des enchaînements de faits inévitables, de celles où plane un doute, une supposition ou un espoir. Dans le premier cas, l'indicatif s'impose : **Se riesco a finire entro sabato, verrò certamente alla festa**, *Si je réussis à finir d'ici samedi, je viendrai certainement à la fête* (leçon 85). Ici, en revanche, on utilise le subjonctif car Alessandra ne sait pas ce qui arrivera ni quelles seront ses envies.

② **avessi avuto** (litt. "que j'eusse eu") : nous voici devant un plus-que-parfait du subjonctif. Courage, c'est le dernier temps ▸

Que vais-je faire *(ferai-je)* ?

1 – Si je savais déjà tout ce qui arrivera dans ma vie !

2　Tu sais, grand-père, j'ai deux grandes aspirations : voyager et réussir dans le cinéma.

3　Si je partais l'année prochaine, par exemple ?

4　Ou si je commençais une école d'art dramatique en automne ? Tu crois que j'y arriverais ?

5 – Je pense que si ce *(ceux-ci)* sont tes vrais désirs, Alessandra,

6　si tu t'engages à fond, tu y arriveras certainement.

7　Tu ne dois jamais te soucier de ce que disent les autres,

8　mais tu dois réfléchir beaucoup, énormément, sur toi !

9　Cela t'évitera de dire, un jour :

10　"Ah, si j'avais eu cette idée plus tôt !

CHE COSA FARÒ ?

▸ que nous étudions ensemble ! En outre, il se forme exactement comme en français : en faisant suivre l'auxiliaire – conjugué à l'imparfait du subjonctif – du participe passé du verbe.

11 Ah, se fossi stata più attenta…"

12 – Se non avessi avuto te, nonnino, come avrei fatto ③!

☐

Note

③ **Se non avessi avuto te, come avrei fatto**, *Si je ne t'avais pas eu, comment aurais-je fait ?* : ici, l'on se tourne vers le passé, le plus-que-parfait du subjonctif et le conditionnel ▸

***

Esercizio 1 – Traducete

❶ Se Ida sapesse cosa vuole fare nella vita sarebbe meraviglioso! ❷ Giulio, se andassimo in montagna per il fine settimana, cosa ne diresti? ❸ Carlo si preoccupa sempre molto di quello che dicono gli altri. ❹ E se mi iscrivessi ad un corso di danza africana? ❺ Se fossi stato più attento, Marco, non avresti perduto il tuo portafogli.

Esercizio 2 – Completate

❶ S'il avait eu la possibilité d'apprendre l'allemand, il l'aurait certainement fait.

.. .. la possibilità di ....
il tedesco, ... certamente.

❷ Si nous avions été à l'heure, nous aurions vu un spectacle magnifique !

.. .. in orario, ...
uno spettacolo magnifico!

❸ Tu dois t'engager complètement si tu veux réussir dans la vie.

Devi ...., se ....
.... nella vita.

11   Ah, si j'avais été plus attentive…"

12 –   Si je ne t'avais *(n'avais)* pas eu, toi, *(petit)* grand-père, comment aurais-je fait !

▸ passé s'imposent donc. Cela est différent lorsque la possibilité s'applique au présent ou au futur : **Se potessi, uscirei volentieri**, *Si je pouvais, je sortirais volontiers* (leçon 86).

***

Corrigé de l'exercice 1

❶ Si Ida savait ce qu'elle voulait faire dans la vie, ce serait merveilleux ! ❷ Giulio, si nous allions à la montagne pour le week-end, qu'en dirais-tu ? ❸ Carlo s'inquiète toujours beaucoup de ce que disent les autres. ❹ Et si je m'inscrivais à un cours de danse africaine ? ❺ Si tu avais été plus attentif, Marco, tu n'aurais pas perdu ton portefeuille.

❹ Je préfèrerais éviter de trop voyager, si c'était possible.

. . . . evitare di viaggiare . . . . . . , se . . . . . possibile.

❺ Si tu n'étais pas là, mon amour, comment ferais-je ?

Se . . . . qui, ... , come . . . . . ?

Corrigé de l'exercice 2

❶ Se avesse avuto – imparare – lo avrebbe fatto – ❷ Se fossimo stati – avremmo visto – ❸ – impegnarti a fondo – vuoi riuscire – ❹ Preferirei – troppo – fosse – ❺ – non fossi – amore – farei

Deuxième vague : 40ᵉ leçon

Capita a tutti!

1 – Che cosa succede ①, Anna, sei pallidissima!
2 – Sono sconvolta! Non trovo più il mio
     bracciale di perle!
3   Ci tengo moltissimo, è quello che mi aveva
     regalato la nonna Anna!
4   Dove può essere?
5 – Secondo me l'hai dimenticato da qualche
     parte,
6   ti è successo già tante volte!
7 – Oh, non ti ci mettere anche tu, sono già
     abbastanza nervosa!
8   Ma forse hai ragione, forse l'ho lasciato ieri
     sera da Rita!
9   L'avevo tolto per aiutarla a sbucciare la
     frutta ② per la macedonia ③.
10   Ma no, se lo avesse trovato, mi avrebbe
     telefonato subito!
11 – E se ti dicessi che nella tasca di un cappotto
     ho trovato uno strano oggettino?
12 – Direi che capita a tutti di essere distratti! □

Notes

① Les verbes **succedere** (phrase 1) et **capitare** (phrase 12) sont
synonymes. Ils renvoient aussi bien à l'expression *quelque
chose se passe* qu'à l'expression *quelque chose arrive.*
Attention, toutefois, les verbes **arrivare** et **passare** n'ont pas
du tout le même sens : **Sono arrivato ieri da Roma**, *Je suis
arrivé hier de Rome* ; **Sono passato da via Verdi**, *Je suis
passé par la rue Verdi.*   ▶

Cela arrive à tout le monde !

1 – Qu'est-ce qu'il t'arrive *(que se passe-t-il)*,
Anna, tu es toute pâle !

2 – Je suis bouleversée ! Je ne trouve plus mon
bracelet de perles !

3   J'y tiens énormément, c'est celui que m'avait
offert grand-mère Anna !

4   Où peut-il être ?

5 – Je pense que *(d'après moi)* tu l'as oublié
quelque part,

6   cela t'est déjà arrivé tellement souvent *(tant de
fois)* !

7 – Oh, ne t'y mets pas, toi aussi, je suis déjà assez
irritable *(nerveuse)* [comme ça] !

8   Mais peut-être que tu as raison, peut-être que je
l'ai laissé hier soir chez Rita !

9   Je l'avais enlevé pour l'aider à peler les fruits
pour la salade de fruits.

10   Mais non, si elle l'avait trouvé, elle m'aurait
téléphoné tout de suite !

11 – Et si je te disais que dans la poche d'un
manteau, j'ai trouvé un curieux petit objet ?

12 – Je dirais que ça arrive à tout le monde d'être
distrait !

▶ ② **la frutta**, *les fruits*, est toujours singulier. Son pluriel, irrégulier car masculin (**i frutti**), ne peut être utilisé que dans un sens
figuré : **Ecco i frutti del mio lavoro**, *Voilà les fruits de mon
travail.*

③ Encore un faux ami : le mot **macedonia**, *macédoine de fruits,
salade de fruits*, ne peut jamais être utilisé pour des légumes.
Pour les légumes, il faut employer le mot **insalata**, *salade*.

Esercizio 1 – Traducete

❶ Sai che cosa mi è successo? Figurati che in metropolitana ho trovato un bracciale di perle! ❷ Ragazzi, non vi ci mettete anche voi, per favore, oggi sono nervosissima! ❸ Marco mangia la frutta solo se gliela sbuccia la sua mamma. ❹ Faceva così caldo che appena sono arrivati, hanno tolto la giacca. ❺ Se avessero avuto sue notizie, mi avrebbero chiamato immediatamente.

Esercizio 2 – Completate

❶ Je suis bouleversée parce que j'ai perdu mon sac et tous mes papiers d'identité !

. . . . perché ho . . . . la mia borsa e tutti i miei . . . .

❷ Je tiens énormément à ce livre. Mon grand-père me l'avait offert pour mon dix-huitième anniversaire.

. . . . a questo libro. Mio nonno . . . . per il mio diciottesimo . . . .

❸ Comme dessert, j'ai pris une magnifique salade de fruits.
Come dolce . . . . una magnifica

. . . .

❹ Il m'arrive très souvent de rencontrer des amis dans la rue.

. . . . di incontrare degli amici per strada.

❺ Giorgio est tellement distrait qu'il a encore oublié sa déclaration d'impôts ! C'est la troisième fois que cela lui arrive !
Giorgio è . . . . che ha ancora dimenticato la . . . .
. . . . . ! È la . . . . che gli . . . . !

Corrigé de l'exercice 1

❶ Sais-tu ce qui m'est arrivé ? Figure-toi que dans le métro, j'ai trouvé un bracelet de perles ! ❷ Les enfants, ne vous y mettez pas vous aussi, s'il vous plaît, aujourd'hui je suis très irritable ! ❸ Marco ne mange des fruits que si sa maman les lui épluche. ❹ Il faisait si chaud qu'à peine arrivés, ils ont ôté leur veste. ❺ S'ils avaient eu de ses nouvelles, ils m'auraient appelé immédiatement.

Corrigé de l'exercice 2

❶ Sono sconvolta – perduto – documenti ❷ Tengo moltissimo – me lo aveva regalato – compleanno ❸ – ho preso – macedonia ❹ Mi capita molto spesso – ❺ – così distratto – dichiarazione delle tasse – terza volta – succede

Deuxième vague : 41e leçon

Revisione – Révision

1 Le passé simple

Le passé simple ne se rencontre plus guère dans la langue parlée ; comme en français, on lui préfère le passé composé. Seule exception, le sud de l'Italie, où l'on a tendance à l'utiliser davantage car il est très employé dans les dialectes du sud, encore assez vivants. En revanche, il est assez fréquemment utilisé en littérature.

• **Les conjugaisons régulières**

– 1er groupe : **cominciare**, *commencer*

io cominci-ai	*je commençai*
tu cominci-asti	*tu commenças*
lui/lei cominci-ò	*il/elle commença*
noi cominci-ammo	*nous commençâmes*
voi cominci-aste	*vous commençâtes*
loro cominci-arono	*ils/elles commencèrent*

– 2e groupe : **credere**, *croire*

io cred-ei(etti)	*je crus*
tu cred-esti	*tu crus*
lui/lei cred-è(ette)	*il/elle crut*
noi cred-emmo	*nous crûmes*
voi cred-este	*vous crûtes*
loro cred-erono(ettero)	*ils/elles crurent*

Observez que les formes **credetti**, **credette**, **credettero**, sont parfaitement équivalentes aux trois autres, et tout aussi employées.

– 3ᵉ groupe : **sentire**, *sentir*

io sent-**ii**	*je sentis*
tu sent-**isti**	*tu sentis*
lui/lei sent-**ì**	*il/elle sentit*
noi sent-**immo**	*nous sentîmes*
voi sent-**iste**	*vous sentîtes*
loro sent-**irono**	*ils/elles sentirent*

• **Les auxiliaires** *avere* **et** *essere*

– **avere**, *avoir*

io ebbi	*j'eus*
tu avesti	*tu eus*
lui/lei ebbe	*il/elle eut*
noi avemmo	*nous eûmes*
voi aveste	*vous eûtes*
loro ebbero	*ils/elles eurent*

– **essere**, *être*

io fui	*je fus*
tu fosti	*tu fus*
lui/lei fu	*il/elle fut*
noi fummo	*nous fûmes*
voi foste	*vous fûtes*
loro furono	*ils/elles furent*

En italien, les temps du passé du subjonctif sont utilisés couramment dans des phrases comme : **Credo che sia partito**, *Je crois qu'il est* (litt. "qu'il soit") *parti* ; **Ho creduto che fosse partito**, *J'ai cru qu'il était* (litt. "qu'il fusse") *parti*. Cela vous semble difficile ? En réalité il n'y a que les formes des auxiliaires à mémoriser… et vous aurez tout le loisir de vous familiariser davantage avec ces constructions lorsque vous approfondirez vos connaissances de l'italien, par le biais du *Perfectionnement Italien* par exemple !

2.1 Le parfait du subjonctif

Il se forme en utilisant le parfait du subjonctif de l'auxiliaire suivi du participe passé du verbe :

che io abbia parlato	*que j'aie parlé*
che io abbia creduto	*que j'aie cru*
che io sia partito	*que je sois parti*

2.2 Le plus-que-parfait du subjonctif

Il se forme tout simplement en utilisant l'imparfait du subjonctif de l'auxiliaire suivi du participe passé du verbe :

che io avessi parlato	*que j'eusse parlé*
che io avessi creduto	*que j'eusse cru*
che io fossi partito	*que je fusse parti*

3 La concordance des temps dans les phrases hypothétiques

La concordance des temps dans les phrases hypothétiques doit être observée de manière stricte en italien, mais les règles ont le mérite d'être claires et, pour une fois, ne comptent aucune exception. Nous pouvons rencontrer trois cas de figure.

3.1 La réalisation de l'hypothèse est perçue comme possible

Dans la proposition principale tout comme dans la subordonnée, nous pouvons utiliser un présent ou un futur de l'indicatif : **Se posso, vengo**, *Si je peux, je viens* ; **Se potrò, verrò**, *Si je peux* (litt. "pourrai"), *je viendrai* ; **Se posso, verrò**, *Si je peux, je viendrai*.

3.2 La réalisation de l'hypothèse est perçue comme incertaine (contexte présent)

Dans la proposition subordonnée, il faut obligatoirement employer l'imparfait du subjonctif, et dans la principale, le conditionnel présent : **Se potessi, verrei**, *Si je pouvais, je viendrais*.

3.3 La réalisation de l'hypothèse est impossible (contexte passé)

Dans la proposition subordonnée, il faudra utiliser, sans exception, le plus-que-parfait du subjonctif, et le conditionnel passé dans la principale : **Se avessi potuto, sarei venuto**, *Si j'avais pu, je serais venu*.

4 Expressions à retenir

Vous souvenez-vous des quatre phrases suivantes ? Elles apparaissent quelque part au sein des six leçons précédentes. Saurez-vous les retrouver et les utiliser en contexte ?
Che ti succede?
Se sapessi che cosa mi è capitato!
Devo finire tutto entro sabato!
Se potessi, verrei molto volentieri!

1 – Luigi, sai che Ada sta preparando una festa per l'anniversario di matrimonio dei suoi genitori e ci invita?

2 – Benissimo, ci andiamo!

3 – Sarei felicissima di andarci, ma ho un sacco di lavoro da finire entro sabato,

4 e figurati che Carla mi propone di iscrivermi ad un corso di danza con lei!

5 Guarda, ho scritto un bigliettino a zio Carlo per scusarmi: "Sono veramente dispiaciutissima di non poter essere con voi sabato,

6 ma verrò a trovarvi non appena avrò un po' di tempo. La vostra affezionata nipote".

7 – I tuoi zii sono simpaticissimi, anche se sembrano un po' di altri tempi.

8 – Ma, sai che non trovo più la mia guida dell'Italia del sud!

---

92 Novantaduesima lezione

Partì ① in giugno

1 La porta si richiuse ② pesantemente dietro di lui.

2 Credette di essere libero, finalmente libero,

3 ma aveva ora una lunga storia da portare con sé.

Notes

① Pour qu'elles vous deviennent familières, nous vous proposons d'autres formes de passés simples réguliers : **partì**, *il partit*, vient de **partir**, *partir* ; **credette**, *il crut* (phrase 2), vient ▸

9 – Forse l'hai dimenticata da Giorgio! Ti capita spesso di dimenticare le cose!

10 – No, se l'avesse trovata, mi avrebbe telefonato!

Traduction

1 Luigi, sais-tu qu'Ada est en train de préparer une fête pour l'anniversaire de mariage de ses parents et qu'elle nous invite ? **2** Très bien, nous y allons ! **3** Je serais très heureuse d'y aller, mais j'ai beaucoup de travail à finir avant samedi, **4** et figure-toi que Carla me propose de m'inscrire à un cours de danse avec elle ! **5** Regarde, j'ai écrit un petit mot à l'oncle Carlo pour m'excuser : "Je suis vraiment *(très)* désolée de ne pas pouvoir être avec vous samedi, **6** mais je viendrai vous voir dès que j'aurai un peu de temps. Votre nièce affectionnée". **7** Tes oncles sont très sympathiques, même s'ils semblent un peu d'une autre époque. **8** Mais, tu sais que je ne trouve plus mon guide de l'Italie du Sud ! **9** Tu l'as peut-être oublié chez Giorgio ! Cela t'arrive souvent d'oublier tes affaires *(les choses)* ! **10** Non, s'il l'avait trouvé, il m'aurait téléphoné !

Deuxième vague : 42ᵉ leçon

Quatre-vingt-douzième leçon   92

Il partit en juin

1   La porte se referma lourdement derrière lui.
2   Il crut qu'il était libre, enfin libre,
3   mais maintenant il avait une longue histoire à porter *(avec soi)*.

▸ de **credere**, *croire*, et **sentì**, *il sentit* (phrase 11), de **sentire**, *sentir*.

② **si richiuse**, *elle se referma*, vient de **richiudersi**, *se refermer*, qui a un passé simple irrégulier. Vous trouverez sa conjugaison au sein de l'appendice grammatical.

trecentottantasei • 386

4   Immagini disordinate cominciarono a
    sfilare dinanzi ai suoi occhi.

5   Incontri, speranze, delusioni, colpi duri,
    desideri, paure…

6   Una vita che stava buttando via?

7   Una vita che stava cercando di far nascere?

8   Una morsa allo stomaco, una sensazione di
    nausea,

9   eppure un'incredibile leggerezza,

10 un'irrefrenabile voglia di saltellare ③ come
    un bambino.

11 Sentì i suoi occhi riempirsi di lacrime,
    chissà se dolci o tristi.

12 Era partito. Fu nel giugno del 1975
    (millenovecentosettantacinque) ④.   □

Notes

③ **saltellare**, *sautiller*, vient du verbe **saltare**, *sauter*. Nous
  retrouvons ce même suffixe utilisé avec des verbes comme
  cantarellare, *chantonner*, qui vient de **cantare**, *chanter*.   ▶

***

Esercizio 1 – Traducete

❶ Viaggiarono a lungo e attraversarono innumerevoli città. ❷ Avrei chiuso la porta, se tu me
lo avessi chiesto. ❸ Sto buttando via un sacco
di vecchie cose: giornali, libri, scarpe, borse...
❹ Provammo un'infinita leggerezza e un'immensa
voglia di ballare. ❺ Per favore Marco, smettila di
saltellare, mi fai venire mal di testa!

4 Des images désordonnées commencèrent à défiler devant ses yeux.

5 Rencontres, espoirs, déceptions, coups durs, désirs, peurs…

6 Une vie qu'il était en train de jeter ?

7 Une vie qu'il essayait *(qu'il était en train d'essayer)* de faire naître ?

8 L'estomac serré comme dans un étau *(un étau à l'estomac)*, une sensation de nausée,

9 et pourtant une légèreté incroyable,

10 une envie irrésistible de sautiller comme un enfant.

11 Il sentit ses yeux se remplir de larmes, douces ou tristes… allez savoir *(qui sait si douces ou tristes)* !

12 Il était parti. C'était *(ce fut)* en juin *(du)* 1975.

▸ ④ Observez ces deux expressions : **in giugno**, *en juin* ; **nel giugno del 1975**, *en juin 1975*. Lorsque le nom d'un mois est suivi de l'année, la préposition et l'article (**di** + **il** contractés en **del**) sont indispensables avant l'année.

***

Corrigé de l'exercice 1

❶ Ils voyagèrent longuement et traversèrent d'innombrables villes. ❷ J'aurais fermé la porte si tu me l'avais demandé. ❸ Je suis en train de jeter un tas de vieilles choses : journaux, livres, chaussures, sacs… ❹ Nous éprouvâmes une infinie légèreté et une immense envie de danser. ❺ S'il te plaît, Marco, arrête de sautiller, tu me donnes la migraine !

Esercizio 2 – Completate

❶ Grand-mère Luisa habita toute sa vie dans cet appartement.

La . . . . . Luisa . . . . . tutta . . . . . vita in

. . . .

❷ Il était si ému que ses yeux se remplirent de larmes.

. . . . emozionato che . . . . . occhi . .

. . . . di . . . .

❸ Nous fûmes très heureux de ces rencontres !

. . . . . molto felici di quegli . . . . !

❹ J'eus très peur. J'avais l'estomac serré et une sensation de nausée.

. . . . molta . . . . . . Avevo una . . . .

. . . . e una sensazione di . . . .

❺ Il se sentit si libre qu'il eut envie de chanter.

Si . . . . . così . . . . . . che . . . . di

cantare.

---

93   Novantatreesima lezione

Avrei bisogno del tuo aiuto

1 – Paolo, credo proprio che ho bisogno del tuo aiuto!

2 – Con piacere! Che cosa posso fare per te?

3 – Non riesco a far funzionare il programma di scrittura ① che ho appena comprato!

Note

① Le vocabulaire italien s'est récemment enrichi de nombreux mots anglais, notamment dans les domaines scientifique et technique. La langue de l'informatique en est un exemple. ▸

Corrigé de l'exercice 2

❶ – nonna – abitò – la sua – questa casa **❷** Era così – i suoi – si riempirono – lacrime **❸** Fummo – incontri **❹** Ebbi – paura – morsa allo stomaco – nausea **❺** – sentì – libero – ebbe voglia –

VIAGGIARONO A LUNGO E ATTRAVERSARONO INNUMEREVOLI CITTÀ.

Deuxième vague : 43ᵉ leçon

Quatre-vingt-treizième leçon   93

J'aurais besoin de ton aide

1 – Paolo, je crois vraiment que j'ai besoin de ton aide !
2 – Avec plaisir ! Que puis-je faire pour toi ?
3 – Je n'arrive pas à faire fonctionner le logiciel que je viens d'acheter !

▸ Bien que souvent l'italien dispose de mots créés à partir de ses propres racines, comme **programma di scrittura**, *logiciel*, ou **calcolatore**, *ordinateur*, on préfère généralement employer leurs équivalents anglais : **software**, **computer**, etc.

4   Questi computer sono troppo sofisticati per me!

5 – Ma no, basta ② conoscere due o tre segreti!

6 – Beato te ③ che li conosci!

7   Ieri mi ci sono messa con la più grande pazienza di questo mondo,

8   ma dopo tre ore di tentativi inutili

9   volevo solo buttar giù ④ dalla finestra il computer e le istruzioni per l'uso.

10 – Vedrai che in un pomeriggio riesco a spiegarti le cose essenziali.

11   Che cosa trovi difficile?

12 – Tutto! Anche accenderlo e spegnerlo!   □

Notes

② **basta conocere**, *il suffit de connaître* : observez – et surtout mémorisez – l'absence de préposition après **basta**.

③ Il n'est sans doute pas inutile de revoir cette expression, si courante en italien et déjà rencontrée en leçon 63 : **Beati voi!**, *Vous avez de la chance !*   ▸

***

Esercizio 1 – Traducete

❶ Beati voi che avete tanti amici stranieri! ❷ Ma è facile imparare le lingue straniere, con un po' di pazienza! ❸ Temeva che avrebbe avuto bisogno del loro aiuto. ❹ Non so se un giorno riuscirò a far funzionare questo computer! ❺ È una donna sofisticata ed elegante, troppo bella per me!

4   Ces ordinateurs sont trop sophistiqués pour
        moi !
5 – Mais non, il suffit de connaître deux ou trois
        secrets [à leur sujet] !
6 – Tu as de la chance *(heureux toi qui les connais)*
        de les connaître !
7   Hier je m'y suis mise avec la plus grande
        patience qui soit *(de ce monde)*,
8   mais après trois heures de tentatives inutiles,
9   je n'avais qu'une envie *(je voulais seulement)* :
        jeter par la fenêtre l'ordinateur et le manuel
        d'instructions *(les instructions pour
        l'utilisation)*.
10 – Tu verras qu'en une après-midi j'arrive à
        t'expliquer les choses essentielles.
11   Que trouves-tu difficile ?
12 – Tout ! Même l'allumer et l'éteindre !

▶ ④ Vous connaissez déjà **buttar via**, *jeter* (litt. "jeter loin"). Voici
   une petite variation sur le thème, **buttar giù**, *jeter* (litt. "jeter
   en bas").

***

Corrigé de l'exercice 1

❶ Vous avez de la chance d'avoir autant d'amis étrangers ! ❷ Mais
c'est facile d'apprendre les langues étrangères, avec un peu de
patience ! ❸ Il craignait d'avoir besoin de leur aide. ❹ Je ne sais
pas si un jour je réussirai à faire fonctionner cet ordinateur !
❺ C'est une femme sophistiquée et élégante, trop belle pour moi !

Esercizio 2 – Completate

❶ Que pouvons-nous faire pour vous, Madame ?

... ... fare per ..., Signora?

❷ J'aurais besoin d'une information ! – Avec plaisir, si je peux [vous aider].

.... di una informazione! ...
.... se posso!

❸ Je suis en train d'apprendre l'italien. Je m'y suis mis très sérieusement.

... . l'italiano .. ..
molto seriamente.

❹ Quel est ton secret pour rester si jeune ? – Rire souvent, le plus souvent possible !

.... . il tuo .... per restare ....
giovane? – ...... spesso, ...
possibile!

---

94   Novantaquattresima lezione

Mi sembra difficile

1 – Allora, come si accende questo aggeggio?
2 – Basta che premi ① su questo tasto.
3 – E come si fa per aprire un nuovo
documento?

Note

① **basta que premi** (...), *il suffit que tu appuies* (...) : vous le savez désormais, l'indicatif prend parfois la place du subjonctif dans ▶

⑤ Je n'arrive pas à éteindre l'ordinateur. J'ai envie de le jeter par
la fenêtre !

Non . . . . . . a . . . . il . . . . ! Ho
voglia di . . . . finestra!

AVREI BISOGNO DEL TUO AIUTO.

Corrigé de l'exercice 2

① Che cosa possiamo – Lei – ② Avrei bisogno – Con piacere –
③ Sto imparando – mi ci sono messo – ④ Qual è – segreto – così –
Ridere – il più spesso – ⑤ – riesco – spegnere – computer – buttarlo
giù dalla –

Deuxième vague : 44ᵉ leçon

Cela me semble difficile

1 – Alors, comment allume-t-on cet engin ?
2 – Il suffit que tu appuies sur cette touche.
3 – Et comment fait-on pour ouvrir un nouveau
document ?

▸ la langue parlée. Rappelez-vous que cet emploi n'est réservé
qu'à des situations très informelles !

4 – Fai scivolare la freccia fino a questa icona e poi premi.

5 – E poi come lo chiudo?

6 – Premi contemporaneamente su questi due tasti… ecco, così, brava ②!

7 – E se premo su questo tasto cosa succede?

8 – Attenta ③! Con quello cancelli! Abituati a salvare spesso!

9 Le precauzioni non bastano mai!

10 – Credi che domani avrò già dimenticato tutto quello che mi hai spiegato?

11 – Credo di no, ma dovresti esercitarti un po' tutti i giorni.

12 Ricordati che i progressi vengono fatti ④ solo se si ha pazienza! ☐

Notes

② En italien, on utilise souvent l'adjectif **bravo**, *bravo*, pour féliciter quelqu'un, mais n'oubliez pas qu'il faut toujours l'accorder ! Nous aurons donc : **bravo**, **brava**, **bravi**, **brave**, et pour les superlatifs, **bravissimo**, **bravissima**, **bravissimi**, **bravissime**.

③ **Attenta!**, *Attention !* ; dans ce type de contexte, il est tout à fait possible de dire **attenzione**, *attention*, mais très souvent on préfère utiliser l'adjectif, et il faut donc l'accorder : **attento** (litt. "attentif"), **attenta** (litt. "attentive"), **attenti** (litt. "attentifs") et **attente** (litt. "attentives").

④ **i progressi vengono fatti**, *les progrès se font* (litt. "les progrès viennent faits"). Il est désormais assez courant d'utiliser le verbe **venire**, *venir*, comme auxiliaire de la forme passive, ▶

Puis-je entrer ?

1 – Puis-je entrer ?

2 – Je vous en prie, entrez donc ! Que puis-je faire pour vous ? *(Dites-moi !)*

3 – Je ne voudrais pas vous déranger, je serai très rapide.

4   Je voulais vous demander si aujourd'hui je peux partir une heure plus tôt que d'habitude.

5   Ce matin je voulais descendre une seconde acheter des cigarettes,

6   mais dans *(pour)* ma hâte j'ai *(suis)* glissé dans les escaliers,

7   et maintenant j'ai le genou et la main droite qui me font de plus en plus *(toujours plus)* mal.

8   Je voudrais avoir le temps de passer chez le médecin avant de rentrer.

9 – Je suis vraiment *(très)* désolé ! J'espère qu'il n'y a *(ait)* rien de grave !

10   Mais vous auriez dû [y] aller ce matin même !

▸ ④ **sono scivolato**, *j'ai glissé* : notez qu'un certain nombre de verbes qui expriment un mouvement, comme **scendere**, **salire**, etc., exigent l'utilisation de l'auxiliaire **essere**, *être*.

⑤ **la mano**, *la main*, est un nom féminin irrégulier : il a les terminaisons habituelles des mots masculins, **la mano**, *la main* ; **le mani**, *les mains* (leçon 31).

⑥ **nulla** et **niente**, *rien*, sont parfaitement synonymes. Encore une fois, vous pouvez choisir l'un ou l'autre à votre guise !

⑦ **sarrebe dovuto andarci**, *vous auriez dû y aller* ; depuis la leçon 66, vous savez que **dovere**, **potere** et **volere** prennent l'auxiliaire du verbe qui les suit ; en voici encore un exemple !

11 Non serve a niente aspettare in queste situazioni!

12 In ogni caso Le firmo subito il Suo permesso. ☐

***

Esercizio 1 – Traducete

❶ Pensavo che non ci fosse nulla di grave e, per fortuna, fu così. ❷ In ogni caso devi andare dal medico per il tuo ginocchio! ❸ Ci potremmo vedere una mezz'ora prima del solito, domani? ❹ Mamma, non ho finito i compiti e la testa mi fa sempre più male. ❺ Luca voleva scendere giù in giardino a giocare, ma è scivolato nelle scale.

Esercizio 2 – Completate

❶ Pourrais-tu répondre à cette lettre et l'envoyer ce matin même ?

. . . . rispondere a . . . . e mandarla . . . . ?

❷ Elle m'a dit qu'elle descendrait acheter des cigarettes.

Mi . . . . che . . . . a comprare le sigarette.

❸ Je peux ? – Je vous en prie, Madame, entrez !

. . . . ? – Prego, Signora, ... !

❹ J'aurais dû (*masc.*) aller dîner chez Paola hier soir, mais, je n'ai pas pu.

. . . . a cena . . Paola ieri sera, ma non . . . .

11   Cela ne sert à rien d'attendre dans ce genre de
      (ces) situation !

12   En tout cas, je vous signe tout de suite votre
      autorisation.

* * *

Corrigé de l'exercice 1

❶ Je pensais qu'il n'y avait rien de grave, et heureusement, ce fut le cas. ❷ En tout cas tu dois aller chez le médecin pour ton genou. ❸ Pourrions-nous nous voir une demi-heure plus tôt que d'habitude, demain ? ❹ Maman, je n'ai pas fini mes devoirs et j'ai de plus en plus mal à la tête. ❺ Luca voulait descendre jouer dans le jardin, mais il a glissé dans les escaliers.

❺   Je ne voudrais pas te déranger ! – Tu ne me déranges pas du tout. Que puis-je faire pour toi *(Dis-moi donc !)* ?

Non . . . . ! – Non . .
. . . . per niente. . . . . . pure!

Corrigé de l'exercice 2

❶ Potresti – questa lettera – stamattina stessa ❷ – ha detto – sarebbe scesa giù – ❸ Permesso – entri pure ❹ Sarei dovuto andare – da – ho potuto ❺ – vorrei disturbarti – mi disturbi – Dimmi –

Deuxième vague : 46e leçon

Dans cette leçon et dans la suivante, nous vous présentons des
tournures appartenant à la langue parlée, très fréquentes dans les

Vorrei domandarti se...

1 – Mario, vorrei chiederti qualcosa, ma non
    oso...
2 – Dai, parla! Niente di serio, almeno?
3 – Sì e no... non saprei come dirti...
4 – Quante storie! Ti prometto che resterò
    cortese,
5   e che non mi arrabbierò dinanzi a nessuna
    assurdità.
6 – Be', ecco, la settimana scorsa ho
    conosciuto una ragazza splendida!
7   Mi piace moltissimo! Veramente la donna
    dei miei sogni!
8   Alta, ben fatta, capelli lunghi e biondi,
9   uno sguardo malizioso, una bocca
    sensuale...
10 – Mica ① male! Congratulazioni! ... Ma io,
    che c'entro ②?

Notes

① **Mica male!**, *Pas mal (du tout)* ! : **mica** (litt. "miette") peut
être utilisé dans des expressions négatives pour en renforcer
la valeur. C'est alors un synonyme informel de **per niente**, *du*
tout : **non è mica tardi**, ou **non è tardi per niente**, *il n'est*
pas tard du tout. Dans des phrases interrogatives, en revanche,
mica est synonyme de **forse**, *peut-être* ; **per caso**, *par hasard* ▶

conversations. Utilisez-les aussi souvent que possible, mais n'oubliez pas qu'elles ne sont pas adaptées à un discours écrit ou formel.

Je voudrais te demander si…

1 –   Mario, je voudrais te demander quelque chose, mais je n'ose pas…

2 –   Vas-y, raconte *(Donne, parle)*, rien de sérieux, au moins ?

3 –   Oui et non… je ne sais *(saurais)* pas comment te dire…

4 –   Que *(combien)* d'histoires ! Je te promets que je resterai aimable,

5   et que je ne me fâcherai devant aucune absurdité.

6 –   Ben voilà, la semaine dernière, j'ai fait la connaissance d'une fille magnifique !

7   Elle me plaît énormément ! Tout à fait la femme de mes rêves !

8   Grande, bien faite, des cheveux longs et blonds,

9   un regard malicieux, une bouche sensuelle…

10 – Pas mal ! Félicitations ! Mais en quoi est-ce que ça me concerne, moi *(que j'y entre)* ?

▸   **Non hai mica visto il mio libro?**, *Tu n'as pas vu mon livre, par hasard ?*

②   **che c'entro**, *en quoi ça me regarde* : voici encore une tournure de la langue parlée. Son équivalent plus formel est **Non ho niente a che vedere**, *Je n'ai rien à voir [avec ça].*

11 – **S**ai che **i**o mi tr**o**vo un po' mingherl**i**no, e
risp**e**tto a lei…

12 Mi chied**e**vo se pot**e**vi prest**a**rmi ③ la t**u**a
m**o**to, mag**a**ri ④ ri**e**sco a impression**a**rla… □

Notes

③ **mi chiedevo se potevi** (…), *je me demandais si tu pouvais*
(…) ; voici une nouvelle illustration du penchant de la langue
parlée pour l'imparfait de l'indicatif dans les phrases hypothétiques. Ici, la phrase formelle donnerait : **Mi chiedevo se tu
potessi prestarmi la tua moto**.

④ **magari** est très employé par les Italiens : il dérive du mot grec
***makárie**, oh, bienheureux !* Il peut servir à exprimer un désir
intense et difficile à satisfaire : **Magari riesco a impressio-
narla**, *Je serais très heureux si je pouvais l'impressionner.*
Dans d'autres contextes, c'est un synonyme de **forse**, *peut-
être* : **Magari saranno arrivati**, *Peut-être sont-ils arrivés.*

***

Esercizio 1 – Traducete

❶ Come, Marco è caduto giocando al pallone!
Niente di serio, spero! ❷ Dai, dimmi chi è quella
ragazza bionda che non smetteva di guardarti!
❸ Luca voleva sapere se gli potevo prestare i
miei giornalini. ❹ Scusatemi, ma veramente non
capisco che c'entro in questa storia! ❺ Quante
storie per dieci minuti di ritardo!

11 – Tu sais que je me trouve un peu maigrichon, et
vis-à-vis d'elle…

12 Je me demandais si tu pouvais me prêter
ta moto, peut-être [que] j'arriverai à
l'impressionner…

***

Corrigé de l'exercice 1

❶ Comment, Marco est tombé en jouant au ballon ! Rien de
sérieux, j'espère ! ❷ Allez, dis-moi qui est cette fille blonde qui
n'arrêtait pas de te regarder ! ❸ Luca voulait savoir si je pouvais
lui prêter mes journaux. ❹ Excusez-moi, mais je ne comprends
vraiment pas ce que j'ai à voir avec cette histoire. ❺ Que d'histoires
pour dix minutes de retard !

Esercizio 2 – Completate

❶ Pas mal, ton amie ! Elle est blonde, grande, bien faite !

.... tua amica! È bionda, ...,
... .•

❷ Si j'arrive en moto et avec un bouquet de fleurs, je l'impressionnerai peut-être !

.. .. in moto e con un ...... di fiori, ... l'impressionerò!

❸ Le concert m'a plu énormément ! Ça a été vraiment splendide !

Il .... mi . ... moltissimo!
. ..... veramente ....!

---

97 Novantasettesima lezione

Grazie lo stesso

1 – Salve Piero! Allora com'è andata ①?
2 – Un disastro, Mario, un disastro! Non mi è servita ② a niente la tua moto!
3 Ieri sera l'avevo vista seduta al bar con un'amica.
4 Ho girellato ③ lì davanti come un cretino per mezz'ora,

Notes

① **Com'é andata?**, *Comment ça s'est passé ?*, est une expression appartenant aussi à la langue parlée : **Come va con Mario?**, *Comment ça se passe avec Mario ?* ; **Com'è andato il tuo viaggio?**, *Comment s'est passé ton voyage ?*

② **è servita**, *a servi* : observez l'utilisation de l'auxiliaire **essere**, *être*, avec **servire**, *servir*. C'est une des rares différences entre ▶

④ Leur proposition n'a rien à voir avec notre projet.

.. loro .... non .. . .
...... col nostro ....

⑤ Mais qu'ai-je à voir avec l'homme de ses rêves ?

Ma io ... . con l'uomo ... .
..... ?

Corrigé de l'exercice 2

① Mica male la – alta, ben fatta ② Se arrivo – fascio – magari –
③ – concerto – è piaciuto – È stato – splendido ④ La – proposta –
ha niente a che vedere – progetto ⑤ – che c'entro – dei suoi sogni

Deuxième vague : 47ᵉ leçon

Quatre-vingt-dix-septième leçon   97

Merci quand même

1 – Salut, Piero ! Alors, comment ça c'est passé ?
2 – Un désastre, Mario, un désastre ! Ta moto ne
   m'a servi à rien !
3   Hier soir je l'avais vue assise au café avec une
   amie.
4   Je suis passé et repassé *(là)* devant comme un
   crétin pendant une demi-heure,

▸ l'italien et le français en matière de choix de l'auxiliaire. À
   bien mémoriser, surtout !

③ **girellare** est une variation du verbe **girare**, *tourner*, ou dans
   ce contexte, *passer et repasser*, *flâner*. L'image évoquée par
   girellare est celle de quelqu'un qui ne cesse de tourner en rond
   en attendant que le temps passe…

5 facendo finta di non riuscire a parcheggiare.
6 Poi finalmente ho osato chiedere se potevo sedermi con loro.
7 In realtà sembravano contente di vedermi.
8 Abbiamo chiacchierato del più e del meno,
9 si è fatto tardi, abbiamo chiesto il conto,
10 ho pagato per tutti, ho lasciato una grossa mancia… e niente, non le ho chiesto niente!
11 – Sbaglio, Piero, o è il tuo cellulare che suona?
12 – Sì… sì… sì… certo… certo… sì… sì… (…)
13 – Era lei! Mi chiedeva se ci vediamo ④ domani sera!!! □

Note

④ **Me chiedeva se ci vediamo**, *Elle me demandait si nous pourrions nous voir* ; si l'indicatif remplace de plus en plus le subjonctif dans la langue parlée, son usage systématique garde une connotation un peu négative, renvoyant à un manque d'instruction. Une solution intermédiaire (moins familière que la phrase du dialogue mais moins formelle que **Mi ha chiesto se potessimo vederci domani**) serait d'utiliser un verbe à l'infinitif dans la 2nde partie de la phrase : **Mi ha chiesto di vederci domani**, *Il m'a demandé [si nous pouvions] nous voir demain* (litt. "Il m'a demandé de nous voir demain").

Esercizio 1 – Traducete ***

❶ Ciao, Carla, com'è andato il tuo colloquio, sei stata assunta? ❷ Faceva finta di essere calmo, ma in realtà era arrabbiatissimo. ❸ Era Carla che voleva sapere se ci vediamo sabato prossimo. ❹ Quel ragazzo è un disastro, non osa mai chiedere niente. ❺ Girellava davanti al bar come un cretino, e dopo mezz'ora finalmente è riuscito a parlare!

5 [tout en] faisant semblant de ne pas arriver à me garer.

6 Enfin, j'ai osé demander si je pouvais m'asseoir avec elles.

7 En fait, elles paraissaient contentes de me voir.

8 Nous avons bavardé de tout et de rien *(du plus et du moins)*,

9 il s'est fait tard, nous avons demandé l'addition,

10 j'ai payé pour tout le monde, j'ai laissé un gros pourboire… et rien, je ne lui ai rien demandé !

11 – Je me trompe, Piero, ou c'est ton portable qui sonne ?

12 – Oui… oui… oui… certainement… certainement… oui… oui… (…)

13 – C'était elle ! Elle me demandait si on [pouvait] se voir *(se voit)* demain soir !!!

FACEVA FINTA DI ESSERE CALMO MA IN REALTÀ ERA ARRABBIATISSIMO.

Corrigé de l'exercice 1 ***

❶ Salut, Carla, comment s'est passé ton entretien, tu as été embauchée ? ❷ Il faisait semblant d'être calme, mais en réalité il était très en colère. ❸ C'était Carla qui voulait savoir si nous nous voyions samedi prochain. ❹ Ce garçon est une catastrophe, il n'ose jamais rien demander. ❺ Il passait et repassait devant le café comme un crétin, et après une demi-heure, il a enfin réussi à parler !

Esercizio 2 – Completate

❶ Je me trompe ou elle a été plutôt contente de te voir ?

Mi . . . . o . . . . . . piuttosto contenta di
. . . . ?

❷ Elle m'a appelé sur mon portable et nous avons bavardé longuement, de tout et de rien.

Mi . . . . sul mio . . . . e
abbiamo . . . . a lungo, ... e
. . . .

❸ Monsieur Rossi préférerait que vous rappeliez cet après-midi.

Il . . . . . . Rossi . . . . che Lei
. . . . questo pomeriggio.

❹ Elle voulait que nous allions tous dîner chez tante Luisa.

Voleva che . . . . tutti a cena . . . . . .
Luisa.

---

98 Novantottesima lezione

Revisione – Révision

Puisqu'au cours des six dernières leçons, vous avez essentiellement revu des notions déjà acquises, nous vous proposons une leçon de révision plus légère que les précédentes... Cela peut être l'occasion de revoir les points grammaticaux qui vous posaient problème lors des leçons de révision précédentes.

1 Subjonctif ou indicatif ?

Comment choisir entre subjonctif et indicatif dans les phrases suivantes :
Mi ha chiesto se volevo/se volessi andare al cinema con lui, *Il m'a demandé si je voulais aller au cinéma avec lui.*

⑤ Il me semblait qu'elle était/fût la femme qu'il avait toujours espéré rencontrer.

.. .. che ... / ..... la donna che

aveva sempre ....

98

Corrigé de l'exercice 2

❶ – sbaglio – è stata – vederti ❷ – ha chiamato – cellulare – chiacchierato – del più – del meno ❸ – Dottor – preferirebbe – richiami – ❹ – andassimo – da zia – ❺ Mi sembrava – era / fosse – sperato di incontrare

Deuxième vague : 48ᵉ leçon

Quatre-vingt-dix-huitième leçon   98

Mi sembrava che avesse/che aveva presentato un progetto interessante, *Il me semblait qu'il avait présenté un projet intéressant.*

Le dilemme n'est pas cornélien : dans les situations formelles – à l'écrit et lorsqu'on utilise le vouvoiement –, il faut utiliser le subjonctif. En revanche, dans les situations amicales ou informelles, il est tout à fait possible d'utiliser l'indicatif. Notez toutefois que le subjonctif convient très bien également et vous permettra, de surcroît, d'épater votre auditoire !

2 Le suffixe *-ellare*

Le suffixe **-ellare** peut modifier le sens de certains verbes tels que **saltare**, *sauter*, qui devient **saltellare**, *sautiller*, ou **girare**, *tourner*, qui devient **girellare**, *flâner, passer et repasser.*

Dans l'italien d'aujourd'hui, et surtout dans la presse, la structure des formes passives compte avec quelque originalité. Nous l'avons vu en leçon 91, il est courant, à la voix passive, de voir l'expression **dover essere** remplacée par le verbe **andare**, comme par exemple dans la phrase : **Questo lavoro va fatto rapidamente**, *Ce travail doit être fait rapidement*.

Il en est de même pour le verbe **venire**, qui vient de plus en plus se substituer au verbe **essere** dans des phrases comme : **I progressi vengono fatti se si ha pazienza**, *On fait des progrès* (litt. "les progrès viennent faits") *si l'on a de la patience*.

Dialogo di revisione

1 – Mica male, la tua nuova amica, Piero! Congratulazioni!

2 – Sì, ma io sono un disastro! Abbiamo chiacchierato, abbiamo chiacchierato, e non sono riuscito a chiederle niente!

3   Sono anche caduto dalla moto e ho la mano che mi fa sempre più male!

4 – Dai, quante storie, sono sicuro che non c'è nulla di grave alla tua mano,

5   e che Lisa ti telefonerà entro domani sera!

6   A proposito, mi aiuteresti a far funzionare il mio nuovo computer?

7   È un aggeggio troppo sofisticato per me, non riesco neanche ad accenderlo.

8   Figurati che ieri mi ci sono messo per più di tre ore,

9   e alla fine avevo voglia solo di buttarlo dalla finestra!

10 – Vedrai che in un giorno riesco a spiegarti tutto e anche a darti due o tre segreti.

Vous voilà presque arrivé à la fin de l'ouvrage et vous avez progressivement engrangé un nombre impressionnant d'expressions et de tournures lexicales. En voici quelques-unes de plus, très simples à retenir. N'oubliez pas de les réutiliser en contexte pour être sûr de les avoir bien comprises !

Bravissima!

Mi dispiace molto!

Quante storie… Dai, parla!

Mica male!

11 – Beato te, niente ti sembra difficile con un computer!

12   Io vorrei essere nato nel 1901 (millenovecentouno), quando si scriveva solo a mano.

Traduction

1 Pas mal, ta nouvelle amie, Piero ! Félicitations ! **2** Oui, mais je suis une catastrophe ! Nous avons bavardé, bavardé, et je n'ai réussi à rien lui demander ! **3** Je suis même tombé de la moto et j'ai de plus en plus mal à la main ! **4** Allez, que d'histoires, je suis sûr que tu n'as rien de grave à la main, **5** et que Lisa te téléphonera avant demain soir ! **6** Au fait, m'aiderais-tu à faire fonctionner mon nouvel ordinateur ? **7** C'est un engin trop sophistiqué pour moi, je n'arrive même pas à l'allumer. **8** Figure-toi qu'hier, je m'y suis mis pendant plus de trois heures, **9** et à la fin je n'avais qu'une envie : le jeter par la fenêtre ! **10** Tu verras qu'en un jour j'arriverai à tout t'expliquer, et même à te donner deux ou trois trucs *(secrets)*. **11** Tu as de la chance, rien ne te paraît difficile avec un ordinateur ! **12** Je voudrais être né en 1901, lorsqu'on écrivait seulement à la main.

Deuxième vague : 49ᵉ leçon

Pour les deux dernières leçons, nous vous présentons de nouvelles expressions idiomatiques et nous vous proposons une petite promenade parmi des sujets que vous connaissez déjà. Ce sera l'occasion d'une révision rapide, avant d'aborder le niveau Perfectionnement !

Non vedo l'ora
di essere in Italia!

1 – Ciao, Robert! Ida mi ha detto che stai
imparando ① l'italiano!

2 – Sì, non vedo l'ora ② di andare in Italia!

3 – E come mai ③ l'Italia ti piace tanto?

4 – Non lo so. Mi piace tutto:

5 la natura, i monumenti, la cucina, le
donne...

6 – Capisco! Mi fai ripensare al mio primo
viaggio in Italia, dieci anni fa ④.

7 Avevo appena ⑤ conosciuto Ida,

8 che era venuta a Parigi per fare un corso di
francese.

9 Quando è tornata in Italia,

10 ero così innamorato di lei che l'ho seguita
subito,

11 e mi sono innamorato anche dell'Italia! □

Notes

① **stai imparando**, *tu es en train d'apprendre* : vous souvenez-vous de la forme progressive, que l'on obtient grâce au verbe **stare**, *être*, suivi du gérondif du verbe en question ? (leçon 44).

② **non vedo l'ora**, *j'ai hâte* : vous connaissez cette expression idiomatique depuis la leçon 54. Voyez un autre exemple : **Ida non vedeva l'ora di uscire**, *Ida avait hâte de sortir.* ▶

J'ai hâte *(je ne vois pas l'heure)* d'être en Italie !

1 – Salut Robert ! Ida m'a dit que tu étais *(es)* en train d'apprendre l'italien !

2 – Oui, j'ai hâte d'aller en Italie !

3 – Et comment se fait-il *(comment jamais)* [que] tu aimes tellement l'Italie ?

4 – Je ne *(le)* sais pas. Tout m'[y] plaît :

5   la nature, les monuments, la cuisine, les femmes...

6 – Je [te] comprends ! Tu me fais repenser à mon premier voyage en Italie il y a dix ans.

7   Je venais de faire connaissance de Ida,

8   qui était venue à Paris pour suivre *(faire)* un cours de français.

9   Quand elle est retournée en Italie,

10   j'étais tellement amoureux d'elle que je l'ai suivie tout de suite,

11   et je suis tombé amoureux de l'Italie aussi !

▸ ③ **Come mai (...)?** (litt. "comment jamais ?"), *Comment se fait-il (...) ?*, est une expression idiomatique un peu étrange, mais très employée dans le langage courant. À retenir !

④ **dieci anni fa**, *il y a dix ans*, à ne pas confondre avec *cela fait dix ans*, **sono dieci anni** ! Nous avons étudié ces expressions en leçon 37.

⑤ **Avevo appena conosciuto Ida**, *Je venais de rencontrer Ida* : voici un exemple de passé proche, tournure que vous connaissez depuis la leçon 60. Un autre exemple ? **Ho appena comprato questo giornale**, *Je viens d'acheter ce journal*.

Esercizio 1 – Traducete

❶ Anna non vede l'ora di conoscere i monumenti di Firenze! ❷ Hanno deciso di partire, e sono appena tornati! ❸ Robert ha imparato l'italiano proprio bene! ❹ Ripenso a quello che mi ha detto Carla domenica. ❺ Abbiamo visto Paolo due settimane fa.

Esercizio 2 – Completate

❶ Carlo vient de rentrer de Rome, et il en est enthousiaste.

Carlo . . . . tornato . . Roma, e . . . entusiasta.

❷ Comment se fait-il que vous aimiez *(aimez)* tellement la France ?

. . . . vi . . . . . tanto la Francia?

❸ Je te comprends ! Tu es très amoureux !

. . . . ! Sei molto . . . . !

❹ Je ne sais pas pourquoi, mais j'aime tout de cet homme !

. . . . . perché, ma . . piace tutto di . . . . !

❺ J'ai commencé à y penser il y a un an.

Ho cominciato a . . . . un . . . .

Corrigé de l'exercice 1

❶ Anna a hâte de connaître les monuments de Florence ! ❷ Ils ont décidé de partir, et ils viennent [juste] de rentrer ! ❸ Robert a vraiment bien appris l'italien ! ❹ Je repense à ce que m'a dit Carla dimanche. ❺ Nous avons vu Paolo il y a deux semaines.

Corrigé de l'exercice 2

❶ – è appena – da – ne è – ❷ Come mai – piace – ❸ Ti capisco – innamorato ❹ Non so – mi – quest'uomo ❺ – pensarci – anno fa

Deuxième vague : 50ᵉ leçon

100 Centesima lezione

E perché no!

1 – Magari ① potessi incontrare anche io una bella italiana!

2 – E perché no! A che punto sei con il tuo italiano?

3 – Be', mi sembra che me la cavo ② abbastanza bene!

4 Ho cominciato solamente da quattro mesi ③,

5 e l'altro giorno ho chiacchierato tutto il pomeriggio con Eva,

6 la mia vicina di casa italiana.

7 Ero veramente molto contento!

8 – Complimenti ④! Immagino che hai avuto un bravo ⑤ insegnante.

9 – Ho avuto un insegnante bravissimo,

10 sempre paziente, sempre disponibile...

11 – Interessante! E come si chiama?

12 – Assimil! Te lo consiglio! □

Notes

① Le mot **magari** exprime l'espoir, comme ici *si seulement*, ou une incertitude, *peut-être* (voir leçons 45 et 96). N'hésitez pas à l'employer, on vous félicitera pour la richesse de votre vocabulaire !

② Comme la traduction l'indique, **cavarsela** (litt. "se la sortir"), correspond au français *se débrouiller*. On l'entend souvent, mais dans les conversations informelles uniquement. ▸

Et pourquoi pas ?

1 – Si seulement je pouvais rencontrer moi aussi
une belle Italienne !
2 – Et pourquoi pas ! Où en es-tu *(à quel point es-tu)* avec ton italien ?
3 – Ben, il me semble que je me débrouille assez
bien !
4 J'ai commencé depuis quatre mois seulement,
5 et l'autre jour j'ai bavardé tout l'après-midi
avec Eva,
6 ma voisine *(de maison)* italienne.
7 J'étais vraiment très content !
8 – Félicitations ! J'imagine que tu as eu un bon
professeur.
9 – J'ai eu un excellent professeur,
10 toujours patient, toujours disponible…
11 – [C'est] intéressant ! Et comment s'appelle-t-il ?
12 – Assimil. Je te le conseille !

▸ ③ La préposition **da** exprime ici une idée de temps, et signifie
donc *depuis* (leçon 37).

④ **complimenti** ou **congratulazioni**, *félicitations*, sont deux
expressions parfaitement équivalentes à utiliser pour féliciter
quelqu'un. Nous avions rencontré le mot **congratulazioni** en
leçon 22… il y a si longtemps déjà !

⑤ **un bravo insegante**, *un bon professeur* ; nous aurions pu dire
également **un buon insegnante**, mais lorsqu'il est question de
compétence, voire d'excellence, l'italien préfère le mot **bravo**,
ou **bravissimo**.

Esercizio 1 – Traducete

❶ Te la cavi bene nel tuo nuovo lavoro! ❷ Non ho notizie di mia sorella da tre settimane. ❸ Magari potessi venire con voi l'estate prossima! ❹ È la mia vicina! È simpaticissima! ❺ Complimenti! La tua nuova casa è molto bella!

Esercizio 2 – Completate

❶ Viendrais-tu au cinéma avec moi ? – Pourquoi pas !

.... cinema con me? – ....!

❷ Carlo est toujours aussi patient et aussi disponible ?

Carlo è ...... così .... e così ....?

❸ C'est un spectacle excellent ! Je vous le conseille !

È uno .... eccellente! .. ..
....

❹ Il bavarde au téléphone avec Elena depuis une heure !

.... al telefono con Elena .. ..!

❺ Roberta est vraiment très contente de sa méthode d'italien.

Roberta è veramente .... del suo metodo .. ..

❶ Tu te débrouilles bien dans ton nouveau travail ! ❷ Je n'ai pas de nouvelles de ma sœur depuis trois semaines. ❸ Si seulement je pouvais venir avec vous l'été prochain ! ❹ C'est ma voisine ! Elle est très sympathique ! ❺ Félicitations ! Ta nouvelle maison est très belle.

Corrigé de l'exercice 2

❶ Verresti al – Perché no ❷ – sempre – paziente – disponibile
❸ – spettacolo – Ve lo consiglio ❹ Chiacchera – da un'ora
❺ – molto contenta – di italiano

Vous voilà arrivé à la fin de votre méthode Assimil L'Italien *!
Nous vous en félicitons, tout en vous invitant, bien sûr, à terminer la deuxième vague : cette phase, réellement active, au cours de laquelle vous traduirez les textes des leçons 51 à 100 du français vers l'italien, ne fera que renforcer vos acquis. Bon courage et bonne continuation !* **Arrivederci!**

Appendice grammatical

Sommaire

1	**Les sons de l'italien**	424
2	**Les articles**	424
2.1	Les articles définis	424
2.2	Les articles indéfinis	425
3	**Les noms**	425
3.1	Le genre des noms	425
3.2	Le nombre des noms	425
4	**Les adjectifs**	426
4.1	Les adjectifs qualificatifs	426
4.2	Les adjectifs démonstratifs	427
4.3	Les adjectifs indéfinis	427
4.4	Les adjectifs interrogatifs	427
4.5	Les adjectifs possessifs	428
5	**Les pronoms**	429
5.1	Les pronoms personnels	429
5.2	Les pronoms démonstratifs	431
5.3	Les pronoms indéfinis	431
5.4	Les pronoms interrogatifs	431
5.5	Les pronoms relatifs	431
6	**Les verbes**	432
6.1	Les verbes auxiliaires : *avere*, avoir et *essere*, être	432
6.2	Les conjugaisons régulières : *parl-are*, parler ; *cred-ere*, croire ; *part-ire*, partir	436
6.3	Les verbes irréguliers	440

1 Les sons de l'italien

L'alphabet italien comporte 21 lettres, 5 voyelles et 16 consonnes :
A *[a]* **B** *[bi]* **C** *[tchi]* **D** *[di]* **E** *[é]* **F** *[èffè]* **G** *[dji]* **H** *[akka]* **I** *[i]*
L *[èllè]* **M** *[èmmè]* **N** *[ènnè]* **O** *[o]* **P** *[pi]* **Q** *[kou]* **R** *[èrrè]* **S** *[èssè]* **T**
[ti] **U** *[ou]* **V** *[vi]* **Z** *[tsèta]*.
À ces lettres il faut en ajouter 5 autres, présentes dans les nombreux mots étrangers qui aujourd'hui font partie du lexique italien :
J *[i lou'nga]*, **K** *[kappa]*, **W** *[doppia vou]*, **X** *[iks]* et **Y** *[ipsilon]*.
Toutes les consonnes sont de genre féminin.

2 Les articles

2.1 Les articles définis

Masculin	Singulier	Pluriel
devant une consonne	**il** ristorante	**i** ristoranti
devant **s** + consonne	**lo** spettacolo	**gli** spettacoli
devant **z**, **gn**, **x**, **ps**	**lo** zio	**gli** zii
devant voyelle	**l'**oggetto	**gli** oggetti

Féminin	Singulier	Pluriel
devant une consonne	**la** pizza	**le** pizze
devant une voyelle	**l'**autostrada	**le** autostrade

⇒ Attention, lorsque les prépositions **di**, **a**, **da**, **su**, **in** sont employées devant un article défini, on préfère utiliser leurs formes contractées :

+	il	lo	la	l'	i	gli	le
di	del	dello	della	dell'	dei	degli	delle
a	al	allo	alla	all'	ai	agli	alle
da	dal	dallo	dalla	dall'	dai	dagli	dalle
su	sul	sullo	sulla	sull'	sui	sugli	sulle
in	nel	nello	nella	nell'	nei	negli	nelle

2.2 Les articles indéfinis

Masculin	Singulier
devant une consonne	**un ristorante**
devant voyelle	**un oggetto**
devant **s** + consonne, **z**, **gn**, **x**, **ps**	**uno spettacolo**, **uno zio**

Féminin	Singulier
devant une consonne	**una pizza**
devant une voyelle	**un'autostrada**

3 Les noms

3.1 Le genre des noms

Les noms ont deux genres, le masculin et le féminin.
– Sont généralement de genre masculin les noms en **-o** : **il treno**, *le train*.
– Sont généralement de genre féminin les noms en **-a** : **la strada**, *la rue*.
– Les noms en **-e** peuvent être masculin ou féminin : **il padre**, *le père* ; **la madre**, *la mère*.

3.2 Le nombre des noms

– Les noms en **-o** ont généralement un pluriel en **-i** : **il treno** → **i treni**,
– Les noms en **-a** ont généralement un pluriel en **-e** : **la strada** → **le strade**.
– Les noms en **-e**, masculins et féminins, ont un pluriel en **-i** : **il padre** → **i padri** ; **la madre** → **le madri**.
– Les exceptions, au singulier et au pluriel, sont toutefois relativement nombreuses.

4 Les adjectifs

4.1 Les adjectifs qualificatifs

• L'accord des adjectifs

Les adjectifs qualificatifs réguliers s'accordent en genre et en nombre avec le nom qu'ils qualifient.

– Les adjectifs qualificatifs à quatre formes d'accord
Les adjectifs à quatre formes d'accord se terminent, comme les noms, par **-o** ou par **-a** au singulier :
il ragazzo italiano, *le garçon italien*
la ragazza italiana, *la fille italienne*

Au pluriel, ils prennent alors les terminaisons **-i**, **-e** :
i ragazzi italiani, *les garçons italiens*
le ragazze italiane, *les filles italiennes*

– Les adjectifs qualificatifs à deux formes d'accord
Les adjectifs à deux formes d'accord se terminent par **-e** au singulier, et par **-i** au pluriel ; ils peuvent qualifier aussi bien des noms masculins que féminins :
il ragazzo francese, *le garçon français*
i ragazzi francesi, *les garçons français*
la ragazza francese, *la fille française*
le ragazze francesi, *les filles françaises*

• Degrés de l'adjectif : comparatif et superlatif

Lorsque l'adjectif exprime une comparaison, il est au degré comparatif.
Les formules les plus utilisées sont : **più di**, *plus que* ; **meno di**, *moins que* : **La giacca è più cara della gonna**, *La veste est plus chère que la jupe* ; **Il pantalone è meno caro della giacca**, *Le pantalon est moins cher que la veste.*

Lorsqu'un adjectif exprime une qualité à son degré le plus élevé, il est au degré superlatif.

Les formules à utiliser sont : **il più di**, **il meno di**, pour le superlatif relatif, et la terminaison **-issimo** (**a**, **i**, **e**) pour le superlatif absolu :

Sono i giocattoli più cari di tutti, *Ce sont les jouets les plus chers de tous.*

Questi giocattoli sono carissimi, *Ces jouets sont très chers.*

4.2 Les adjectifs démonstratifs

Les adjectifs démonstratifs **questo**, *ce... -ci* ; **questa**, *cette...-ci* ; **questi**, *ces... -ci* (masc.) ; **queste**, *ces...-ci* (fém.), indiquent une relation de proximité, spatiale ou temporelle, réelle ou supposée, avec la personne qui les utilise :

Vorrei provare questa giacca, *Je voudrais essayer cette veste.*

Quello, en revanche, indique une relation d'éloignement :
No, non questa giacca, quella giaca, *Non, pas cette veste(-ci), cette veste-là.*

Notez finalement que l'on peut renforcer le sens de **questo** par **qui** ou **qua**, *ici*, et le sens de **quello** par **lì** ou **là**, *là-bas*.

4.3 Les adjectifs indéfinis

qualche, *quelques*, est un adjectif invariable :
C'era qualche amico, *Il y avait quelques amis.*

ogni, *chaque*, est lui aussi un adjectif invariable :
Ci vado ogni settimana, *J'y vais chaque semaine.*

nessuno, *aucun*, possède un féminin :
Nessuna ragazza è venuta, *Aucune fille n'est venue.*

4.4 Les adjectifs interrogatifs

Quale?, *Quel, quelle ?* ; **Quali?**, *Quels, quelles ?* :
Quale libreria spostiamo?, *Quelle bibliothèque déplaçons-nous ?*
Quali mobili spostiamo?, *Quels meubles déplaçons-nous ?*

Che?, *Que ?* (langue parlée uniquement) :
Che pantalone hai comprato?, *Quel pantalon as-tu acheté ?*

4.5 Les adjectifs possessifs

		OBJET POSSÉDÉ			
		SINGULIER		PLURIEL	
		Fém.	Masc.	Fém.	Masc.
	JE	**mia**	**mio**	**mie**	**miei**
		ma	*mon*	*mes*	*mes*
	TU	**tua**	**tuo**	**tue**	**tuoi**
		ta	*ton*	*tes*	*tes*
	IL/ELLE/ VOUS (politesse)	**sua**	**suo**	**sue**	**suoi**
		sa	*son*	*ses*	*ses*
POSSESSEUR	NOUS	**nostra**	**nostro**	**nostre**	**nostri**
		notre	*notre*	*nos*	*nos*
	VOUS	**vostra**	**vostro**	**vostre**	**vostri**
		votre	*votre*	*vos*	*vos*
	ILS/ ELLES	**loro**	**loro**	**loro**	**loro**
		leur	*leur*	*leurs*	*leurs*

Les adjectifs possessifs sont toujours précédés d'articles, sauf lorsqu'ils précèdent les noms des personnes de la famille au singulier : **è mio fratello**, *c'est mon frère* ; **sono i miei fratelli**, *ce sont mes frères*.

5 Les pronoms

5.1 Les pronoms personnels

• Les pronoms personnels sujets

Les pronoms personnels sujets	
io	*je*
tu	*tu*
lui, lei	*il, elle*
Lei (politesse)	*vous*
noi	*nous*
voi	*vous*
loro	*ils, elles*
Loro (politesse)	*vous*

L'utilisation des pronoms personnels est facultative, et le plus souvent on en fait abstraction : **Sono italiana**, *Je suis italienne*.

• Les pronoms personnels compléments d'objet direct (COD)

Les pronoms personnels COD			
Formes faibles		Formes fortes	
mi	*me*	me	*moi*
ti	*te*	te	*toi*
lo/la	*la/le*	lui/lei	*lui/elle*
La (politesse)	*vous*	Lei (politesse)	*vous*
ci	*nous*	noi	*nous*
vi	*vous*	voi	*vous*
li/le	*les*	loro	*eux*

• **Les pronoms personnels complément d'objet indirect (COI)**

Les pronoms personnels COI			
Formes faibles		Formes fortes	
mi	*me*	**(a) me**	*à moi*
ti	*te*	**(a) te**	*à toi*
gli/le	*lui*	**(a) lui/a lei**	*à lui/à elle*
Le (politesse)	*vous*	**(a) Lei (politesse)**	*à vous*
ci	*nous*	**(a) noi**	*à nous*
vi	*vous*	**(a) voi**	*à vous*
gli/loro	*leur*	**(a) loro**	*à eux*

On utilise les formes fortes de ces pronoms lorsqu'on souhaite souligner le complément : **Perché mi guardi? – Non guardo te, quardo lei!**, *Pourquoi tu me regardes ? – Ce n'est pas toi mais elle que je regarde !* ; **Parlo a te!**, *C'est à toi que je parle !*

• **L'ordre des pronoms personnels COD et COI lorsqu'ils sont utilisés ensemble**

Quand deux pronoms personnels sont employés ensemble, le pronom complément indirect précède toujours le pronom complément direct : **Te lo ha dato?**, *Il te l'a donné ?* ; **Si, me lo ha dato!**, *Oui, il me l'a donné !*
Voyez ci-dessous toutes les possibilités :

Pron. COD / Pron. COI	lo	la	li	le	ne
mi	me lo	me la	me li	me le	me ne
ti	te lo	te la	te li	te le	te ne
gli, le	glielo	gliela	glieli	gliele	gliene
ci	ce lo	ce la	ce li	ce le	ce ne
vi	ve lo	ve la	ve li	ve le	ve ne
gli	glielo	gliela	glieli	gliele	gliene

5.2 Les pronoms démonstratifs

Le pronom **questo** (**questa**, **questi**, **queste**), *celui-ci*, *celle-ci*, *ceux-ci*, *celles-ci* indique une relation de proximité, spatiale ou temporelle, réelle ou supposée, avec la personne qui l'utilise :
Vorrei provare questa, *Je voudrais essayer celle-ci.*

Quello, en revanche, indique une relation d'éloignement :
No, non questa, quella, *Non, pas celle-ci, celle-là.*

Notez finalement que l'on peut renforcer le sens de **questo** par **qui** ou **qua**, *ici*, et le sens de **quello** par **lì** ou **là**, *là-bas.*

5.3 Les pronoms indéfinis

Parmi les pronoms indéfinis, voici l'un de ceux qui revient le plus fréquemment au sein de cet ouvrage :
– **nessuno**, *personne*, est invariable lorsqu'il est pronom.
Non c'è nessuno, *Il n'y a personne.*

5.4 Les pronoms interrogatifs

Quale?, *Lequel ?, Laquelle ?* ; **Quali**, *Lesquels ?, Lesquelles ?* :
Dammi il giornale, per favore! – Quale?, *Donne-moi le journal, s'il te plaît ! – Lequel ?*

Chi?, *Qui ?* (pronom uniquement) :
Chi è quella ragazza?, *Qui est cette fille ?*

5.5 Les pronoms relatifs

Les formes **il quale**, *lequel* ; **la quale**, *laquelle* ; **i quali**, *lesquels* ; **le quali**, *lesquelles*, sont utilisées seulement pour des écrits très formels.
Ainsi, en général, on utilise **che**, *que*, *qui* :
La persona che parla è Carla!, *La personne qui parle est Carla !*
La persona che vedi là è Paola!, *La personne que tu vois là est Paola !*

Cui remplace les formes **il quale**, **la quale**, **i quali**, **le quali** lorsqu'elles sont précédées par une préposition :
la persona a cui parlo, *la personne à laquelle je parle* ;
la persona di cui ti parlo, *la personne dont je te parle.*

6 Les verbes

6.1 Les verbes auxiliaires : *avere*, avoir et *essere*, être

• Le mode indicatif

• Présent

avere	essere
(io) ho, *j'ai...*	**(io) sono**, *je suis...*
(tu) hai	**(tu) sei**
(lui/lei) ha	**(lui/lei) è**
(noi) abbiamo	**(noi) siamo**
(voi) avete	**(voi) siete**
(loro) hanno	**(loro) sono**

• Imparfait

avere	essere
avevo, *j'avais...*	**ero**, *j'étais...*
avevi	**eri**
aveva	**era**
avevamo	**eravamo**
avevate	**eravate**
avevano	**erano**

• Passé composé

avere	essere
ho avuto, *j'ai eu...*	**sono stato/a**, *j'ai été...*
hai avuto	**sei stato/a**
ha avuto	**è stato/a**
abbiamo avuto	**siamo stati/e**
avete avuto	**siete stati/e**
hanno avuto	**sono stati/e**

• Passé simple

<table>
<tr><td>avere</td><td>essere</td></tr>
<tr><td>ebbi, j'eus...</td><td>fui, je fus...</td></tr>
<tr><td>avesti</td><td>fosti</td></tr>
<tr><td>ebbe</td><td>fu</td></tr>
<tr><td>avemmo</td><td>fummo</td></tr>
<tr><td>aveste</td><td>foste</td></tr>
<tr><td>ebbero</td><td>furono</td></tr>
</table>

• Plus-que-parfait

<table>
<tr><td>avere</td><td>essere</td></tr>
<tr><td>avevo avuto, j'avais eu...</td><td>ero stato/a, j'avais été...</td></tr>
<tr><td>avevi avuto</td><td>eri stato/a</td></tr>
<tr><td>aveva avuto</td><td>era stato/a</td></tr>
<tr><td>avevamo avuto</td><td>eravamo stati/e</td></tr>
<tr><td>avevate avuto</td><td>eravate stati/e</td></tr>
<tr><td>avevano avuto</td><td>erano stati/e</td></tr>
</table>

• Futur

<table>
<tr><td>avere</td><td>essere</td></tr>
<tr><td>avrò, j'aurai...</td><td>sarò, je serai...</td></tr>
<tr><td>avrai</td><td>sarai</td></tr>
<tr><td>avrà</td><td>sarà</td></tr>
<tr><td>avremo</td><td>saremo</td></tr>
<tr><td>avrete</td><td>sarete</td></tr>
<tr><td>avranno</td><td>saranno</td></tr>
</table>

• Futur antérieur

<table>
<tr><td>avere</td><td>essere</td></tr>
<tr><td>avrò avuto, j'aurai eu …</td><td>sarò stato/a, j'aurai été …</td></tr>
</table>

• Le mode conditionnel

• Présent

avere	essere
avrei, *j'aurais...*	**sarei**, *je serais...*
avresti	**saresti**
avrebbe	**sarebbe**
avremmo	**saremmo**
avreste	**sareste**
avrebbero	**sarebbero**

• Passé

avere	essere
avrei avuto, *j'aurais eu*	**sarei stato/a**, *j'aurais été*

• Le mode impératif

avere	essere
abbi, *aie*	**sii**, *sois*
abbia, *ayez* (politesse)	**sia**, *soyez* (politesse)
abbiamo, *ayons*	**siamo**, *soyons*
abbiate, *ayez*	**siate**, *soyez*
abbiano, *ayez* (politesse)	**siano**, *ayez* (politesse)

• Le mode subjonctif

• Présent

avere	essere
che abbia, *que j'aie...*	**che sia**, *que je sois...*
che abbia	**che sia**
che abbia	**che sia**
che abbiamo	**che siamo**
che abbiate	**che siate**
che abbiano	**che siano**

• Imparfait

avere	essere
che avessi, *que j'eusse...*	**che fossi**, *que je fusse...*
che avessi	**che fossi**
che avesse	**che fosse**
che avessimo	**che fossimo**
che aveste	**che foste**
che avessero	**che fossero**

• Passé

avere	essere
che abbia avuto, *que j'aie eu*	**che sia stato**, *que j'aie été*

• Plus-que-parfait

avere	essere
che avessi avuto, *que j'eusse eu*	**che fossi stato**, *que j'eusse été*

• **Le mode gérondif**

avere	essere
avendo, *en ayant*	**essendo**, *en étant*

• **Le mode participe**

• Présent

avere	essere
avente, *ayant*	**essente** (très peu usité), *étant*

• Passé

avere	essere
avuto, *eu*	**stato**, *été*

6.2 Les conjugaisons régulières : *parl-are*, parler ; *cred-ere*, croire ; *part-ire*, partir

• Le mode indicatif

• Présent

parl-are	cred-ere	part-ire
(io) parl-o	**(io) cred**-o	**(io) part**-o
(tu) parl-i	**(tu) cred**-i	**(tu) part**-i
(lui/lei) parl-a	**(lui/lei) cred**-e	**(lui/lei) part**-e
(noi) parl-iamo	**(noi) cred**-iamo	**(noi) part**-iamo
(voi) parl-ate	**(voi) cred**-ete	**(voi) part**-ite
(loro) parl-ano	**(loro) cred**-ono	**(loro) part**-ono

• Imparfait

parl-are	cred-ere	part-ire
parl-avo	**cred**-evo	**part**-ivo
parl-avi	**cred**-evi	**part**-ivi
parl-ava	**cred**-eva	**part**-iva
parl-avamo	**cred**-evamo	**part**-ivamo
parl-avate	**cred**-evate	**part**-ivate
parl-avano	**cred**-evano	**part**-ivano

• Passé composé

parl-are	cred-ere	part-ire
ho parl-ato	**ho cred**-uto	**sono part**-ito(a)
hai parl-ato	**hai cred**-uto	**sei part**-ito(a)
ha parl-ato	**ha cred**-uto	**è part**-ito(a)
abbiamo parl-ato	**abbiamo cred**-uto	**siamo part**-iti(e)
avete parl-ato	**avete cred**-uto	**siete part**-iti(e)
hanno parl-ato	**hanno cred**-uto	**sono part**-iti(e)

• Passé simple

parl-are	cred-ere	part-ire
parl-ai	**cred**-ei(etti)	**part**-ii
parl-asti	**cred**-esti	**part**-isti
parl-ò	**cred**-é(-ette)	**part**-ì
parl-ammo	**cred**-emmo	**part**-immo
parl-aste	**cred**-este	**part**-iste
parl-arono	**cred**-erono(-ettero)	**part**-irono

• Plus-que-parfait

parl-are	cred-ere	part-ire
avevo parl-ato	**avevo cred**-uto	**ero part**-ito/a, etc.

• Futur

parl-are	cred-ere	part-ire
parl-erò	**cred**-erò	**part**-irò
parl-erai	**cred**-erai	**part**-irai
parl-erà	**cred**-erà	**part**-irà
parl-eremo	**cred**-eremo	**part**-iremo
parl-erete	**cred**-erete	**part**-irete
parl-eranno	**cred**-eranno	**part**-iranno

• Futur antérieur

parl-are	cred-ere	part-ire
avrò parl-ato	**avrò cred**-uto	**sarò part**-ito/a

• **Le mode conditionnel**

• Présent

parl-are	cred-ere	part-ire
parl-erei	**cred**-erei	**part**-irei
parl-eresti	**cred**-eresti	**part**-iresti

parl-erebbe	cred-erebbe	part-irebbe
parl-eremmo	cred-eremmo	part-iremmo
parl-ereste	cred-ereste	part-ireste
parl-erebbero	cred-erebbero	part-irebbero

• Passé

| parl-are | cred-ere | part-ire |
| **avrei parl**-ato | **avrei cred**-uto | **sarei part**-ito/a |

• **Le mode subjonctif**

• Présent

parl-are	cred-ere	part-ire
parl-i	cred-a	part-a
parl-i	cred-a	part-a
parl-i	cred-a	part-a
parl-iamo	cred-iamo	part-iamo
parl-iate	cred-iate	part-iate
parl-ino	cred-ano	part-ano

• Imparfait

parl-are	cred-ere	part-ire
parl-assi	cred-essi	part-issi
parl-assi	cred-essi	part-issi
parl-asse	cred-esse	part-isse
parl-assimo	cred-essimo	part-issimo
parl-aste	cred-este	part-iste
parl-assero	cred-essero	part-issero

• Passé

| parl-are | cred-ere | part-ire |
| **abbia parl**-ato | **abbia cred**-uto | **sia part**-ito/a |

• Plus-que-parfait

parl-are	cred-ere	part-ire
avessi parl-ato	**avessi cred-uto**	**fossi part-ito/a**

• Le mode impératif

parl-are	cred-ere	part-ire
parl-a	**cred-i**	**part-i**
parl-i	**cred-a**	**part-a**
parl-iamo	**cred-iamo**	**part-iamo**
parl-ate	**cred-ete**	**part-ite**
parl-ino	**cred-ano**	**part-ano**

• Le mode gérondif

parl-are	cred-ere	part-ire
parl-ando	**cred-endo**	**part-endo**

• Le mode participe

• Présent

parl-are	cred-ere	part-ire
parl-ante	**cred-ente**	**part-ente**

• Passé

parl-are	cred-ere	part-ire
parl-ato	**cred-uto**	**part-ito**

6.3 Les verbes irréguliers

• **Les verbes du 3e groupe en -*isco***
De nombreux verbes du 3e groupe insèrent le groupe **-isc** entre la racine et la terminaison des trois personnes du singulier et de la 3e du pluriel des présents de l'indicatif et du subjonctif. Pour le verbe **capire**, *comprendre*, nous aurons donc :

• Indicatif présent
cap-isco, *je comprends...*
cap-isci
cap-isce
cap-iamo
cap-ite
cap-iscono

• Subjonctif présent
cap-isca, *que je comprenne...*
cap-isca
cap-isca
cap-iamo
cap-iate
cap-iscano

Parmi les verbes les plus fréquents présentant cette irrégularité, l'on trouve :
agire, *agir*
colpire, *frapper*
finire, *finir*
guarire, *guérir*
preferire, *préférer*
pulire, *nettoyer*
riunire, *réunir*
spedire, *envoyer*
trasferire, *transférer*

• **Les autres verbes irréguliers**
Pour terminer, voici quelques-uns des verbes irréguliers les plus fréquents. Pour aller directement à l'essentiel des formes verbales à retenir, nous ne vous proposons que celles qui présentent des irrégularités.

accendere, *allumer*

Passé simple	accesi, accendesti, accese, accendemmo, accendeste, accesero
Participe passé	acceso

accogliere, *accueillir* – (voir **cogliere**)
accorgersi, *s'apercevoir*

Passé simple	mi accorsi, ti accorgesti, si accorse, ci accorgemmo, vi accorgeste, si accorsero
Participe passé	accorto

aggiungere, *ajouter* – (voir **giungere**)
andare, *aller*

Indicatif présent	vado, vai, va, andiamo, andate, vanno
Futur	andrò, andrai, etc.
Conditionnel présent	andrei, andresti, etc.
Subjonctif présent	vada, vada, vada, andiamo, andiate, vadano
Impératif	va', vada, andiamo, andate, vadano

apparire, *apparaître*

Passé simple	apparvi, apparisti, apparve, apparimmo, appariste, apparvero
Participe passé	apparso

aprire, *ouvrir*

Participe passé	aperto

bere, *boire*

Indicatif présent	**bevo, bevi, beve, beviamo, bevete, bevono**
Imparfait	**bevevo, bevevi**, etc.
Futur	**berrò, berrai**, etc.
Passé simple	**bevvi, bevesti, bevve, bevemmo, beveste, bevvero**
Conditionnel présent	**berrei, berresti**, etc.
Subjonctif présent	**beva, beva, beva, beviamo, beviate, bevano**
Participe passé	**bevuto**
Gérondif	**bevendo**

cadere, *tomber*

Futur	**cadrò, cadrai**, etc.
Passé simple	**caddi, cadesti, cadde, cademmo, cadeste, caddero**
Conditionnel présent	**cadrei, cadresti**, etc.

chiedere, *demander*

Passé simple	**chiesi, chiedesti, chiese, chiedemmo, chiedeste, chiesero**
Participe passé	**chiesto**

chiudere, *fermer*

Passé simple	**chiusi, chiudesti, chiuse, chiudemmo, chiudeste, chiusero**
Participe passé	**chiuso**

cogliere, *cueillir*

Indicatif présent	colgo, cogli, coglie, cogliamo, cogliete, colgono
Passé simple	colsi, cogliesti, colse, cogliemmo, coglieste, colsero
Subjonctif présent	colga, colga, colga, cogliamo, cogliate, colgano
Participe passé	colto

comporre, *composer* – (voir **porre**)
conoscere, *connaître*

Passé simple	conobbi, conoscesti, conobbe, conoscemmo, conosceste, conobbero
Participe passé	conosciuto

coprire, *couvrir* – (voir **aprire**)
correre, *courir*

Passé simple	corsi, corresti, corse, corremmo, correste, corsero
Participe passé	corso

crescere, *grandir, pousser*

Passé simple	crebbi, crescesti, crebbe, crescemmo, cresceste, crebbero
Participe passé	cresciuto

dare, *donner*

Indicatif présent	do/dò*, dai, da/dà*, diamo, date, danno/ dànno*

* formes littéraires assez peu usitées aujourd'hui

Imparfait	**davo**, **davi**, etc.
Futur	**darò**, **darai**, etc.
Passé simple	**diedi**, **desti**, **diede**, **demmo**, **deste**, **diedero**
Conditionnel présent	**darei**, **daresti**, etc.
Subjonctif présent	**dia**, **dia**, **dia**, **diamo**, **diate**, **diano**
Subjonctif imparfait	**dessi**, **dessi**, **desse**, **dessimo**, **deste**, **dessero**
Impératif	**da'**, **dia**, **diamo**, **date**, **diano**
Gérondif	**dando**

decidere, *décider*

Passé simple	**decisi**, **decidesti**, **decise**, **decidemmo**, **decideste**, **decisero**
Participe passé	**deciso**

dire, *dire*

Indicatif présent	**dico**, **dici**, **dice**, **diciamo**, **dite**, **dicono**
Imparfait	**dicevo**, **dicevi**, etc.
Futur	**dirò**, **dirai**, etc.
Passé simple	**dissi**, **dicesti**, **disse**, **dicemmo**, **diceste**, **dissero**
Conditionnel présent	**direi**, **diresti**, etc.
Subjonctif présent	**dica**, **dica**, **dica**, **diciamo**, **diciate**, **dicano**
Subjonctif imparfait	**dicessi**, **dicessi**, **dicesse**, **dicessimo**, **diceste**, **dicessero**
Participe passé	**detto**
Gérondif	**dicendo**

disporre, *disposer* – (voir **porre**)
dividere, *diviser*

Passé simple	**divisi, dividesti, divise, dividemmo, divideste, divisero**
Participe passé	**diviso**

dovere, *devoir*

Indicatif présent	**devo/debbo, devi, deve, dobbiamo, dovete, devono/debbono**
Futur	**dovrò, dovrai**, etc.
Passé simple	**dovetti, dovesti, dovette, dovemmo, doveste, dovettero**
Conditionnel présent	**dovrei, dovresti**, etc.
Subjonctif présent	**debba, debba, debba, dobbiamo, dobbiate, debbano**

giungere, *arriver*

Passé simple	**giunsi, giungesti, giunse, giungemmo, giungeste, giunsero**
Participe passé	**giunto**

fare, *faire*

Indicatif présent	**faccio/fo*, fai, fa, facciamo, fate, fanno**
Imparfait	**facevo, facevi**, etc.
Futur	**farò, farai**, etc.
Passé simple	**feci, facesti, fece, facemmo, faceste, fecero**
Conditionnel présent	**farei, faresti**, etc.
Subjonctif présent	**faccia, faccia, faccia, facciamo, facciate, facciano**

* forme littéraire assez peu usitée aujourd'hui

Subjonctif imparfait	facessi, facessi, facesse, facessimo, faceste, facessero
Impératif	fa', faccia, facciamo, fate, facciano
Participe passé	fatto
Gérondif	facendo

leggere, *lire*

Passé simple	lessi, leggesti, lesse, leggemmo, leggeste, lessero
Participe passé	letto

mettere, *mettre*

Passé simple	misi, mettesti, mise, mettemmo, metteste, misero
Participe passé	messo

muovere, *remuer*, *déplacer*, *bouger*

Indicatif présent	muovo, muovi, muove, muoviamo muovete, muovono
Passé simple	mossi, muovesti, mosse, muovemmo, muoveste, mossero
Participe passé	mosso

piacere, *plaire*

Indicatif présent	piaccio, piaci, piace, piacciamo, piacete, piacciono
Passé simple	piacqui, piacesti, piacque, piacemmo, piaceste, piacquero
Participe passé	piaciuto

porre, *poser*

Indicatif présent	**pongo, poni, pone, poniamo, ponete, pongono**
Imparfait	**ponevo, ponevi**, etc.
Futur	**porrò, porrai**, etc.
Passé simple	**posi, ponesti, pose, ponemmo, poneste, posero**
Subjonctif présent	**ponga, ponga, ponga, poniamo, poniate, pongano**
Subjonctif imparfait	**ponessi, ponessi, ponesse, ponessimo, poneste, ponessero**
Participe passé	**posto**
Gérondif	**ponendo**

potere, *pouvoir*

Indicatif présent	**posso, puoi, può, possiamo, potete, possono**
Futur	**potrò, potrai**, etc.
Passé simple	**potei** ou **potetti, potesti, poté** ou **potette, potemmo, poteste, poterono** ou **potettero**
Conditionnel présent	**potrei, potresti**, etc.
Subjonctif présent	**possa, possa, possa, possiamo, possiate, possano**

prendere, *prendre*

Passé simple	**presi, prendesti, prese, prendemmo, prendeste, presero**
Participe passé	**preso**

proporre, *proposer* – (voir **porre**)
raggiungere, *rejoindre* – (voir **giungere**)
ridere, *rire*

Passé simple	**risi, ridesti, rise, ridemmo, rideste, risero**
Participe passé	**riso**

rimanere, *rester*

Indicatif présent	**rimango, rimani, rimane, rimaniamo, rimanete, rimangono**
Futur	**rimarrò, rimarrai**, etc.
Passé simple	**rimasi, rimanesti, rimase, rimanemmo, rimaneste, rimasero**
Conditionnel présent	**rimarrei, rimarresti**, etc.
Subjonctif présent	**rimanga, rimanga, rimanga, rimaniamo, rimaniate, rimangano**
Participe passé	**rimasto**

rispondere, *répondre*

Passé simple	**risposi, rispondesti, rispose, rispondemmo, rispondeste, risposero**
Participe passé	**risposto**

rivolgersi, *s'adresser* – (voir **volgere**)
rompere, *rompre*

Passé simple	**ruppi, rompesti, ruppe, rompemmo, rompeste, ruppero**
Participe passé	**rotto**

salire, *monter*

Indicatif présent	salgo, sali, sale, saliamo, salite, salgono
Subjonctif présent	salga, salga, salga, saliamo, saliate, salgano

sapere, *savoir*

Indicatif présent	so, sai, sa, sappiamo, sapete, sanno
Futur	saprò, saprai, etc.
Passé simple	seppi, sapesti, seppe, sapemmo, sapeste, seppero
Conditionnel présent	saprei, sapresti, etc.
Subjonctif présent	sappia, sappia, sappia, sappiamo, sappiate, sappiano
Impératif	sappi, sappia, sappiamo, sappiate, sappiano

scegliere, *choisir*

Indicatif présent	scelgo, scegli, sceglie, scegliamo, scegliete, scelgono
Passé simple	scelsi, scegliesti, scelse, scegliemmo, sceglieste, scelsero
Subjonctif présent	scelga, scelga, scelga, scegliamo, scegliate, scelgano
Participe passé	scelto

scendere, *descendre*

Passé simple	scesi, scendesti, scese, scendemmo, scendeste, scesero
Participe passé	sceso

scrivere, *écrire*

Passé simple	**scrissi, scrivesti, scrisse, scrivemmo, scriveste, scrissero**
Participe passé	**scritto**

sedere – sedersi, *s'asseoir*

Indicatif présent	**mi siedo, ti siedi, si siede, ci sediamo, vi sedete, si siedono**
Futur	**mi siederò, ti siederai,** etc.
Passé simple	**mi sedei** ou **sedetti, ti sedesti, si sedé** ou **sedette, ci sedemmo, vi sedeste, si sederono** ou **sedettero**
Subjonctif présent	**mi sieda, ti sieda, si sieda, ci sediamo, vi sediate, si siedano**

spegnere, *éteindre*

Indicatif présent	**spengo, spegni, spegne, spegniamo, spegnete, spengono**
Passé simple	**spensi, spegnesti, spense, spegnemmo, spegneste, spensero**
Subjonctif présent	**spenga, spenga, spenga, spegniamo, spegniate, spengano**
Participe passé	**spento**

spingere, *pousser*

Passé simple	**spinsi, spingesti, spinse, spingemmo, spingeste, spinsero**
Participe passé	**spinto**

stare, *être, se porter, se trouver*

Indicatif présent	**sto, stai, sta, stiamo, state, stanno**
Imparfait	**stavo, stavi**, etc.
Futur	**starò, starai**, etc.
Passé simple	**stetti, stesti, stette, stemmo, steste, stettero**
Conditionnel présent	**starei, staresti**, etc.
Subjonctif présent	**stia, stia, stia, stiamo, stiate, stiano**
Subjonctif imparfait	**stessi, stessi, stesse, stessimo, steste, stessero**
Participe passé	**stato**

succedere, *se passer, succéder*

Passé simple	**successi, succedesti, successe, succedemmo, succedeste, successero**
Participe passé	**successo**

supporre, *supposer* – (voir **porre**)
tenere, *tenir*

Indicatif présent	**tengo, tieni, tiene, teniamo, tenete, tengono**
Futur	**terrò, terrai**, etc.
Passé simple	**tenni, tenesti, tenne, tenemmo, teneste, tennero**
Conditionnel présent	**terrei, terresti**, etc.
Subjonctif présent	**tenga, tenga, tenga, teniamo, teniate, tengano**

uccidere, *tuer*

Passé simple	**uccisi, uccidesti, uccise, uccidemmo, uccideste, uccisero**
Participe passé	**ucciso**

uscire, *sortir*

Indicatif présent	**esco, esci, esce, usciamo, uscite, escono**
Subjonctif présent	**esca, esca, esca, usciamo, usciate, escano**

vedere, *voir*

Futur	**vedrò, vedrai**, etc.
Passé simple	**vidi, vedesti, vide, vedemmo, vedeste, videro**
Conditionnel présent	**vedrei, vedresti**, etc.
Participe passé	**visto**

venire, *venir*

Indicatif présent	**vengo, vieni, viene, veniamo, venite, vengono**
Futur	**verrò, verrai**, etc.
Passé simple	**venni, venisti, venne, venimmo, veniste, vennero**
Conditionnel présent	**verrei, verresti**, etc.
Subjonctif présent	**venga, venga, venga, veniamo, veniate, vengano**
Participe passé	**venuto**

vincere, *vaincre, gagner*

Passé simple	**vinsi, vincesti, vinse, vincemmo, vinceste, vinsero**
Participe passé	**vinto**

volgere ou volgersi, *tourner, se tourner*

Passé simple	**volsi, volgesti, volse, volgemmo, volgeste, volsero**
Participe passé	**volto**

Lexique des expressions usuelles

Premiers contacts

Ciao! (1), *Salut !*
Come si chiamano i vostri amici? (14), *Comment s'appellent vos amis ?*
Ci diamo del tu! (28), *On se dit "tu" !*
Come ti chiami? (11), *Comment tu t'appelles ?*
Mi chiamo… (11), *Je m'appelle…*
Ti presento… (1), *Je te présente…*
Molto lieto! (24) / **Molto lieta!** (24), *Enchanté ! / Enchantée !*
Dove abiti? (10), *Où habites-tu ?*
Abito in via Rossini, 5. (14), *J'habite au 5, rue Rossini.*
Quanti anni hai? (11), *Quel âge as-tu ?*
Per favore (2), **Per cortesia** (3), *S'il te/vous plaît*
Ho dieci anni. (11), *J'ai dix ans.*
Mille grazie! (66), *Merci beaucoup !*
Salve! (1), *Salut !*

Parler de son emploi du temps

A che ora hai prenotato? (9), *À quelle heure tu as réservé ?*
Che cosa hai fatto di bello? (30), *Qu'as-tu fais de beau ?*
Ho/C'ho mille cose da fare! (29), *J'ai mille choses à faire !*
Devo finire tutto entro sabato! (85), *Je dois finir tout ça avant samedi !*
Fino a quando restate a Firenze? (11), *Jusqu'à quand restez-vous à Florence ?*

Se repérer dans le temps

Che ora è? (19), **Che ore sono?** (19), *Quelle heure est-il ?*
È mezzogiorno. (19), *Il est midi.*
Sono le otto. (19), *Il est huit heures.*
Sono le sette meno dieci. (19), *Il est sept heures moins dix.*
Sono le sette e dieci. (19), *Il est sept heures dix.*
Da quanto tempo non ti vedo! (37), *Ça fait longtemps que je ne t'ai pas vu(e) !*

Sono anni che l'ho perso di vista! (37), *Ça fait des années que je l'ai perdu de vue !*

L'ho visto due giorni fa! (37), *Je l'ai vu il y a deux jours !*

Oggi è sabato, non domenica! (75), *Aujourd'hui, nous sommes samedi, pas dimanche !*

Non c'è fretta! (74) *Rien ne presse !*

Sto per realizzare un progetto meraviglioso! (59), *Je suis sur le point de réaliser un projet merveilleux !*

Ho appena sentito Marco, ti saluta! (61), *Je viens d'avoir Marco, il te passe le bonjour !*

La Dottoressa è appena andata via! (81), *Madame vient [juste] de partir !*

Se repérer en ville

A quale fermata devo scendere? (15), *À quel arrêt dois-je descendre ?*

Da quale terminal imbarchiamo? (19), *De quel terminal embarquons-nous ?*

Prendi la prima a destra, e al semaforo, la prima a sinistra. (15), *Tu prends la première à droite, et au feu, la première à gauche.*

Parler d'un événement inattendu

Che ti succede? (90), *Qu'est-ce qui t'arrive ?*

Se sapessi che cosa mi è capitato! (89), *Si tu savais ce qui m'est arrivé !*

Quante storie… Dai, parla! (96), *Que d'histoires… Vas-y, raconte !*

Figurati che…! (88), *Figure-toi que… !*

Faire une proposition

Che ne pensate di uno spettacolo? (13), *Ça vous dirait d'aller voir un spectacle ?*

Féliciter quelqu'un

Congratulazioni! (22), *Félicitations !*

Sono proprio contento per te! (22), *Je suis vraiment content pour toi !*

Bravo! / Brava ! (94), *Bravo !* (à l'attention d'un homme / d'une femme)

Exprimer un besoin ou un souhait

Ho bisogno di un bicchiere d'acqua! (55), *Il me faut un verre d'eau !*

Vorrei misurare quella gonna! (50), *Je voudrais essayer cette jupe !*

Vorrei parlare col Dottor Balbi! (81), *Je voudrais parler à M. Balbi !*

Exprimer la surprise

Questa poi! (76), *Ça alors !*

Ma va là! (76), *Allons donc !*

Exprimer son enthousiasme

Che meraviglia! (6), *C'est une merveille !*

Mica male! (96), *C'est super !*

Mi piace da pazzi…! (64), *Je raffole de… !*

Non mi spaventa per niente, **anzi mi esalta!** (59), *Ça ne m'effraie pas du tout, au contraire, ça me passionne !*

Stupendo! (22), *Magnifique !*

Dire son énervement

Basta! Ne ho abbastanza! (55), *Ça suffit ! J'en ai marre !*

Ci mancava pure questa! (65), *Il ne manquait plus que ça !*

È una squadra da quattro soldi! (31), *C'est une équipe de quatre sous !*

Smetti di fare storie! (52), *Arrête de faire des histoires !*

Mi fa veramente innervosire! (80), *Il m'énerve vraiment !*

Non ne posso più! (5), *Je n'en peux plus !*

Non lo sopporto! (80), *Je ne le supporte pas !*

Non ci capisco niente! (34), *Je ne comprends rien !*

Piano! (64), *Doucement !*
Sono fuori di me! (68), *Je suis hors de moi !*

Exprimer un regret

Accidenti! (48), *Flûte !*
Mi dispiace molto! (50), *Je suis vraiment désolé(e) !*
Se potessi, verrei molto volentieri! (91), *Si je [le] pouvais, je viendrais très volontiers !*

Compatir

Ci vuole molta pazienza! (53), *Il faut beaucoup de patience !*
Coraggio, ce l'avete quasi fatta! (54), *Courage ! Vous y êtes presque !*
Poverino! (47), *Le pauvre !*
Meno male! (48), *Heureusement !*

Petits échanges formels

Arrivederci! (1), *Au revoir !*
Buongiorno (1), *Bonjour !*
Dica pure! (81), *Dites-moi !*
Faccia con comodo! (74), *Prenez votre temps !*
Molto piacere! (1), *Enchanté(e) !*
Si accomodi, prego! (44), *Entrez, je vous en prie !*

Salutations écrites plus ou moins distinguées

Carissimi saluti (65), *Chaleureuses salutations*
Distinti saluti (73), *Salutations distinguées*
Un abbraccio affettuoso! (65), *Je vous/t'embrasse affectueusement !*
Spettabile (73) *Messieurs*

Lexique italien-français

A

a	à 1
abbaiare	aboyer 76
abbastanza	assez (de) 5 ; assez (plutôt) 37 ; assez (suffisamment) 90
abbigliamento	habillement 52
abbraccio	accolade 65
abitare	habiter 10
abito	vêtement 51
abituarsi	s'habituer (prendre l'habitude de) 94
accarezzare	caresser 64
accendere	allumer 93
accesso	accès 79
accettare	accepter 80
Accidenti!	Zut ! 48
accoglienza	accueil 44
accomodarsi	avancer, entrer, s'installer 9
accompagnare	accompagner 15
accorciare	raccourcir 51
accordo (d'~)	d'accord 43
accumulare	accumuler 67
accurato	approfondi, soigné 79
acqua	eau 55
acquisto	achat 80
ad	à *(devant voyelle)* 8
adesso	maintenant 41
adorare	adorer 71
aereo	avion 17
aeroporto	aéroport 19
affettuoso	affectueux 65
affezionato	affectionné 87
affittare	louer 69
africano	africain 86
agenzia di viaggi	agence de voyages 15
aggeggio	engin 94
aggiungere	ajouter 65
agitato	agité 55
aglio	ail Intro.

agosto	août 65
aiutare	aider 40
aiuto	aide 93
al	au 2
albergo	hôtel 3
albero	arbre 67
album	album 67
allacciare	attacher 55
allora	alors 6
allungare	allonger 51
almeno	au moins 62
alpino	alpin 61
altezza	hauteur 60
altro	autre 23, 57
alzare	lever 45
amare	aimer 46
amaro *(n.)*	digestif, liqueur au goût un peu amer 13
ambiente	milieu 59 ; environnement 68
amico	ami 9
ammissione	admission 72
amore	amour 45, 82
analcolico	boisson non alcoolisée 25
anche	aussi 4
anche io	moi aussi 8
ancora	encore 20
andar via	partir 81
andare	aller 5 ; partir 81
angelo	ange 82
angolo	angle, coin 8
angoscia	angoisse 39
animale	animal 67
anniversario	anniversaire (de mariage) 85
anno	an, année 11
annoiarsi	s'ennuyer 75
annuncio	annonce 26
antipasto	hors-d'œuvre 12
anzi	au contraire 59
aperto	ouvert 13
aperto (all'~)	à l'extérieur 13
apparecchio	appareil 60
appartamento	appartement *(rare)* 40

appena	dès que 87
apposta	exprès 17
apposta (fare ~)	faire exprès 17
archeologico	archéologique 69
architetto	architecte 22
architettura	architecture 71
aria *(f.)*	air 3
armadio	armoire 40
arrabbiarsi	se mettre en colère 69 ; se fâcher 96
arrivare	arriver 5
Arrivederci!	Au revoir ! 1
arrivo *(m.)*	arrivée 62
arte *(f.)*	art 46
artistico	artistique 71
ascensore	ascenseur 23
ascoltare	écouter 41
aspettare	attendre 5
aspetto	aspect 78
aspirazione	aspiration 89
assaggiare	goûter/tester 12
assegno	chèque 44
assentarsi	s'absenter 81
assenza	absence 73
assicurare	assurer 85
assolutamente	absolument 6
assortimento	assortiment 73
assumere	embaucher 22
assunzione	recrutement 26 ; embauche 27
assurdità	absurdité 96
attento	attentif 89, 94 ; attention *(interj.)* 94
attenzione	attention *(interj.)* 48
attico	appartement/terrasse au dernier étage 13
attimo	seconde 95
atto	acte 72
atto (di nascita)	extrait d'acte de naissance 72
attraversare	traverser 4
augurare	souhaiter 87
augurio	vœu 31
auto *(f.)*	voiture 66

quattrocentosessanta • 460

autobus	autobus 5
autostrada *(m.)*	autoroute 4
autunno	automne 89
avere	avoir *(v.)* 3, 29
avviso	avis 65
avvocato	avocat 44
azzurro	bleu *(adj.)* 46

B

bagnare	mouiller 83
bagno	bain, salle de bains 3
bambino	enfant 10
banca	banque 27
bar	bar 2, 46
barca *(fém.)*	bateau 62
barca a vela	bateau à voiles 58
basso	bas *(adj.)* 79 ; petit (en taille) 88
Basta!	Ça suffit ! 5
bastare	suffire 5
battere	battre 31
beato	béat, heureux 61
beato + *pron. pers. COD tonique*	Quelle chance pour + *pron. pers. COI* ! 61
bellezza	beauté 60
bello	beau 4 ; sacré *(ironique)* 55
bene	bien *(adv.)* 17
Benvenuto *(n.)*!	Bienvenue ! 1
bere	boire 25
bianco	blanc 25
bicchiere	verre 25
biglietto	billet 20
biondo	blond 46
bisogna	il faut 53
bisogno	besoin 23
bisogno (avere ~)	avoir besoin 50
blu	bleu *(adj.)* 50
bocca	bouche 96
bolletta	charges (financières), facture 64
borsa *(f.)*	sac 64

borsa di studio	bourse (d'études) 59
bottiglia	bouteille 73
bracciale	bracelet 90
braccio	bras 46
bravo	gentil 30 ; fort 41 ; bon 100
brillante	brillant 37
brioche	brioche 2
bruciare	brûler 68
bruno	brun 46
brutto	mauvais 79
buca per le lettere	boîte aux lettres 16
buon	bon 8
Buonasera!	Bonsoir ! 9
Buongiorno!	Bonjour ! 1
burro	beurre 32
buttar via	jeter 67
buttare	jeter 6

C

c'/ci + essere	il y a *(singulier/pluriel)* 26
cadere	tomber 64
caffè	café (boisson), café (lieu) 2
cagnolino	chiot 76
calcio	football 11
calcolatore	ordinateur 93
caldo *(m.)*	chaleur 83
cambiare	changer 40
cambio	échange 82
camera	chambre 3
campagna	campagne 10
campeggio	camping 61
cancellare	effacer 94
candidato	candidat 26
cane	chien 76
canino *(m.)*	canine 69
canna	roseau 63
cannone	canon 63
cantante	chanteur 77
capello	cheveu 96
capire	comprendre 28, 30
capisco!	je comprends ! 99
capitare	tomber (arriver/se passer) 85

capo	chef 23
cappotto	manteau 19
capriccio	caprice 83
cappuccino	café crème 2
carattere	caractère 88
carino	joli 50
carne *(f.)*	viande 32
caro	cher 50 ; chaleureux 66
carriera	carrière 37
carro attrezzi	dépanneuse 66
carta	carte 18 ; papier 55
carta di credito	carte de crédit 73
carta di identità	carte d'identité 18
cartolina	carte postale 16
casa	maison 13 ; appartement 40
casetta	maisonnette 45
caso (per ~)	par hasard 48
cassetta delle lettere	boîte aux lettres 64
cassetto	tiroir 17
catalogo	catalogue 73
cattivo	mauvais 32
cavarsela	se débrouiller 100
celibe	célibataire (homme) 27
cellulare *(n.)*	portable 25
cena	dîner *(n.)* 62
cenare	dîner *(v.)* 25
centimetro	centimètre 51
centinaio *(m.)*	centaine 67
centrale	central 78
cercare	chercher 8 ; essayer (tenter) 66, 87
cerotto	sparadrap 74
certamente	bien sûr 24 ; certainement 58
certificato	certificat 72
certificato di residenza	justificatif de domicile 72
certo *(adv.)*	certainement 20
champagne	champagne 22
che	quel *(adj.)* 2 ; qui 5 ; que 33
che cosa	que 2
chi *(majoritairement interr.)*	qui 39
chiacchierare	bavarder 55
chiamare	appeler 25

chiamarsi	s'appeler 11
chiarire	éclaircir 79
chiaro	clair 43
chiedere	demander 20
chiesa	église 69
chilo	kilo 83
chiudere	fermer, raccrocher 54
chiuso	fermé 16
ci	nous *(obj.)* 20 ; y *(adv.)* 30
ci *(pron. réfl.)*	nous *(pron. réfl.)* 21
ciao	salut 1
ciliegia	cerise 32
cima *(f.)*	sommet 61
cinema	cinéma 36
cinepresa	caméra 60
cintura di sicurezza	ceinture de sécurité 55
cioccolato	chocolat 33
circa	presque 54
citofono	interphone 73
città	ville 6
clandestino	clandestin 62
classico	classique 27, 76
cliente	client 44
clientela	clientèle 65
cocktail	cocktail 24
codice	code 73
cognome	nom de famille 18
colazione	petit-déjeuner 2
collaboratore	collaborateur 23
collega	collègue 24
collegio	pensionnat 88
colloquio	entretien 26
colore *(m.)*	couleur 52
colpevole	coupable 62
colpo	coup 26
come	comment 11 ; que *(excl.)* 20
come (~ mai (…)) ?	comment se fait-il que (…) ? 99
come no	bien sûr 25
cominciare	commencer 8
commercializzare	commercialiser 60

comodo	commode, pratique 54 ; confortable 56, 74
comodo (faccia con ~)	prenez votre temps 74
compagno	camarade 76
compito *(m.)*	tâche 44 ; devoir (école) 47
compleanno	anniversaire 31
complesso	complexe 79
completamente	complètement 37
completo	complet 18 ; complet (costume) 51 ; entier 59
complicare	compliquer 71
Complimenti!	Félicitations ! 100
comprare	acheter 32
compressa *(f.)*	comprimé 74
computer	ordinateur 93
comunque	de toute façon 72
con	avec 3, 15
concerto	concert 36
concorso	concours 26
condizionata (aria ~)	air conditionné 3
condominio *(m.)*	copropriété 64
confessare	avouer 53
confezione *(f.)*	conditionnement, carton 73
Congratulazioni!	Félicitations ! 22
coniuge	époux 39
conoscere	connaître 41 ; rencontrer 46
consegna	livraison 73
conseguire	obtenir 27
considerare	estimer 88
consigliare	conseiller 66
consiglio	conseil 38
consolare	consoler 45
contare	compter 83
contemporaneamente	simultanément 94
contenere	contenir 73
contento	content 1
continente	continent 57
conto	compte 85
conto (rendersi ~)	se rendre compte 26
contraddire	contredire 38
contrario	contraire *(n.)* 58
contratto	contrat 43

controllo	contrôle 55
conversazione	conversation 46
convincere	convaincre 79
convinto	convaincu 80
coraggio	courage 54
corale *(m.)*	chorale 58
cornetto	croissant 2
corrente	courant *(adj.)* 27
correre	courir 53
corridoio	couloir 23
corriere	courrier 82
corsia	voie 54
corso	cours (leçon) 54 ; stage 58 ; cours 86
corso (in ~)	en cours 54
cortesia	courtoisie 3 ; service 82
cortesia (per ~)	s'il te/vous plaît 3
corto	court 51
cosa	chose 2
così	si/tellement 13 ; ainsi (de cette manière) 82
costa	côte 60
costo	prix 43
costringere	obliger 81
crampo *(m.)*	crampe 47
credere	croire 17
credito	crédit 54
crema	crème 74
cretino	crétin 97
critica	critique 80
crociera	croisière 83
cucina	cuisine 43
cugino	cousin 31
cui (di ~)	dont 38
cuore	cœur 87
curriculum vitae	curriculum vitae 27

D

da	depuis 20 ; chez 29 ; par 40
da capo	depuis le début 30
Dai!	Allez !, S'il te plaît ! *(exprime l'insistance)*, Vite ! 20

danese	danois 46
danza	danse 86
dare	donner 20
data	date 18
davanti (a)	devant 23
davvero	vraiment 76
decidere	décider 39
deludere	décevoir 86
delusione	déception 92
dente *(m.)*	dent 31
dentifricio	dentifrice 74
dentista	dentiste 24
denuncia	déclaration, plainte 18
desiderare	désirer 2
desiderio	désir 89
destra	droite 15
dettaglio	détail 58
di	de 1
dichiarazione	déclaration 85
dietro	derrière 92
difficile	difficile 15
diffidenza	méfiance 79
diffuso	répandu 68
digestivo	digestif 13
dimenticare	oublier 16, 90
dinanzi (a)	devant 92
Dio	Dieu 19
diploma	diplôme 26, 72
dire	dire 18
dire lettera per lettera	épeler 18
direttore	directeur 44
dirigere	diriger 66
disastro	désastre 71
disciplina	discipline 71
disinfettante	désinfectant 74
disordinato	désordonné 92
dispiacere	ennuyer (déranger) 55 ; désoler 86
dispiaciuto	désolé *(adj.)* 87
disponibile	disponible 100
disporre	disposer 35
distinto	distingué 66

distrarsi	se distraire 86
distratto	distrait 90
disturbare	déranger 95
diventare	devenir 41
diverso	différent 59
divertente	amusant 13
divertire	amuser 86
divorzio	divorce 20
documenti	papiers d'identité 18
documento	document 45
dolce *(adj.)*	doux 92
dolcemente	avec douceur 64
dolcezza	douceur 69
domanda	demande 26
domandare	demander 30
domani	demain 36
domenica	dimanche 11
donna	femme 38
donnone *(augmentatif de* donna *(m.))*	grosse femme 61
dopo	après 15
doppio	double 3
dottor(e)	docteur 9 ; monsieur 23
dottorato	doctorat 71
dottoressa	Madame 81
dove	où 8
dovere *(v.)*	devoir 6
drammatico	dramatique 68
dunque	donc 64
durante	pendant 69
duro	dur 92

E

e	et 1
eccellente	excellent 22
eccessivamente	excessivement 79
eccezionale	exceptionnel 6
eccitazione	excitation 59
ecco	voilà 5
economia	économie 27
ed	et *(devant voyelle)* 5
effervescente	effervescent 74
effetti (in ~)	en fait 71

elementare	élémentaire 76
emozione	émotion 61
enologia	œnologie 58
enorme	énorme 43
entrambi	les deux 44
entro	avant 47
entusiasmo	enthousiasme 59
entusiasta	enthousiaste, ravi 43
epoca	époque 88
eppure	pourtant 92
equitazione	équitation 58
errore *(m.)*	erreur 14
esagerare	exagérer 68
esaltare	enthousiasmer 59
esaminare	examiner 78
esaminatore	examinateur 26
esattamente	exactement 57
esempio	exemple 89
esercitarsi	s'exercer 94
esperienza	expérience 26
essenziale	essentiel 93
essere	être (*verbe*) 1
estero	étranger 26
estremamente	extrêmement 79
estremo	extrême 82
etrusco	étrusque 69
evitare	éviter 89
evoluzione	évolution 71
Evviva!	Chic ! 33

F

fabbrica	usine 88
facile	facile 34
facoltà	faculté 71
fame	faim 8
famiglia	famille 85
famiglia (stato di ~)	fiche d'état civil 72
fare	faire 12
fare finta	faire semblant 97
fare il tifo	supporter une équipe 31
fare presto	se dépêcher 39
farmacista	pharmacien 71

fascino	charme 6
fascio	bouquet 82
faticoso	fatigant 30
favore	faveur 2
favore (per ~)	s'il te/vous plaît 2
febbre	fièvre 74
felicità	bonheur 87
fermare	arrêter 55
fermata *(f.)*	arrêt 15 ; arrêt (de métro) 78
festa	fête 36, 85
fianco (a ~)	à côté 52
figurarsi (che/qualcosa)	se figurer (que/qqch.) 46
Figuratevi!	Vous plaisantez ! *(ironie)* 46
Figurati!	Tu plaisantes ! / Tu parles ! *(ironie)* 46
film	film 36
filmetto	petit film 45
finalmente	enfin 1
finanze	finances 27
fine	fin *(n.)* 25
finestra	fenêtre 43
finestrino	vitre de voiture 69
finire	finir 13
fino	jusque 11
fino a	jusqu'à 11
finta	faux *(n.)* 97
finta (fare ~)	faire semblant 97
fiore *(m.)*	fleur 67
fiorentino	florentin 46
firma	signature 45
firmare	signer 43
fisico	physique 61
fiume	fleuve 68
follemente	follement 46
fondo	fond 9
fontana	fontaine 6
forchetta	fourchette 63
forchettone	grosse fourchette 63
foresta	forêt 68
forma	forme 34
forma (in ~)	en forme 37

formazione	formation 88
formoso	plantureux 46
formulario	imprimé 72
forse	peut-être 25
forte	fort 76
foto	photo 16
fotocopia	photocopie 72
fotografia	photographie 16
fotografico	photographique 60
fragola	fraise 33
francese	français 24
francobollo	timbre 16
fratello	frère 17
frattempo (nel ~)	pendant ce temps 71
freccia	flèche 94
freddo *(n./adj.)*	froid 83
frequentare	fréquenter 37
fretta	hâte 74
fretta (non c'è ~)	rien ne presse 74
frutta *(f.)*	fruit 90
funzionale	fonctionnel 78
fuori	hors 68
furto	vol (cambriolage) 18

G

gattino	petit chat 31
gatto	chat 31
gelato	glace 33
gemello	jumeau 17
genitore	parent 48
gennaio	janvier 47
gente *(f. sg.)*	gens 45
gentile	gentil 39 ; aimable 65
gentilezza	gentillesse 82
gesuita	jésuite 88
già	déjà 32 ; certes 43
giacca	veste 51
giallo *(adj.)*	jaune 52
giardino	jardin 9
ginnastica	gymnastique 29
ginocchio	genou 95
giocare	jouer 45

giocattolo	jouet 52
giornale	journal 26
giornalino	publication pour enfants 82
giornalista	journaliste 24
giornata	journée 29
giorno	jour 12
giovedì	jeudi 86
girare	tourner 69, 97
girellare	flâner, passer et repasser 97
giro (prendere in ~)	se moquer 76
giugno	juin 92
giusto	juste 51
gli *(pl. de lo)*	les 12
gnocchi	gnocchi 12
goloso	gourmand 47
gonna	jupe 50
gradire	aimer 73
grande	grand 23
grandioso	grandiose 60
grave	grave 95
grazie	merci 2 ; grâce 78
greco	grec 24
gridare	crier 53
grigio	gris 83
grissino	gressin 32
gruppo	groupe 22
guardare	regarder 13
guardaroba *(m.)*	garde-robe 51
guida *(f.)*	guide 8

H

hobby	loisir 27

I

i	les 12
icona	icône 94
idea	idée 25
identità	identité 18
idoneità	admissibilité, certificat d'aptitude 72
ieri	hier 22
il	le 4
il/la quale	lequel/laquelle 40

imbarcare	embarquer 20
imbarcarsi	s'embarquer 62
immagine *(f.)*	image 92
immediatemente	immédiatement 44
immenso	immense 6
imparare	apprendre 30
impaziente	impatient 64
impazzire	devenir fou 76
impegnarsi	s'engager 89
impegno	engagement 87
impianto	installation 65
impiego	emploi 26
importare	importer 83
impressionare	impressionner 96
improvvisamente	soudainement 46
in	en 1 ; à, dans 3
incerto	indécis 57
incidente	accident 66
incontrarsi	se rencontrer 37
incontro *(m.)*	rencontre 92
incredibile	incroyable 5
indescrivibile	indescriptible 69
indicare	indiquer 18
indicazione	indication 55
indignato	indigné 68
indirizzo	adresse 18
industriale	industriel 68
infinito	infini 87
informatica	informatique 16
ingiusto	injuste 80
inglese	anglais 24
innamorato	amoureux 99
innanzitutto	tout d'abord 79
innervosire	énerver 80
innumerevole	innombrable 69
inondato	inondé 65
inquinare	polluer 68
insalata	salade (légumes) 90
insegnante	enseignant 77
insieme	ensemble 25
insistenza	insistance 41
insistere	insister 76

insomma	en somme 69
insulso	nul 38
intatto	intact 68
intenso	intense 61
interesse	intérêt 44
internazionale	international 22
interno	poste (de travail) 23
intero	entier 59
interrogare	interroger 30
inutile	inutile 61
invece	en revanche 15 ; par contre 23
inviare	envoyer 44
invidiare	envier 61
invitare	inviter 85
invito	invitation 29
io	je, moi *(sujet)* 5
io (proprio ~)	moi-même / en personne 24
ipersensibile	hypersensible 60
ipersimpatico	hypersympa 63
ippocampo	hippocampe 62
irrefrenabile	irrésistible 92
iscriversi	s'inscrire 71
iscrizione	inscription 72
istituto	institut 76
Italia	Italie 1
italiano	italien 12

L

lacrima	larme 92
lago	lac 28, 69
languente	languissant 77
largo	large 51
lasagne	lasagnes 33
lasciare	laisser 64
lasciare perdere	laisser tomber 88
lasciarsi	se laisser 62
lato	côté 79
laurea breve	licence (université) 76
lavorare	travailler 48
lavoro	travail 10
legge *(f.)*	droit 71
leggere	lire 46, 86

leggerezza	légèreté 92
Lei	vous *(de politesse)* 2
lei	elle 7
leoncino	lionceau 76
leone	lion 76
lettera	lettre 16 ; lettre (alphabet) 18
letto	lit 40
lezione	leçon 1
lì	là 23
libero	libre 3
libreria	bibliothèque 40
liceo	lycée 76
lieto	heureux 24
lieto/a (molto ~)	enchanté(e) (de faire la connaissance de qqn) 24
linea	ligne 78
lingua	langue 22
litigare	se disputer 39
logico	logique 38
lombardo	lombard 69
lontano	lointain 57 ; loin 75
loro	elles, ils 7 ; leur *(complément d'objet indirect)* 34
luglio	juillet 71
lui	il 7
lunedì	lundi 75
lunghe (portarla per le ~)	tourner autour du pot 82
lungo	long 59
lungo (a ~)	longtemps 54 ; longuement 80
luogo	lieu 27

M

ma	mais 4
Ma va là!	Allons donc ! 76
macchina	voiture 4
macedonia	salade de fruits 90
maestro	maître 30
magari	peut-être 45 ; si seulement 100
maggiore	majeur 86
maglietta	maillot 52
mai	jamais 32

mail *(f.)*	courriel 16
mal di testa	migraine 74
malattia	maladie 47
malcostume	mauvaises habitudes 68
maldicenza	médisance 32
male	mal 47
malizioso	malicieux 96
maltrattare	maltraiter 68
mamma	maman 17
mancanza *(f.)*	manque 69
mancare	manquer 20
mancia *(f.)*	pourboire 97
mandare	envoyer 88
mangiare	manger 8
manica	manche 51
mano *(f.)*	main 31
mare *(m.)*	mer 57
marito	mari 10
marmo	marbre 69
master	master 27
matematica	mathématiques 30
matrimoniale	matrimonial(e) 3
matrimoniale (camera ~)	chambre double 3
matrimonio	mariage 85
mattina *(f.)*	matin 36
maturità	baccalauréat 71
me *(après préposition)*	moi 2
media	moyenne (des notes) 76
medico	médecin 71
medievale	médiéval 69
medio *(adj.)*	moyen *(adj.)* 76
mediterraneo *(m.)*	méditerrannée 83
meglio	mieux 41
meno	moins 19
meno (del più e del ~)	de tout et de rien 97
meno male	heureusement 48
mensa	cantine 23
mentire	mentir 48
menù	menu 12
meraviglia	merveille 60
meraviglioso	merveilleux 6
merce *(f.)*	marchandise 73

quattrocentosettantasei • 476

mercoledì	mercredi 75
merenda *(f.)*	goûter *(n.)* 47
mese	mois 27
messaggero	messager 82
messaggio	message 81
metro	mètre 15
metropolitana *(f.)*	métro 15
mettere	mettre 40, 45
mezzogiorno	midi 8
mi	me *(pron. réfléchi)* 11
mica	du tout *(renforce une négation)* 95
migliore	meilleur 10
militare	militer 68
mingherlino	maigrichon 96
minimo	minime 58
ministero	ministère 27
minuto *(m.)*	minute 5
misto *(adj.)*	mixte/varié 12
misto *(n.)*	assortiment 12
misurare	essayer (un vêtement), mesurer 50
mitico	légendaire, mythique 60
mobile	meuble 40
modalità	modalité 73
modello	modèle 60
modifica	modification 51
modo *(m.)*	façon 66
moglie	femme (épouse) 10
moglie (proporre in ~)	proposer en mariage 88
molto	beaucoup, très 1
momento	moment 85
mondo	monde 93
moneta	pièce (monnaie) 6
montagna	montagne 58
monumento	monument 6
morsa	étau 92
mostro	monstre 39
moto	moto 96
mozzicone	mégot 68
multa	amende 55
muoversi	bouger 86

museo	musée 69
musica	musique 27

N

nascere	naître 88
nascita	naissance 18
nascita (atto di ~)	extrait d'acte de naissance 72
nascondere	cacher 20
nascondersi	se cacher 21
nascosto	caché 20
natura	nature 60
naturale	naturel 67
naturalmente	naturellement 12
nausea	nausée 92
nave *(f.)*	bateau 62
nazionale	national 52
nazionalità	nationalité 18
ne	en 5
neanche	non plus 37
necessariamente	obligatoirement 41
negozio	magasin 53
nero	noir 50
nervoso	irritable, nerveux 90
nessuno	personne 52
niente	rien 3 ; pas de 12
niente (per ~)	pas du tout 3
nipote	nièce 87
no	non 4
noi	nous 7
noioso	ennuyeux 20, 38
noleggiare	louer (une voiture/un vélo/ etc.) *(adm.)* 69
nome	nom 9 ; prénom 18
non *(+ verbe)*	ne… pas 3
nonna	grand-mère 53
nonno	grand-père 88
notizia	nouvelle 37
notte	nuit 3
nozione	notion 27
nubile	célibataire (femme) 27
nulla	rien 37
numero	numéro 20

numero chiuso	numerus clausus 72
numerosi	nombreux 26
nuoto *(m.)*	natation 58
nuovo	neuf, nouveau 19
nuovo (di ~)	de nouveau 81

O

o	ou 4
obiettivo	objectif 60
occhio	œil 46
occhione	grand œil 46
occorrere	il faut 72
occupare	occuper 87
odiare	détester 39
offerta	offre 73
offrire	inviter, offrir 22
oggetto	objet 90
oggi	aujourd'hui 22
ogni	chaque 86
ognuno	chacun 62
olio	huile 73
oliva	olive 73
onestà	honnêteté 44
onomastico	fête (saint) 31
ora (è ~ di)	il est temps de 80
ora (non vedere l'~)	avoir hâte 99
ora *(adv.)*	maintenant 26
ora *(n.)*	heure 9
oramai	désormais 68 ; maintenant 87
orario	horaire 4
orario (in ~)	à l'heure 4, 46
orecchino *(m.)*	boucle d'oreille 69
organizzare	organiser 85
organizzazione	organisation 58
originale *(n./adj.)*	original 72
orlo	bord 64
orologio	montre 62
orribile	horrible 39
osare	oser 96
ospitalità	hospitalité 66
ottenere	obtenir 59
ottimo	très bon 25

P

pacchetto	paquet 64
padre	père 88
paesaggio	paysage 4
paese	pays 57
pagamento	paiement 73
pagare	payer 73
paglia	paille 6
palazzo	immeuble 73
palla	balle 63
pallido	pâle 90
pallone	ballon 52
pantalone	pantalon 50
papà	papa 40
parcheggiare	se garer 97
parcheggio	parking 78
parco	parc 67
parecchi	beaucoup, plusieurs 26
parecchio	beaucoup 36
parere	avis 38
parlare	parler 22
parrucchiere	coiffeur 29
partire	partir 48
passaggero	passager 65
passaporto	passeport 17
passare	passer 36
passione	passion 67
patatine fritte	frites 33
patente *(f.)*	permis (de conduire) 18
patito	mordu (passionné), passionné 16
patrimonio	patrimoine 68
paura	peur 59
paziente	patient 100
pazienza	patience 45
Pazienza!	Tant pis ! 45
pazzo	fou 64
pelle	cuir 55
pensare	penser 6
per	pour 2 ; par 4
per niente	pas du tout 57
perché	pourquoi 13

perdere	perdre, rater (avion/train/ etc.) 17
perdere (lasciare ~)	laisser tomber 88
perduto	perdu 65
perfetto	parfait 45
perfezionamento	perfectionnement 86
perla	perle 90
permesso	autorisation 95
Permesso?	Puis-je entrer ? 95
però	mais 15
perplesso	perplexe 79
persino *(adv.)*	même *(adv.)* 32
perso	perdu 54
personale	personnel 34
pesantemente	lourdement 92
pesca	pêche 62
pesce	poisson 8
pessimo	très mauvais 38
piacere (molto ~)	enchanté(e) (de faire la connaissance de qqn) 1
piacere *(n.)*	plaisir 1
piacere *(v.)*	plaire 57
piacevole	agréable 66
piano *(adv.)*	doucement 64
piano *(n.)*	étage 23
pianta	plante 68
piatto	plat 12
piazza	place 15
piccolo	petit 51
picnic	pique-nique 68
piede	pied 5
piedi (a ~)	à pied 5
piedi (in ~)	debout 86
pieno	plein 53
pietra	pierre 83
piovere	pleuvoir 83
più	plus 5
più (del ~ e del meno)	de tout et de rien 97
più (di ~)	de plus 17
più *(+ n.)*	plus de 10
piuttosto	plutôt 61
po' (un ~)	un peu 12

481 • **quattrocentottantuno**

pochino	un petit peu 40
poco	peu 51
poco (non è ~)	ce n'est pas rien 86
poi	ensuite 15
politico	politique 68
polizia	police 55
pomeriggio	après-midi 24
pomodoro	tomate 33
porre	poser 35
porta	porte 92
portarla per le lunghe	tourner autour du pot 82
portiere	gardien 73
positivo	positif 79
posizione	position 79
possibile	possible 44
posta	courrier, bureau de poste 64
posto	place 39 ; endroit 68
potere	pouvoir 8
povero	pauvre 29
pranzo	déjeuner *(n.)* 33
preciso	précis 57
preferibilmente	de préférence 73
preferire	préférer 11
pregare	prier 73
prego	je t'/vous en prie 9
premere	appuyer 94
prendere	prendre 13
prenotare	réserver 9
preoccuparsi	se soucier 89
preparare	préparer 85
presentare	présenter 1
presso	auprès 27
presso (di)	auprès (de) 88
prestare	prêter 96
prestito	prêt (bancaire) 75
presto	vite 19
presto (al più ~)	au plus vite 79
prevedere	prévoir 57, 71
prima *(adv.)*	avant 29
prima di tutto	avant tout 29
primo	entrée (repas) 12
principale	principal 44

probabile	probable 84
prodotto	produit 73
professoressa	Madame (le professeure) 81
progetto	projet 43
programma	programme 57
programma di scrittura	logiciel 93
programmare	programmer 58
progresso	progrès 94
promemoria	aide-mémoire 41
promessa	promesse 48
promettere	promettre 47
promozionale	promotionnel 73
pronome	pronom 34
pronto	allô 81
proporre	proposer 33
proporre in moglie	proposer en mariage 88
proposito	propos 20
proposito (a ~)	à propos 74
proprio	exactement, vraiment 22
prossimo	prochain 11
prova	épreuve 26
provare	prouver 32 ; essayer (un vêtement) 50
prudente	prudent 79
psicologia	psychologie 71
pubblicità	publicité 64
punto	point 34
pure	aussi 65
purtroppo	malheureusement 87

Q

qualche	quelque / quelques 51
qualcosa	quelque chose 13
qualcuno	quelqu'un 46
quale	quel / quelle 15
qualità	qualité 44
quando	quand 11
quanto	combien 11, 37
quartiere	quartier 78
quarto (d'ora)	quart (d'heure) 20
quasi	presque 8
quello/a	ce/cet/cette, celui/celle 23

quello/a (lì)	celui/celle(-là) 23
questo	celui-ci 1 ; ceci 23
questo/a	ce/cet/cette 3
questo/a… qui	ce/cette…-ci 23
qui	ici 1

R

rabbia	colère 55
raccomandata	recommandée (lettre) 44
raccontare	raconter 26
raffreddarsi	se refroidir 59
raffreddato	enrhumé 74
ragazzi!	hé les copains ! 22
ragazzo	garçon 22 ; enfant, jeune 36
raggiungere	rejoindre 66
raggiungibile	joignable 23
ragione	raison 5
ragione (a maggior ~)	raison de plus 86
rapidamente	rapidement 78
rapido	rapide 16
raro	rare 88
realizzare	réaliser 59
recapito	adresse (administratif) 73
reclamo	réclamation 44
regalare	offrir 90
regione	région 4
religione	religion 59
reparto	rayon 52
repubblica	république 82
residenza	résidence 72
residenza (certificato di ~)	justificatif de domicile 72
restare	rester 11
resto *(n.)*	reste *(n.)* 68
ricambiare	rendre 66
ricevere	recevoir 64
richiedere	requérir 26
richiesta	demande 45
richiudere	refermer 92
ricordare	rappeler 34
ricordarsi	se souvenir 31
ridire	redire 30
riempire	remplir 18

riempirsi	se remplir 92
rientrare	rentrer 66
riflessione	réflexion 79
riflettere	réfléchir 43
rifugio	refuge 61
rigo	ligne 16
rimanere	rester 50
rimborso	remboursement 44
rincasare	entrer 39
ringraziare	remercier 73
rinnovo	rénovation 65
ripartizione	répartition 78
ripensare	repenser 99
riposato	reposé 75
riscaldamento	chauffage 65
rispettare	respecter 62
rispetto	respect 69
rispetto (a)	par rapport (à) 79
rispondere	répondre 30
ristorante	restaurant 8
ristretto	serré (café) 2
risvegliare	réveiller 79
ritardo	retard 5
ritmo	rythme 62
ritornare	revenir 6
riunione	réunion 23
riuscire	réussir 60 ; arriver (à faire qqch.) 89
riuscire (a)	réussir (à) 85
rivista	revue 82
Roma	Rome 1
romano	romain 12
rompere	casser 53
rosa	rose 69
rosso	rouge 50
rumoroso	bruyant 3
russo	russe 24

S

sabato	samedi 36
sabbatico	sabbatique 59
sacco	sac 20

sacco (un ~ di)	beaucoup 20 ; un tas de 30
sacco a pelo	sac de couchage 61
sala	salle 23
saldi	soldes 50
salire	monter 52
saltellare	sautiller 92
salto	saut 29
salutare	saluer 61
saluto	salutation 65
salvaguardia	sauvegarde 44
salvare	sauvegarder 94
salve	salut *(informel)* 1
sapere	savoir 15
sbadato	étourdi 80
sbagliare	se tromper 47
sbrigarsi	se dépêcher 31
sbucciare	peler 90
scala	escalier 23
scala mobile	escalier mécanique 52
scampare	échapper 48
scarico	décharge 68
scarpa	chaussure 19
scatola	boîte 74
scendere	descendre 15
scendere giù	descendre 69
scheda	fiche 18 ; carte 54
scherzare	plaisanter 62
scientifico	scientifique 76
sciocchezza	bêtise 33
scivolare	glisser 94
scolastico	scolaire 62
sconto *(m.)*	rabais, réduction 50
sconvolgere	bouleverser 90
scoprire	découvrir 57
scorso	dernier (temporel) 38
scrivania	bureau (meuble) 40
scrivere	écrire 16
scuola	école 29, 88
scusa	excuse 32
scusare	excuser 64
se	si *(condition)* 15
seccarsi	se contrarier 82

secondo *(adj.)*	deuxième 12
secondo *(n.)*	plat de résistance 12
secondo me	à mon avis, d'après moi 50
sede	siège (d'une société) 78
sedile	siège 55
seduto	assis 86
segreteria *(f.)*	secrétaire 23
segreto	secret 93
seguire	suivre 54
semaforo	feu tricolore 15
sembrare	sembler 15 ; paraître 38
semplice	simple 72
semplicemente	simplement 57
sempre	toujours 16
sensazione	sensation 92
sensuale	sensuel 96
sentire	écouter 25 ; entendre, avoir quelqu'un au téléphone 61
senza	sans 47
sera	soir 36
serata	soirée 13
serio	sérieux 96
settimana	semaine 17
severamente	sévèrement 41
severo	sévère 88
sfilare	défiler 69, 92
sguardo	regard 96
sì	oui 5
si *(pron. réfl.)*	se *(pron. réfl.)* 11, 21
sicuramente	certainement, sûrement 30
sicuro	sûrement 53
sigaretta	cigarette 68
signora	madame 1
signore	monsieur 2
signorina	mademoiselle 50
simpatico	sympathique 26
singola	simple (chambre) 3
sinistra	gauche 15
sito	site 69
situazione	situation 68
smarrimento	égarement, perte 18
smarrimento (denuncia de ~)	déclaration de perte 18

smettere	arrêter 52
smettere (di)	arrêter (de), cesser (de) 31
società	société 24
soddisfacente	satisfaisant 44
soffocare	étouffer 57
soffrire	souffrir 76
sofisticato	sophistiqué 93
software	logiciel 93
soggiorno	séjour 59
sognare	rêver 57
sogno	rêve 59
solamente	seulement 50
solare	solaire 83
soldo	sou 31
sole	soleil 65
sole (un ~ che spacca le pietre)	un soleil de plomb 83
solito	d'habitude 57
solo	seul 16
solo *(adv.)*	seulement 18
sopportare	supporter 39
soprattutto	surtout 17
sorella	sœur 11
sorpresa	surprise 40
sotterraneo	souterrain 78
spaccare	fendre 83
spaghetto	spaghetti 33
Spagna	Espagne 15
spagnolo	espagnol 27
sparire	disparaître 68
spaventare	effrayer 59
spazio	espace 78
specchio	miroir 41
speciale	spécial 36
specie	espèce 68
spegnere	éteindre 93
speranza	espoir 73, 92
spesa *(sg.)*	courses (alimentaires) 29
spese (fare le/delle ~)	faire des achats 29
spese *(pl.)*	achats 29
spesso	souvent 4
spettabile	respectable 73
spettacolo	spectacle 13

quattrocentottantotto • 488

spiaggia	plage 68
spiegare	expliquer 30
spigola *(f.)*	bar (poisson) 62
splendido	splendide 85 ; magnifique 96
spontaneo	spontané 68
sporco	sale 68
sport	sport 11
sportello	guichet 72
sposare	épouser 37
spostamento	déplacement 58
spostare	déplacer 40
spudoratamente	effrontément, sans pudeur 48
squadra	équipe 31
stage	stage 27
stampa	presse 82
stanco	fatigué 4
stanza	bureau, pièce 23
stasera	ce soir 22
stato di famiglia	état civil 27
stazione	gare 48
stella	étoile 13
stella marina	étoile de mer 62
stesso	même *(adj. indéfini)* 95
stipendio	salaire 22
stomaco	estomac 47
storia	histoire 46
storico	historique 69
strada	rue 6
straniero	étranger 22
strano	bizarre, étrange 47
straordinario	extraordinaire 60
strapotente	tout-puissant 63
stretto	serré 51
studente	étudiant 46
studiare	étudier 88
stupendo	magnifique 22
stupidità	stupidité 68
subito	tout de suite 2
succedere	arriver (survenir) 80
successivo	suivant 83
succo (di frutta)	jus (de fruit) 25
sud	sud 88

suo/a	son/sa 18
suocera	belle-mère 82
suonare	sonner 97
superare	réussir (un concours/un examen/etc.), surmonter 72
supermacchina	super voiture 63
superpotente	superpuissant 60
supporre	supposer 32
svenire	s'évanouir 47
sventatezza	étourderie 68

T

tabaccaio	buraliste, bureau de tabac 16
taglia	taille 50
tango	tango 86
tardi	tard 48
tasca	poche 17
tassa	impôt 64
tasto	touche 94
tavola	table 31
tavolo	table 9
taxi	taxi 20
teatro	théâtre 36
tecnico *(adj.)*	technique *(adj.)* 76
tedesco	allemand 24
telefonare	téléphoner 31
telefonata	coup de fil 29
telefonico	téléphonique 54
telefono	téléphone 29
temere	craindre 79
tempo	temps 20
tenere	tenir 28, 48 ; tenir (à qqch.) 90
tennis	tennis 45
tentativo *(m.)*	tentative 93
terminal	terminal 20
termine	délai 85
terrazza	terrasse 13
terribile	terrible 29
terzo	troisième 52
tesoro	trésor 30
testa	tête 26
ti *(pron. réfl.)*	te *(pron. réfl.)* 1 ; t' *(pron. réfl.)* 21

tifo	typhus 31
tifo (fare il ~)	supporter une équipe 31
tirocinio	stage 27
toccare	toucher 53
tornare	rentrer 33 ; revenir 58
torta	tarte 33
torto	tort 38
toscano	toscan 69
totalmente	totalement 79
tra	dans (temporel), entre 19
traffico	circulation 4
tranquillamente	tranquillement 46
tranquillità	tranquillité 10
trasferirci	déménager 75
trasmettere	transmettre 44
trattenere	retenir 45
traversata	traversée 60
treno	train 4
triste	triste 92
troppo	trop 47
trovare	trouver 10
tu	tu 7
tu (dare del ~)	tutoyer 24
tuffarsi	se plonger 59
tutti (capita a ~)	ça arrive à tout le monde 90
tutti e due	(tous) les deux 18 ; tous les deux 80
tutto	tout 12, 17, 29, 57
tutto/a/e/i	tout/e/es/tous 3, 6

U

uccellino	petit oiseau 31
uccello	oiseau 31
ufficio	bureau (pièce) 23
ugualmente	également 73
ultimo	dernier 23
umbro	ombrien 69
umore *(m.)*	humeur 75
un/una	un/une 2
universo	univers 80
uomo	homme 55
urgente	urgent 87

uscire	sortir 34 ; partir 81
uscita	sortie 54
utile	utile 84
utilizzare	utiliser 83

V

va bene	d'accord 31 ; très bien 33
vacanza	vacances 57
vacanza (in ~)	en villégiature 62
valido	valable 72
valigia	valise 61
valigione *(augmentatif de* valigia*) (m.)*	grosse valise 61
valzer	valse 86
vaniglia	vanille 33
vecchio	vieux 59
vedere	voir 16
vedersi	se voir 25
vela	voile 58
vendere	vendre 75
venerdì	vendredi 75
venire	venir 13
vento	vent 83
ventre	ventre 86
veramente	vraiment 29
verde	vert 19
verificare	vérifier 85
vero	vrai 6
vero?	n'est-ce pas ? 24
versare	renverser 55
verso	vers 20
vestito	vêtement 55
vetrina	vitrine 41
vi	vous *(objet)* 9 ; vous *(pron. réfl.)* 21 ; y (lieu) *(formel)* 78
via	rue 8
viaggiare	voyager 10
viaggio	voyage 4
vicina *(n.)*	voisine 100
vicino	près 8
villegiatura (in ~)	en villégiature 62
vino	vin 25

quattrocentonovantadue • 492

violento	violent 38
vista *(n.)*	vue 37
vita	vie 89
vivace	vivant 78
vivere	vivre 10
voglia	envie (volonté) 92
voi	vous 7
volere	vouloir 12
volo	vol (aérien) 20
volta	fois 20
volte (a ~)	parfois 57
vongola	palourde 12
vostro	votre 31

Z

zainetto	petit sac à dos 61
zaino	sac à dos 17
zanzara	moustique 74
zeppo	bondé 53
zia	tante 33
zio	oncle 48

Lexique français-italien

A

à	a 1 ; in 3
à *(devant voyelle)*	ad 8
aboyer	abbaiare 76
absence	assenza 73
absenter (s'~)	assentarsi 81
absolument	assolutamente 6
absurdité	assurdità 96
accepter	accettare 80
accès	accesso 79
accident	incidente 66
accolade	abbraccio 65
accompagner	accompagnare 15
accord (d'~)	va bene 31 ; d'accordo 43
accueil	accoglienza 44
accumuler	accumulare 67
achat	acquisto 80
achats	spese *(pl.)* 29
acheter	comprare 32
acte	atto 72
acte (extrait d'~ de naissance)	atto (di nascita) 72
admissibilité	idoneità 72
admission	ammissione 72
adorer	adorare 71
adresse	indirizzo 18
adresse (administratif)	recapito 73
aéroport	aeroporto 19
affectionné	affezionato 87
affectueux	affettuoso 65
africain	africano 86
agence de voyages	agenzia di viaggi 15
agité	agitato 55
agréable	piacevole 66
aide	aiuto 93
aide-mémoire	promemoria 41
aider	aiutare 40
ail	aglio Intro.
aimable	gentile 65

aimer	amare 46 ; gradire 73
ainsi (de cette manière)	così 82
air	aria *(f.)* 3
ajouter	aggiungere 65
album	album 67
allemand	tedesco 24
aller	andare 5
Allez !	Dai! 20
allô	pronto 81
allonger	allungare 51
allumer	accendere 93
alors	allora 6
alpin	alpino 61
amende	multa 55
ami	amico 9
amour	amore 45, 82
amoureux	innamorato 99
amusant	divertente 13
amuser	divertire 86
an	anno 11
ange	angelo 82
anglais	inglese 24
angle	angolo 8
angoisse	angoscia 39
animal	animale 67
année	anno 11
anniversaire	compleanno 31
anniversaire (de mariage)	anniversario 85
annonce	annuncio 26
août	agosto 65
appareil	apparecchio 60
appartement	casa 40
appartement *(rare)*	appartamento 40
appartement/terrasse au dernier étage	attico 13
appeler	chiamare 25
appeler (s'~)	chiamarsi 11
apprendre	imparare 30
approfondi	accurato 79
appuyer	premere 94
après	dopo 15
après-midi	pomeriggio 24
arbre	albero 67

archéologique	archeologico 69
architecte	architetto 22
architecture	architettura 71
armoire	armadio 40
arrêt	fermata *(f.)* 15
arrêt (de métro)	fermata *(f.)* 78
arrêter	smettere 52 ; fermare 55
arrêter (de)	smettere (di) 31
arrivée	arrivo *(m.)* 62
arriver	arrivare 5
arriver (à faire qqch.)	riuscire 89
arriver (survenir)	succedere 80
art	arte *(f.)* 46
artistique	artistico 71
ascenseur	ascensore 23
aspect	aspetto 78
aspiration	aspirazione 89
assez (de)	abbastanza 5
assez (plutôt)	abbastanza 37
assez (suffisamment)	abbastanza 90
assis	seduto 86
assortiment	misto *(n.)* 12 ; assortimento 73
assurer	assicurare 85
attacher	allacciare 55
attendre	aspettare 5
attentif	attento 89, 94
attention *(interj.)*	attenzione 48 ; attento 94
au	al 2
Au revoir !	Arrivederci! 1
aujourd'hui	oggi 22
auprès	presso 27
auprès (de)	presso (di) 88
aussi	anche 4 ; pure 65
aussi (moi ~)	anche io 8
autobus	autobus 5
automne	autunno 89
autorisation	permesso 95
autoroute	autostrada *(m.)* 4
autre	altro 23, 57
avancer	accomodarsi 9
avant	prima *(adv.)* 29 ; entro 47

quattrocentonovantasei • 496

avant tout	prima di tutto 29
avec	con 3, 15
avion	aereo 17
avis	parere 38 ; avviso 65
avocat	avvocato 44
avoir *(v.)*	avere 3, 29
avouer	confessare 53

B

baccalauréat	maturità 71
bain	bagno 3
balle	palla 63
ballon	pallone 52
banque	banca 27
bar	bar 2, 46
bar (poisson)	spigola *(f.)* 62
bas *(adj.)*	basso 79
bateau	barca *(fém.)*, nave *(f.)* 62
bateau à voiles	barca a vela 58
battre	battere 31
bavarder	chiacchierare 55
béat	beato 61
beau	bello 4
beaucoup	molto 1 ; un sacco di 20 ; parecchi 26 ; parecchio 36
beauté	bellezza 60
belle-mère	suocera 82
besoin	bisogno 23
besoin (avoir ~)	avere bisogno 50
bêtise	sciocchezza 33
beurre	burro 32
bibliothèque	libreria 40
bien *(adv.)*	bene 17
bien sûr	certamente 24 ; come no 25
Bienvenue !	Benvenuto *(n.)*! 1
billet	biglietto 20
bizarre	strano 47
blanc	bianco 25
bleu *(adj.)*	azzurro 46 ; blu 50
blond	biondo 46
boire	bere 25

boisson non alcoolisée	analcolico 25
boîte	scatola 74
boîte aux lettres	buca per le lettere 16 ; cassetta delle lettere 64
bon	buon 8 ; bravo 100
bondé	zeppo 53
bonheur	felicità 87
Bonjour !	Buongiorno! 1
Bonsoir !	Buonasera! 9
bord	orlo 64
bouche	bocca 96
boucle d'oreille	orecchino *(m.)* 69
bouger	muoversi 86
bouleverser	sconvolgere 90
bouquet	fascio 82
bourse (d'études)	borsa di studio 59
bouteille	bottiglia 73
bracelet	bracciale 90
bras	braccio 46
brillant	brillante 37
brioche	brioche 2
brûler	bruciare 68
brun	bruno 46
bruyant	rumoroso 3
buraliste	tabaccaio 16
bureau	stanza 23
bureau (meuble)	scrivania 40
bureau (pièce)	ufficio 23
bureau de tabac	tabaccaio 16

C

caché	nascosto 20
cacher	nascondere 20
cacher (se ~)	nascondersi 21
café (boisson)	caffè 2
café (lieu)	caffè 2
camarade	compagno 76
caméra	cinepresa 60
campagne	campagna 10
camping	campeggio 61
candidat	candidato 26

canine	canino *(m.)* 69
canon	cannone 63
cantine	mensa 23
caprice	capriccio 83
caractère	carattere 88
caresser	accarezzare 64
carrière	carriera 37
carte	carta 18 ; scheda 54
carte d'identité	carta di identità 18
carte de crédit	carta di credito 73
carte postale	cartolina 16
casser	rompere 53
catalogue	catalogo 73
ce/cet/cette	questo/a 3 ; quello/a 23
ce/cette…-ci	questo/a… qui 23
ceci	questo 23
ceinture de sécurité	cintura di sicurezza 55
célibataire (femme)	nubile 27
célibataire (homme)	celibe 27
celui/celle	quello/a 23
celui/celle(-là)	quello/a (lì) 23
celui-ci	questo 1
centaine	centinaio *(m.)* 67
centimètre	centimetro 51
central	centrale 78
cerise	ciliegia 32
certainement	certo *(adv.)* 20 ; sicuramente 30 ; certamente 58
certes	già 43
certificat	certificato 72
cesser (de)	smettere (di) 31
chacun	ognuno 62
chaleur	caldo *(m.)* 83
chaleureux	caro 66
chambre	camera 3
chambre double	camera matrimoniale 3
champagne	champagne 22
changer	cambiare 40
chanteur	cantante 77
chaque	ogni 86
charges (financières)	bolletta 64

charme	fascino 6
chat	gatto 31
chauffage	riscaldamento 65
chaussure	scarpa 19
chef	capo 23
chèque	assegno 44
cher	caro 50
chercher	cercare 8
cheveu	capello 96
chez	da 29
Chic !	Evviva! 33
chien	cane 76
chiot	cagnolino 76
chocolat	cioccolato 33
chorale	corale *(m.)* 58
chose	cosa 2
cigarette	sigaretta 68
cinéma	cinema 36
circulation	traffico 4
clair	chiaro 43
clandestin	clandestino 62
classique	classico 27, 76
client	cliente 44
clientèle	clientela 65
cocktail	cocktail 24
code	codice 73
cœur	cuore 87
coiffeur	parrucchiere 29
coin	angolo 8
colère	rabbia 55
collaborateur	collaboratore 23
collègue	collega 24
combien	quanto 11, 37
commencer	cominciare 8
comment	come 11
commercialiser	commercializzare 60
commode	comodo 54
complet	completo 18
complet (costume)	completo 51
complètement	completamente 37
complexe	complesso 79
compliquer	complicare 71

cinquecento • 500

comprendre	capire 28, 30
comprimé	compressa *(f.)* 74
compte	conto 85
compte (se rendre ~)	rendersi conto 26
compter	contare 83
concert	concerto 36
concours	concorso 26
conditionné (air ~)	aria condizionata 3
conditionnement	confezione *(f.)* 73
confortable	comodo 56, 74
connaître	conoscere 41
conseil	consiglio 38
conseiller	consigliare 66
consoler	consolare 45
contenir	contenere 73
content	contento 1
continent	continente 57
contraire (au ~)	anzi 59
contraire *(n.)*	contrario 58
contrarier (se ~)	seccarsi 82
contrat	contratto 43
contredire	contraddire 38
contrôle	controllo 55
convaincre	convincere 79
convaincu	convinto 80
conversation	conversazione 46
copropriété	condominio *(m.)* 64
côte	costa 60
côté	lato 79
côté (à ~)	a fianco 52
couleur	colore *(m.)* 52
couloir	corridoio 23
coup	colpo 26
coupable	colpevole 62
courage	coraggio 54
courant *(adj.)*	corrente 27
courir	correre 53
courriel	mail *(f.)* 16
courrier	posta 64 ; corriere 82
cours	corso 86
cours (en ~)	in corso 54
cours (leçon)	corso 54

501 • **cinquecentouno**

courses (alimentaires)	spesa *(sg.)* 29
court	corto 51
courtoisie	cortesia 3
cousin	cugino 31
craindre	temere 79
crampe	crampo *(m.)* 47
crédit	credito 54
crème	crema 74
crème (café ~)	cappuccino 2
crétin	cretino 97
crier	gridare 53
critique	critica 80
croire	credere 17
croisière	crociera 83
croissant	cornetto 2
cuir	pelle 55
cuisine	cucina 43
curriculum vitae	curriculum vitae 27

D

danois	danese 46
dans	in 3
dans (temporel)	tra 19
danse	danza 86
date	data 18
de	di 1
debout	in piedi 86
débrouiller (se ~)	cavarsela 100
déception	delusione 92
décevoir	deludere 86
décharge	scarico 68
décider	decidere 39
déclaration	denuncia 18 ; dichiarazione 85
déclaration de perte	denuncia de smarrimento 18
découvrir	scoprire 57
défiler	sfilare 69, 92
déjà	già 32
déjeuner *(n.)*	pranzo 33
délai	termine 85
demain	domani 36

demande	domanda 26 ; richiesta 45
demander	chiedere 20 ; domandare 30
déménager	trasferirci 75
dent	dente *(m.)* 31
dentifrice	dentifricio 74
dentiste	dentista 24
dépanneuse	carro attrezzi 66
dépêcher (se ~)	sbrigarsi 31 ; fare presto 39
déplacement	spostamento 58
déplacer	spostare 40
depuis	da 20
déranger	disturbare 95
dernier	ultimo 23
dernier (temporel)	scorso 38
derrière	dietro 92
dès que	appena 87
désastre	disastro 71
descendre	scendere 15 ; scendere giù 69
désinfectant	disinfettante 74
désir	desiderio 89
désirer	desiderare 2
désolé *(adj.)*	dispiaciuto 87
désoler	dispiacere 86
désordonné	disordinato 92
désormais	oramai 68
détail	dettaglio 58
détester	odiare 39
deux (les ~)	entrambi 44
deuxième	secondo *(adj.)* 12
devant	davanti (a) 23 ; dinanzi (a) 92
devenir	diventare 41
devoir	dovere *(v.)* 6
devoir (école)	compito *(m.)* 47
Dieu	Dio 19
différent	diverso 59
difficile	difficile 15
digestif	amaro *(n.)*, digestivo 13
dimanche	domenica 11
dîner *(n.)*	cena 62
dîner *(v.)*	cenare 25
diplôme	diploma 26, 72
dire	dire 18

directeur	direttore 44
diriger	dirigere 66
discipline	disciplina 71
disparaître	sparire 68
disponible	disponibile 100
disposer	disporre 35
disputer (se ~)	litigare 39
distingué	distinto 66
distraire (se ~)	distrarsi 86
distrait	distratto 90
divorce	divorzio 20
docteur	dottor(e) 9
doctorat	dottorato 71
document	documento 45
domicile (justificatif de ~)	certificato di residenza 72
donc	dunque 64
donner	dare 20
dont	di cui 38
double	doppio 3
doucement	piano *(adv.)* 64
douceur	dolcezza 69
douceur (avec ~)	dolcemente 64
doux	dolce *(adj.)* 92
dramatique	drammatico 68
droit	legge *(f.)* 71
droite	destra 15
dur	duro 92

E

eau	acqua 55
échange	cambio 82
échapper	scampare 48
éclaircir	chiarire 79
école	scuola 29, 88
économie	economia 27
écouter	sentire 25 ; ascoltare 41
écrire	scrivere 16
effacer	cancellare 94
effervescent	effervescente 74
effrayer	spaventare 59
effrontément	spudoratamente 48
également	ugualmente 73

cinquecentoquattro • 504

égarement	smarrimento 18
église	chiesa 69
élémentaire	elementare 76
elle	lei 7
elles	loro 7
embarquer	imbarcare 20
embarquer (s'~)	imbarcarsi 62
embauche	assunzione 27
embaucher	assumere 22
émotion	emozione 61
emploi	impiego 26
en	in 1 ; ne 5
en revanche	invece 15
enchanté(e) (de faire la connaissance de qqn)	molto piacere 1 ; molto lieto/a 24
encore	ancora 20
endroit	posto 68
énerver	innervosire 80
enfant	bambino 10 ; ragazzo 36
enfin	finalmente 1
engagement	impegno 87
engager (s'~)	impegnarsi 89
engin	aggeggio 94
ennuyer (déranger)	dispiacere 55
ennuyer (s'~)	annoiarsi 75
ennuyeux	noioso 20, 38
énorme	enorme 43
enrhumé	raffreddato 74
enseignant	insegnante 77
ensemble	insieme 25
ensuite	poi 15
entendre	sentire 61
enthousiasme	entusiasmo 59
enthousiasmer	esaltare 59
enthousiaste	entusiasta 43
entier	completo, intero 59
entre	tra 19
entrée (repas)	primo 12
entrer	accomodarsi 9 ; rincasare 39
entretien	colloquio 26
envie (volonté)	voglia 92

envier	invidiare 61
environnement	ambiente 68
envoyer	inviare 44 ; mandare 88
épeler	dire lettera per lettera 18
époque	epoca 88
épouser	sposare 37
époux	coniuge 39
épreuve	prova 26
équipe	squadra 31
équipe (supporter une ~)	fare il tifo 31
équitation	equitazione 58
erreur	errore *(m.)* 14
escalier	scala 23
escalier mécanique	scala mobile 52
espace	spazio 78
Espagne	Spagna 15
espagnol	spagnolo 27
espèce	specie 68
espoir	speranza 73, 92
essayer (tenter)	cercare 66, 87
essayer (un vêtement)	misurare, provare 50
essentiel	essenziale 93
estimer	considerare 88
estomac	stomaco 47
et	e 1
et *(devant voyelle)*	ed 5
étage	piano *(n.)* 23
état civil	stato di famiglia 27
étau	morsa 92
éteindre	spegnere 93
étoile	stella 13
étoile de mer	stella marina 62
étouffer	soffocare 57
étourderie	sventatezza 68
étourdi	sbadato 80
étrange	strano 47
étranger	straniero 22 ; estero 26
être *(verbe)*	essere 1
étrusque	etrusco 69
étudiant	studente 46
étudier	studiare 88

évanouir (s'~)	svenire 47
éviter	evitare 89
évolution	evoluzione 71
exactement	proprio 22 ; esattamente 57
exagérer	esagerare 68
examinateur	esaminatore 26
examiner	esaminare 78
excellent	eccellente 22
exceptionnel	eccezionale 6
excessivement	eccessivamente 79
excitation	eccitazione 59
excuse	scusa 32
excuser	scusare 64
exemple	esempio 89
exercer (s'~)	esercitarsi 94
expérience	esperienza 26
expliquer	spiegare 30
exprès	apposta 17
exprès (faire ~)	fare apposta 17
extérieur (à l'~)	all'aperto 13
extraordinaire	straordinario 60
extrême	estremo 82
extrêmement	estremamente 79

F

fâcher (se ~)	arrabbiarsi 96
facile	facile 34
façon	modo *(m.)* 66
façon (de toute ~)	comunque 72
facture	bolletta 64
faculté	facoltà 71
faim	fame 8
faire	fare 12
famille	famiglia 85
famille (nom de ~)	cognome 18
fatigant	faticoso 30
fatigué	stanco 4
faux *(n.)*	finta 97
faveur	favore 2
Félicitations !	Congratulazioni! 22 ; Complimenti! 100
femme	donna 38

femme (épouse)	moglie 10
fendre	spaccare 83
fenêtre	finestra 43
fermé	chiuso 16
fermer	chiudere 54
fête	festa 36, 85
fête (saint)	onomastico 31
feu tricolore	semaforo 15
fiche	scheda 18
fiche d'état civil	stato di famiglia 72
fièvre	febbre 74
figurer (se ~) (que/qqch.)	figurarsi (che/qualcosa) 46
film	film 36
fin *(n.)*	fine 25
finances	finanze 27
finir	finire 13
flâner	girellare 97
flèche	freccia 94
fleur	fiore *(m.)* 67
fleuve	fiume 68
florentin	fiorentino 46
fois	volta 20
follement	follemente 46
fonctionnel	funzionale 78
fond	fondo 9
fontaine	fontana 6
football	calcio 11
forêt	foresta 68
formation	formazione 88
forme	forma 34
forme (en ~)	in forma 37
fort	bravo 41 ; forte 76
fou	pazzo 64
fourchette	forchetta 63
fraise	fragola 33
français	francese 24
fréquenter	frequentare 37
frère	fratello 17
frites	patatine fritte 33
froid	freddo *(n./adj.)* 83
fruit	frutta *(f.)* 90

G

garçon	ragazzo 22
garde-robe	guardaroba *(m.)* 51
gardien	portiere 73
gare	stazione 48
garer (se ~)	parcheggiare 97
gauche	sinistra 15
genou	ginocchio 95
gens	gente *(f. sg.)* 45
gentil	bravo 30 ; gentile 39
gentillesse	gentilezza 82
glace	gelato 33
glisser	scivolare 94
gnocchi	gnocchi 12
gourmand	goloso 47
goûter *(n.)*	merenda *(f.)* 47
goûter/tester	assaggiare 12
grâce	grazie 78
grand	grande 23
grandiose	grandioso 60
grand-mère	nonna 53
grand-père	nonno 88
grave	grave 95
grec	greco 24
gressin	grissino 32
gris	grigio 83
groupe	gruppo 22
guichet	sportello 72
guide	guida *(f.)* 8
gymnastique	ginnastica 29

H

habillement	abbigliamento 52
habiter	abitare 10
habitude (d'~)	solito 57
habituer (s'~) (prendre l'habitude de)	abituarsi 94
hasard (par ~)	per caso 48
hâte	fretta 74
hâte (avoir ~)	non vedere l'ora 99
hauteur	altezza 60
heure	ora *(n.)* 9

heure (à l'~)	in orario 4, 46
heureusement	meno male 48
heureux	lieto 24 ; beato 61
hier	ieri 22
hippocampe	ippocampo 62
histoire	storia 46
historique	storico 69
homme	uomo 55
honnêteté	onestà 44
horaire	orario 4
horrible	orribile 39
hors	fuori 68
hors-d'œuvre	antipasto 12
hospitalité	ospitalità 66
hôtel	albergo 3
huile	olio 73
humeur	umore *(m.)* 75
hypersensible	ipersensibile 60

I

ici	qui 1
icône	icona 94
idée	idea 25
identité	identità 18
il	lui 7
il y a (singulier/pluriel)	c'/ci + essere 26
ils	loro 7
image	immagine *(f.)* 92
immédiatement	immediatemente 44
immense	immenso 6
immeuble	palazzo 73
impatient	impaziente 64
importer	importare 83
impôt	tassa 64
impressionner	impressionare 96
imprimé	formulario 72
incroyable	incredibile 5
indécis	incerto 57
indescriptible	indescrivibile 69
indication	indicazione 55
indigné	indignato 68
indiquer	indicare 18

industriel	industriale 68
infini	infinito 87
informatique	informatica 16
injuste	ingiusto 80
innombrable	innumerevole 69
inondé	inondato 65
inscription	iscrizione 72
inscrire (s'~)	iscriversi 71
insistance	insistenza 41
insister	insistere 76
installation	impianto 65
installer (s'~)	accomodarsi 9
institut	istituto 76
intact	intatto 68
intense	intenso 61
intérêt	interesse 44
international	internazionale 22
interphone	citofono 73
interroger	interrogare 30
inutile	inutile 61
invitation	invito 29
inviter	offrire 22 ; invitare 85
irrésistible	irrefrenabile 92
irritable	nervoso 90
Italie	Italia 1
italien	italiano 12

J

jamais	mai 32
janvier	gennaio 47
jardin	giardino 9
jaune	giallo *(adj.)* 52
je	io 5
jésuite	gesuita 88
jeter	buttare 6 ; buttar via 67
jeudi	giovedì 86
jeune	ragazzo 36
joignable	raggiungibile 23
joli	carino 50
jouer	giocare 45
jouet	giocattolo 52
jour	giorno 12

journal	giornale 26
journaliste	giornalista 24
journée	giornata 29
juillet	luglio 71
juin	giugno 92
jumeau	gemello 17
jupe	gonna 50
jus (de fruit)	succo (di frutta) 25
jusqu'à	fino a 11
jusque	fino 11
juste	giusto 51
justificatif de domicile	certificato di residenza 72

K

kilo	chilo 83

L

là	lì 23
lac	lago 28, 69
laisser	lasciare 64
laisser (se ~)	lasciarsi 62
laisser tomber	lasciare perdere 88
langue	lingua 22
languissant	languente 77
large	largo 51
larme	lacrima 92
lasagnes	lasagne 33
le	il 4
leçon	lezione 1
légendaire	mitico 60
légèreté	leggerezza 92
lequel/laquelle	il/la quale 40
les	gli *(pl. de lo)*, i 12
lettre	lettera 16
lettre (alphabet)	lettera 18
leur *(complément d'objet indirect)*	loro 34
lever	alzare 45
libre	libero 3
licence (université)	laura breve 76
lieu	luogo 27
ligne	rigo 16 ; linea 78
lion	leone 76

lionceau	leoncino 76
lire	leggere 46, 86
lit	letto 40
livraison	consegna 73
logiciel	programma di scrittura, software 93
logique	logico 38
loin	lontano 75
lointain	lontano 57
loisir	hobby 27
lombard	lombardo 69
long	lungo 59
longtemps	a lungo 54
longuement	a lungo 80
louer	affittare 69
louer (une voiture/un vélo/etc.) *(adm.)*	noleggiare 69
lourdement	pesantemente 92
lundi	lunedì 75
lycée	liceo 76

M

madame	signora 1
mademoiselle	signorina 50
magasin	negozio 53
magnifique	stupendo 22 ; splendido 96
maigrichon	mingherlino 96
maillot	maglietta 52
main	mano *(f.)* 31
maintenant	ora *(adv.)* 26 ; adesso 41 ; oramai 87
mais	ma 4 ; però 15
maison	casa 13
maisonnette	casetta 45
maître	maestro 30
majeur	maggiore 86
mal	male 47
maladie	malattia 47
malheureusement	purtroppo 87
malicieux	malizioso 96
maltraiter	maltrattare 68
maman	mamma 17
manche	manica 51

manger	mangiare 8
manque	mancanza *(f.)* 69
manquer	mancare 20
manteau	cappotto 19
marbre	marmo 69
marchandise	merce *(f.)* 73
mari	marito 10
mariage	matrimonio 85
mariage (proposer en ~)	proporre in moglie 88
master	master 27
mathématiques	matematica 30
matin	mattina *(f.)* 36
matrimonial(e)	matrimoniale 3
mauvais	cattivo 32 ; brutto 79
mauvais (très ~)	pessimo 38
mauvaises habitudes	malcostume 68
me *(pron. réfléchi)*	mi 11
médecin	medico 71
médiéval	medievale 69
médisance	maldicenza 32
méditerrannée	mediterraneo *(m.)* 83
méfiance	diffidenza 79
mégot	mozzicone 68
meilleur	migliore 10
même *(adj. indéfini)*	stesso 95
même *(adv.)*	persino *(adv.)* 32
mentir	mentire 48
menu	menù 12
mer	mare *(m.)* 57
merci	grazie 2
mercredi	mercoledì 75
merveille	meraviglia 60
merveilleux	meraviglioso 6
message	messaggio 81
messager	messaggero 82
mesurer	misurare 50
mètre	metro 15
métro	metropolitana *(f.)* 15
mettre	mettere 40, 45
meuble	mobile 40
midi	mezzogiorno 8
mieux	meglio 41

cinquecentoquattordici • 514

migraine	mal di testa 74
milieu	ambiente 59
militer	militare 68
minime	minimo 58
ministère	ministero 27
minute	minuto *(m.)* 5
miroir	specchio 41
mixte/varié	misto *(adj.)* 12
modalité	modalità 73
modèle	modello 60
modification	modifica 51
moi	me *(après préposition)* 2
moi *(sujet)*	io 5
moins	meno 19
mois	mese 27
moment	momento 85
monde	mondo 93
monsieur	signore 2 ; dottor(e) 23
monstre	mostro 39
montagne	montagna 58
monter	salire 52
montre	orologio 62
monument	monumento 6
moquer (se ~)	prendere in giro 76
mordu (passionné)	patito 16
moto	moto 96
mouiller	bagnare 83
moustique	zanzara 74
moyen *(adj.)*	medio *(adj.)* 76
moyenne (des notes)	media 76
musée	museo 69
musique	musica 27
mythique	mitico 60

N

naissance	nascita 18
naissance (extrait d'acte de ~)	atto di nascita 72
naître	nascere 88
natation	nuoto *(m.)* 58
national	nazionale 52
nationalité	nazionalità 18
nature	natura 60

naturel	naturale 67
naturellement	naturalmente 12
nausée	nausea 92
ne… pas	non *(+ verbe)* 3
nerveux	nervoso 90
neuf	nuovo 19
nièce	nipote 87
noir	nero 50
nom	nome 9
nom de famille	cognome 18
nombreux	numerosi 26
non	no 4
non plus	neanche 37
notion	nozione 27
nous	noi 7
nous *(obj.)*	ci 20
nous *(pron. réfl.)*	ci *(pron. réfl.)* 21
nouveau	nuovo 19
nouveau (de ~)	di nuovo 81
nouvelle	notizia 37
nuit	notte 3
nul	insulso 38
numéro	numero 20
numerus clausus	numero chiuso 72

O

objectif	obiettivo 60
objet	oggetto 90
obligatoirement	necessariamente 41
obliger	costringere 81
obtenir	conseguire 27 ; ottenere 59
occuper	occupare 87
œil	occhio 46
œnologie	enologia 58
offre	offerta 73
offrir	offrire 22 ; regalare 90
oiseau	uccello 31
olive	oliva 73
ombrien	umbro 69
oncle	zio 48
ordinateur	calcolatore, computer 93
organisation	organizzazione 58

organiser	organizzare 85
original	originale *(n./adj.)* 72
oser	osare 96
ou	o 4
où	dove 8
oublier	dimenticare 16, 90
oui	sì 5
ouvert	aperto 13

P

paiement	pagamento 73
paille	paglia 6
pâle	pallido 90
palourde	vongola 12
pantalon	pantalone 50
papa	papà 40
papier	carta 55
papier (~s d'identité)	documenti 18
paquet	pacchetto 64
par	per 4 ; da 40
par contre	invece 23
par rapport (à)	rispetto (a) 79
paraître	sembrare 38
parc	parco 67
parent	genitore 48
parfait	perfetto 45
parfois	a volte 57
parking	parcheggio 78
parler	parlare 22
partir	partire 48 ; andar via, andare, uscire 81
pas de	niente 12
passager	passaggero 65
passeport	passaporto 17
passer	passare 36
passion	passione 67
passionné	patito 16
patience	pazienza 45
patient	paziente 100
patrimoine	patrimonio 68
pauvre	povero 29

payer	pagare 73
pays	paese 57
paysage	paesaggio 4
pêche	pesca 62
peler	sbucciare 90
pendant	durante 69
penser	pensare 6
pensionnat	collegio 88
perdre	perdere 17
perdu	perso 54 ; perduto 65
père	padre 88
perfectionnement	perfezionamento 86
perle	perla 90
permis (de conduire)	patente *(f.)* 18
perplexe	perplesso 79
personne	nessuno 52
personnel	personale 34
perte	smarrimento 18
petit	piccolo 51
petit (en taille)	basso 88
petit-déjeuner	colazione 2
peu	poco 51
peur	paura 59
peut-être	forse 25 ; magari 45
pharmacien	farmacista 71
photo	foto 16
photocopie	fotocopia 72
photographie	fotografia 16
photographique	fotografico 60
physique	fisico 61
pièce	stanza 23
pièce (monnaie)	moneta 6
pied	piede 5
pied (à ~)	a piedi 5
pierre	pietra 83
pique-nique	picnic 68
place	piazza 15 ; posto 39
plage	spiaggia 68
plainte	denuncia 18
plaire	piacere *(v.)* 57
plaisanter	scherzare 62
plaisir	piacere *(n.)* 1

plante	pianta 68
plantureux	formoso 46
plat	piatto 12
plat de résistance	secondo *(n.)* 12
plein	pieno 53
pleuvoir	piovere 83
plonger (se ~)	tuffarsi 59
plus	più 5
plus (de ~)	di più 17
plus de	più *(+ n.)* 10
plusieurs	parecchi 26
plutôt	piuttosto 61
poche	tasca 17
point	punto 34
poisson	pesce 8
police	polizia 55
politique	politico 68
polluer	inquinare 68
portable	cellulare *(n.)* 25
porte	porta 92
poser	porre 35
positif	positivo 79
position	posizione 79
possible	possibile 44
poste (bureau de ~)	posta 64
poste (de travail)	interno 23
pot (tourner autour du ~)	portarla per le lunghe 82
pour	per 2
pourboire	mancia *(f.)* 97
pourquoi	perché 13
pourtant	eppure 92
pouvoir	potere 8
pratique	comodo 54
précis	preciso 57
préférence (de ~)	preferibilmente 73
préférer	preferire 11
prendre	prendere 13
prénom	nome 18
préparer	preparare 85
près	vicino 8
présenter	presentare 1

presque	quasi 8 ; circa 54
presse	stampa 82
prêt (bancaire)	prestito 75
prêter	prestare 96
prévoir	prevedere 57, 71
prier	pregare 73
principal	principale 44
prix	costo 43
probable	probabile 84
prochain	prossimo 11
produit	prodotto 73
programme	programma 57
programmer	programmare 58
progrès	progresso 94
projet	progetto 43
promesse	promessa 48
promettre	promettere 47
promotionnel	promozionale 73
pronom	pronome 34
propos	proposito 20
propos (à ~)	a proposito 74
proposer	proporre 33
proposer en mariage (*passif*)	proporre in moglie 88
prouver	provare 32
prudent	prudente 79
psychologie	psicologia 71
publicité	pubblicità 64

Q

qualité	qualità 44
quand	quando 11
quart (d'heure)	quarto (d'ora) 20
quartier	quartiere 78
que	che cosa 2 ; che 33
que *(excl.)*	come 20
quel / quelle	quale 15
quel *(adj.)*	che 2
quelqu'un	qualcuno 46
quelque / quelques	qualche 51
quelque chose	qualcosa 13
qui	che 5 ; chi *(majoritairement interr.)* 39

R

rabais	sconto *(m.)* 50
raccourcir	accorciare 51
raccrocher	chiudere 54
raconter	raccontare 26
raison	ragione 5
rapide	rapido 16
rapidement	rapidamente 78
rappeler	ricordare 34
rare	raro 88
rater (avion/train/etc.)	perdere 17
ravi	entusiasta 43
rayon	reparto 52
réaliser	realizzare 59
recevoir	ricevere 64
réclamation	reclamo 44
recommandée (lettre)	raccomandata 44
recrutement	assunzione 26
redire	ridire 30
réduction	sconto *(m.)* 50
refermer	richiudere 92
réfléchir	riflettere 43
réflexion	riflessione 79
refroidir (se ~)	raffreddarsi 59
refuge	rifugio 61
regard	sguardo 96
regarder	guardare 13
région	regione 4
rejoindre	raggiungere 66
religion	religione 59
remboursement	rimborso 44
remercier	ringraziare 73
remplir	riempire 18
remplir (se ~)	riempirsi 92
rencontre	incontro *(m.)* 92
rencontrer	conoscere 46
rencontrer (se ~)	incontrarsi 37
rendre	ricambiare 66
rénovation	rinnovo 65
rentrer	tornare 33 ; rientrare 66
renverser	versare 55

répandu	diffuso 68
répartition	ripartizione 78
repenser	ripensare 99
répondre	rispondere 30
reposé	riposato 75
république	repubblica 82
requérir	richiedere 26
réserver	prenotare 9
résidence	residenza 72
respect	rispetto 69
respectable	spettabile 73
respecter	rispettare 62
restaurant	ristorante 8
reste *(n.)*	resto *(n.)* 68
rester	restare 11 ; rimanere 50
retard	ritardo 5
retenir	trattenere 45
réunion	riunione 23
réussir	riuscire 60
réussir (à)	riuscire (a) 85
réussir (un concours/un examen/etc.)	superare 72
rêve	sogno 59
réveiller	risvegliare 79
revenir	ritornare 6 ; tornare 58
rêver	sognare 57
revue	rivista 82
rien	niente 3 ; nulla 37
romain	romano 12
Rome	Roma 1
rose	rosa 69
roseau	canna 63
rouge	rosso 50
rue	strada 6 ; via 8
russe	russo 24
rythme	ritmo 62

S

S'il te plaît ! *(exprime l'insistance)*	Dai! 20
s'il te/vous plaît	per favore 2 ; per cortesia 3
sabbatique	sabbatico 59
sac	sacco 20 ; borsa *(f.)* 64

sac à dos	zaino 17
sac de couchage	sacco a pelo 61
sacré *(ironique)*	bello 55
salade (légumes)	insalata 90
salaire	stipendio 22
sale	sporco 68
salle	sala 23
salle de bains	bagno 3
saluer	salutare 61
salut	ciao 1
salut *(informel)*	salve 1
salutation	saluto 65
samedi	sabato 36
sans	senza 47
satisfaisant	soddisfacente 44
saut	salto 29
sautiller	saltellare 92
sauvegarde	salvaguardia 44
sauvegarder	salvare 94
savoir	sapere 15
scientifique	scientifico 76
scolaire	scolastico 62
se *(pron. réfl.)*	si *(pron. réfl.)* 11, 21
seconde	attimo 95
secret	segreto 93
secrétaire	segretaria *(f.)* 23
séjour	soggiorno 59
semaine	settimana 17
semblant (faire ~)	fare finta 97
sembler	sembrare 15
sensation	sensazione 92
sensuel	sensuale 96
sérieux	serio 96
serré	stretto 51
serré (café)	ristretto 2
service	cortesia 82
seul	solo 16
seulement	solo *(adv.)* 18 ; solamente 50
sévère	severo 88
sévèrement	severamente 41
si *(condition)*	se 15

si/tellement	così 13
siège	sedile 55
siège (d'une société)	sede 78
signature	firma 45
signer	firmare 43
simple	semplice 72
simple (chambre)	singola 3
simplement	semplicemente 57
simultanément	contemporaneamente 94
site	sito 69
situation	situazione 68
société	società 24
sœur	sorella 11
soigné	accurato 79
soir	sera 36
soir (ce ~)	stasera 22
soirée	serata 13
solaire	solare 83
soldes	saldi 50
soleil	sole 65
soleil (un ~ de plomb)	un sole che spacca le pietre 83
somme (en ~)	insomma 69
sommet	cima *(f.)* 61
son/sa	suo/a 18
sonner	suonare 97
sophistiqué	sofisticato 93
sortie	uscita 54
sortir	uscire 34
sou	soldo 31
soucier (se ~)	preoccuparsi 89
soudainement	improvvisamente 46
souffrir	soffrire 76
souhaiter	augurare 87
souterrain	sotterraneo 78
souvenir (se ~)	ricordarsi 31
souvent	spesso 4
spaghetti	spaghetto 33
sparadrap	cerotto 74
spécial	speciale 36
spectacle	spettacolo 13
splendide	splendido 85

spontané	spontaneo 68
sport	sport 11
stage	stage, tirocinio 27 ; corso 58
stupidité	stupidità 68
sud	sud 88
suffire	bastare 5
suivant	successivo 83
suivre	seguire 54
superpuissant	superpotente 60
supporter	sopportare 39
supposer	supporre 32
sûrement	sicuramente 30 ; sicuro 53
surmonter	superare 72
surprise	sorpresa 40
surtout	sopratutto 17
sympathique	simpatico 26

T

t' *(pron. réfl.)*	ti *(pron. réfl.)* 21
table	tavolo 9 ; tavola 31
tâche	compito *(m.)* 44
taille	taglia 50
tango	tango 86
tante	zia 33
tard	tardi 48
tarte	torta 33
tas (un ~ de)	un sacco di 30
taxi	taxi 20
te *(pron. réfl.)*	ti *(pron. réfl.)* 1
technique *(adj.)*	tecnico *(adj.)* 76
téléphone	telefono 29
téléphone (avoir quelqu'un au ~)	sentire 61
téléphoner	telefonare 31
téléphonique	telefonico 54
temps	tempo 20
temps (il est ~ de)	è ora di 80
tenir	tenere 28, 48
tenir (à qqch.)	tenere 90
tennis	tennis 45
tentative	tentativo *(m.)* 93
terminal	terminal 20

terrasse	terrazza 13
terrible	terribile 29
tête	testa 26
théâtre	teatro 36
timbre	francobollo 16
tiroir	cassetto 17
tomate	pomodoro 33
tomber	cadere 64
tomber (arriver/se passer)	capitare 85
tomber (laisser ~)	lasciare perdere 88
tort	torto 38
toscan	toscano 69
totalement	totalmente 79
touche	tasto 94
toucher	toccare 53
toujours	sempre 16
tourner	girare 69, 97
tourner autour du pot	portarla per le lunghe 82
tous les deux	tutti e due 80
tout	tutto 12, 17, 29, 57
tout d'abord	innanzitutto 79
tout de suite	subito 2
tout/e/es/tous	tutto/a/e/i 3, 6
train	treno 4
tranquillement	tranquillamente 46
tranquillité	tranquillità 10
transmettre	trasmettere 44
travail	lavoro 10
travailler	lavorare 48
traversée	traversata 60
traverser	attraversare 4
très	molto 1
très bien	va bene 33
trésor	tesoro 30
triste	triste 92
troisième	terzo 52
tromper (se ~)	sbagliare 47
trop	troppo 47
trouver	trovare 10
tu	tu 7
tutoyer	dare del tu 24
typhus	tifo 31

U

un peu	un po' 12
un/une	un/una 2
univers	universo 80
urgent	urgente 87
usine	fabbrica 88
utile	utile 84
utiliser	utilizzare 83

V

vacances	vacanza 57
valable	valido 72
valise	valigia 61
valse	valzer 86
vanille	vaniglia 33
vendre	vendere 75
vendredi	venerdì 75
venir	venire 13
vent	vento 83
ventre	ventre 86
vérifier	verificare 85
verre	bicchiere 25
vers	verso 20
vert	verde 19
veste	giacca 51
vêtement	abito 51 ; vestito 55
viande	carne *(f.)* 32
vie	vita 89
vieux	vecchio 59
ville	città 6
vin	vino 25
violent	violento 38
vite	presto 19
Vite !	Dai! 20
vitrine	vetrina 41
vivant	vivace 78
vivre	vivere 10
vœu	augurio 31
voie	corsia 54
voilà	ecco 5
voile	vela 58